IAN MCEWAN

Serena

Tradução
Caetano W. Galindo

2ª reimpressão

Grafia atualizada segundo o Acordo Ortográfico da Língua Portuguesa de 1990, que entrou em vigor no Brasil em 2009.

Título original
Sweet Tooth

Capa
Kiko Farkas e Mateus Valadares/ Máquina Estúdio

Imagem de capa
Getty Images

Preparação
Márcia Copola

Revisão
Ana Maria Barbosa
Ana Luiza Couto

Dados Internacionais de Catalogação na Publicação (CIP)
(Câmara Brasileira do Livro, SP, Brasil)

McEwan, Ian
    Serena / Ian McEwan ; tradução Caetano W. Galindo. —
1ª ed. — São Paulo : Companhia das Letras, 2012.

    Título original: Sweet Tooth.
    ISBN 978-85-359-2121-2

    1. Ficção inglesa I. Título.

12-05635   CDD-823

Índice para catálogo sistemático:
1. Ficção : Literatura inglesa 823

[2012]
Todos os direitos desta edição reservados à
EDITORA SCHWARCZ S.A.
Rua Bandeira Paulista, 702, cj. 32
04532-002 — São Paulo — SP
Telefone (11) 3707-3500
Fax (11) 3707-3501
www.companhiadasletras.com.br
www.blogdacompanhia.com.br

Se pelo menos eu tivesse encontrado, em toda essa busca, uma única pessoa claramente má.

Timothy Garton Ash, *The File*

1.

Meu nome é Serena Frome (a pronúncia é Frum) e há quase quarenta anos fui enviada numa missão secreta do Serviço de Segurança britânico. Eu não voltei em segurança. Um ano e meio depois de entrar fui despedida, depois de ter caído em desgraça e acabado com a vida do meu namorado, embora ele certamente tenha tido um pouco a ver com a sua própria queda. Não vou perder muito tempo com a minha infância e a minha adolescência. Sou filha de um bispo anglicano e cresci com uma irmã numa catedral de uma cidadezinha linda no leste da Inglaterra. A minha casa era simpática, lustrosa, organizada, cheia de livros. Os meus pais gostavam bastantinho um do outro e me adoravam, e eu a eles. A minha irmã Lucy e eu tínhamos um ano e meio de diferença e, apesar de nós termos passado a adolescência brigando e gritando uma com a outra, isso não deixou grandes cicatrizes e nós ficamos mais próximas na vida adulta. A fé do nosso pai em Deus era uma coisa acomodada e razoável, não se metia muito na nossa vida e foi apenas o suficiente para ele conseguir subir tranquilamente na hierarquia da Igreja e nos

7

instalar numa confortável casa do período da rainha Anne. A casa dava para um jardim cercado por muralhas de plantas que eram, e ainda são, muito bem conhecidas por quem entende de jardinagem. Então, tudo muito estável, invejável, até idílico. Nós crescemos dentro de um jardim murado, com todos os prazeres e limitações que isso implica.

A segunda metade da década de 1960 mitigou o nosso modo de vida mas não acabou com ele. Eu nunca perdi um só dia de aula na escola local a não ser que estivesse doente. No fim da minha adolescência os muros do jardim viram alguma bolinação, como as pessoas diziam na época, umas tentativas com cigarros, álcool e um pouco de erva, discos de rock, cores mais vivas e relações mais quentes de um modo geral. Com dezessete anos eu e as minhas amigas éramos tímida e encantadamente rebeldes, mas fazíamos a lição de casa, decorávamos e vomitávamos os verbos irregulares, as equações, as motivações de personagens de ficção. Nós gostávamos de nos ver como meninas travessas, mas na verdade éramos bem boazinhas. Aquilo era agradável, aquela empolgação toda que estava no ar em 1969. Era algo inseparável da expectativa de que logo chegaria a hora de sair de casa e ir estudar em outro lugar. Nada de estranho ou terrível aconteceu comigo durante os meus primeiros dezoito anos e é por isso que eu vou pular esse período.

Se dependesse de mim, eu teria escolhido fazer uma faculdadezinha preguiçosa de letras numa universidade provinciana bem ao norte ou a oeste de casa. Eu gostava de ler romances. Eu lia rápido — às vezes dava conta de dois ou três por semana — e fazer isso por três anos teria sido bem a minha cara. Mas naquela época eu era considerada uma aberração — uma menina que por acaso tinha talento para matemática. Eu não tinha interesse no assunto, ele me dava pouco prazer, mas eu gostava de estar por cima, e de chegar no alto sem fazer muita força. Eu sabia as respostas das perguntas antes até de saber como tinha chegado a elas. Enquanto as minhas amigas faziam esforço e calculavam, eu chegava a uma solução através de uma série de passos lépidos que eram em alguma medida visuais e em alguma medida só uma noção do que ficava bem em cada caso. Era difícil explicar como eu sabia o que eu sabia. Obviamente, uma prova de matemática era muito menos difícil que uma de literatura inglesa. E no meu último ano eu fui capitã da equipe de xadrez da escola. Você precisa fazer um exercício de imaginação histórica para entender o que representava para uma menina, naquela época, viajar para uma escola da vizinhança e derrubar um pirralhinho condescendente e o seu sorrisinho amarelo do poleiro em que ele tinha se encarapitado. Mas matemática e xadrez, além de hóquei, saias pregueadas e canto coral, eu considerava meramente coisas da escola. Achei que estava na hora de largar essas coisas infantis quando comecei a pensar em me matricular na universidade. Mas não levei a minha mãe em consideração.

Ela era a quintessência, ou uma paródia, da esposa de um vigário e depois de um bispo — uma memória formidável para nomes e rostos e para as cismas dos membros da paróquia, um jeito de singrar uma rua da cidade com um lenço Hermès, com modos delicados-mas-firmes com a diarista e o jardineiro. Um charme irrepreensível em qualquer escala social, em qualquer tom. Com que ar de entendedora ela encarava as fumantes inveteradas e enfarruscadas dos conjuntos habitacionais quando elas vinham para o Clube de Mães e Bebês na cripta. Com que entusiasmo ela lia a historinha de véspera de Natal para as crianças dos Barnardo, sentadas aos pés dela na nossa sala de estar. Com que autoridade natural ela pôs o arcebispo de Canterbury à vontade quando ele passou uma vez para tomar um chá e comer uns bolinhos depois de abençoar a fonte restaurada da catedral. Lucy e eu fomos expulsas para o andar de cima enquanto durou a visita dele. Tudo isso — e essa é que é a parte difícil — combinado com uma total devoção e subordinação à causa do meu pai. Ela era a sua propagandista, a sua criada, a pessoa que facilitava a vida dele a todo momento. Das meias guardadas em caixinhas e da sobrepeliz passada a ferro e pendurada no guarda-roupa ao seu escritório espanado e ao profundíssimo silêncio dos sábados em casa, quando ele estava escrevendo o sermão. A única coisa que ela exigia em troca — palpite meu, é claro — era que ele a amasse ou que, pelo menos, nunca a deixasse.

Mas o que eu não tinha entendido sobre a minha mãe era que enterrada bem fundo, por baixo desse exterior convencional, estava a sementinha resistente do feminismo. Eu tenho certeza de que essa palavra nunca saiu da sua boca, mas não fazia diferença. As certezas dela me assustavam. Ela disse que era meu dever como mulher ir estudar matemática em Cambridge. Como mulher? Naquele tempo, ou no nosso meio social, ninguém, jamais, falava com você nesses termos. Mulher nenhuma fazia algo "como mulher". Ela me disse que não permitiria que eu desperdiçasse o meu talento. Eu iria brilhar e fazer algo extraordinário. Eu tinha de ter uma carreira de verdade na ciência ou na engenharia ou na economia. Ela se deu o direito de usar o clichê do mundo aos meus pés. Era injusto com a minha irmã o fato de eu ser inteligente e linda e de ela não ser nenhuma dessas coisas. Seria uma injustiça ainda maior se eu deixasse de mirar alto. Eu não entendi muito bem a lógica por trás disso, mas não abri a boca. A minha mãe me disse que jamais me perdoaria e jamais se perdoaria se eu fosse estudar letras e virasse apenas uma versão levemente mais educada da dona de casa que ela era. Eu estava correndo o risco de *jogar a minha vida fora*. Foram as palavras dela, e elas representavam uma confissão. Foi a única vez que ela manifestou ou confessou estar insatisfeita com o seu destino.

Aí ela cooptou o meu pai — "o Bispo" era como a minha irmã e eu o chamávamos. Quando eu cheguei da escola um dia a minha mãe me disse que ele estava esperando por mim no escritório. Com o meu blazer verde e seu brasão heráldico com lema bordado — *Nisi Dominus Vanum* (Sem o Senhor Tudo é em Vão) — eu me arrastei mal-humorada até a poltrona de couro com jeito de clube de senhores enquanto ele presidia a sessão sentado à sua mesa, remexendo em alguns papéis e cantarolando baixinho enquanto punha as ideias em ordem. Eu achei que ele estava ensaiando para mim a parábola dos talentos, mas ele adotou uma linha surpreendentemente prática. Ele tinha feito umas sondagens. Cambridge estava ansiosa por ser vista "abrindo seus portões para o mundo moderno da igualdade". Com o meu fardo de triplo infortúnio — escolinha local, menina, campo de estudo masculino — era certo que eu ia ser aceita. Se, contudo, eu me matriculasse em letras lá (o que jamais foi a minha intenção; o Bispo sempre foi fraco em detalhes), ia ter muito mais dificuldade. Dali a uma semana a minha mãe falou com o diretor da escola. Eles empregaram na tarefa certos professores escolhidos que usaram todos os argumentos dos meus pais além de alguns próprios, e é claro que eu tive que ceder.

Então abandonei a minha ambição de cursar letras em Durham ou Aberystwyth, onde tenho certeza de que teria sido feliz, e acabei indo para o Newnham College, em Cambridge, para aprender na minha primeira aula, que aconteceu no Trinity, o quanto eu era medíocre em matemática. O meu primeiro semestre me deixou deprimida e eu quase abandonei o curso. Uns meninos palermas, sem a bênção de um charme pessoal ou de qualquer outro atributo humano como a empatia e a gramática gerativa, primos mais inteligentes dos bobos que eu tinha destruído no xadrez, ficavam me encarando enquanto eu lutava com conceitos que eles achavam óbvios. "Ah, a serena senhorita

Frome", um professor exclamava sarcasticamente quando entrava na sala dele toda terça de manhã. "Sereníssima. A de olhos cerúleos! Ó, vinde iluminar-nos!" Era mais do que claro para os meus professores e colegas que eu não podia ter sucesso ali precisamente porque era uma mulher bonita de minissaia, com cabelo louro caindo em cachos pelos ombros. A verdade era que eu não podia ter sucesso ali porque era quase igual ao resto da humanidade — não tão boa assim em matemática, não naquele nível. Fiz o que pude para conseguir uma transferência para letras, inglês ou francês ou até para antropologia, mas ninguém me quis. Naquele tempo as regras eram seguidas à risca. Para encurtar uma história comprida e infeliz, eu baixei a cabeça e no final acabei me formando sem nenhum louvor.

Se eu passei correndo pela minha infância e adolescência, então certamente vou condensar o meu tempo de aluna de graduação. Eu nunca saí para remar, com ou sem um gramofone a corda, nem visitei o espetáculo de revista das Footlights — teatro me deixa sem jeito — nem fui presa nas manifestações da Garden House. Mas eu perdi a virgindade no primeiro semestre, várias vezes seguidas, parecia, já que na época todo mundo adotava um estilo caladão e desajeitado, e tive uma agradável sucessão de namorados, seis ou sete ou oito ao longo dos nove semestres, dependendo das definições de carnalidade que você considera. Eu fiz um punhado de boas amizades entre as mulheres do Newnham. Joguei tênis e li livros. Totalmente graças à minha mãe, eu estava estudando o assunto errado, mas não parei de ler. Eu nunca tinha lido muita poesia ou peças de teatro na escola, mas acho que os romances davam mais prazer a mim que aos meus amigos da universidade, que eram obrigados a suar para dar conta de ensaios semanais sobre *Middlemarch* ou *Feira das vaidades*. Eu passava correndo por esses mesmos livros, jogava conversa fora sobre eles, talvez, se houvesse alguém por ali que conseguisse tolerar o meu nível básico de discurso, e aí seguia em frente. Ler não era o meu jeito de pensar em matemática. Mais que isso (ou será que eu quero dizer menos?), era o meu jeito de não pensar.

Eu disse que eu era rápida. *The Way We Live Now* em quatro tardes deitada na cama! Eu dava conta de um bloco de texto ou de um parágrafo inteiro num só gole visual. Era questão de deixar os olhos e os pensamentos escorrerem, como cera, para tirar uma impressão fresquinha da página. Para irritação dos que ficavam em torno de mim, eu virava a página de poucos em poucos segundos com um gesto impaciente do pulso. As minhas necessidades eram simples. Eu não prestava muita atenção em temas ou frases especialmente bem resolvidas e pulava belas descrições de clima, paisagens e interiores. Eu queria personagens em que pudesse acreditar, e queria que me deixassem curiosa sobre o que iria acontecer com eles. De maneira geral, eu preferia que as pessoas estivessem ou no começo ou no fim de uma paixão, mas não fazia muita diferença se elas tentavam outras coisas pelo caminho. Era vulgar admitir, mas eu gostava que alguém dissesse "Case comigo" no fim. Os romances sem personagens femininos eram um deserto sem vida. Conrad eu nem levava em consideração, assim como a maioria dos contos de Kipling e Hemingway. E também não me impressionava com reputações. Eu lia tudo que me caísse na frente. Literatura vagabunda, elevada e tudo que ficasse no meio — tudo era tratado da mesma maneira brusca.

Qual é o famoso romance que começa assim? *A temperatura bateu nos trinta e dois graus no dia em que ela chegou.* Não tem impacto? Você não conhece? Eu fiz as minhas amigas que estudavam inglês no Newnham rirem quando disse que *O vale das bonecas* era tão bom quanto qualquer romance de Jane Austen. Elas riram, ficaram me sacaneando meses a fio. E elas não tinham lido nem uma página da obra de Susann. Mas e daí? Quem é que dava a mínima para as opiniões desinformadas de uma matemática frustrada? Nem eu, nem as minhas amigas. Ao menos nessa medida eu estava livre.

A questão dos meus hábitos de leitura na graduação não é uma digressão. Esses livros me levaram direto à minha carreira na Inteligência. No meu último ano a minha amiga Rona Kemp começou uma revista semanal chamada *?Quis?*. Esses projetos surgiam e sumiam às dúzias, mas o dela estava à frente do seu tempo com aquela mistura de alta e baixa cultura. Poesia e música *pop*, teoria política e fofoca, quartetos de cordas e moda universitária, *nouvelle vague* e futebol. Dez anos depois a fórmula estava por toda parte. Pode não ter sido a intenção de Rona, mas ela esteve entre as primeiras a ver o potencial dessa fórmula. Ela acabou na *Vogue*, passando pelo *Times Literary Supplement* e aí chegando a uma ascensão e queda incendiárias, começando revistas novas em Manhattan e no Rio. O duplo ponto de interrogação nesse primeiro título dela foi uma inovação que ajudou a garantir uma sequência de onze edições. Lembrando do meu período Susann, ela me pediu para escrever uma coluna regular, "O Que Eu Li Semana Passada". As minhas instruções eram "ser informal e onívora". Mole! Eu escrevia como falava, normalmente fazendo pouco mais que dar um sumário das tramas dos livros que tinha acabado de devorar, e, numa autoparódia consciente, enfatizava um ou outro veredito ocasional com uma fileira de pontos de exclamação. A minha prosa aliterativa e bobinha descia bem. Numa ou noutra ocasião, gente que eu não conhecia me parou na rua para dizer isso. Até o meu jocoso professor de matemática fez um comentário elogioso. Foi o mais perto que cheguei de sentir o gostinho daquele doce e inebriante elixir que é a fama estudantil.

Eu tinha escrito meia dúzia de textos leves quando alguma

coisa deu errado. Como muitos escritores que obtêm certo sucesso, eu comecei a me levar demasiadamente a sério. Eu era uma menina com gostos desorientados, uma cabeça vazia, no ponto para ser conquistada. Estava esperando, como eles diziam em alguns dos romances que eu andava lendo, que o Homem Ideal aparecesse e me derrubasse. O meu Homem Ideal era um russo severo. Eu descobria um autor e um assunto para a coluna e virava fã. De repente eu tinha um tema, e a missão de convencer os outros. Comecei a me dar o direito de fazer várias revisões dos textos. Em vez de falar direto com a página, eu estava fazendo segundas e depois terceiras versões. Na minha modesta opinião, a minha coluna tinha se tornado um serviço público de vital importância. Acordava no meio da noite para apagar parágrafos inteiros e rabiscar flechinhas e balões pelas páginas. Eu fazia importantes caminhadas. Sabia que o meu encanto popular ia diminuir, mas não dava a mínima. Essa diminuição provava o que eu estava tentando dizer, era o heroico preço que eu tinha que pagar. As pessoas erradas estavam lendo o que eu escrevia. Não dei a mínima quando Rona reclamou. Na verdade, me senti justificada. "Isso não está exatamente informal", ela disse sem mover um músculo enquanto me devolvia o meu texto uma tarde no Copper Kettle. "Não foi isso que a gente disse que ia fazer." Ela estava certa. A minha leveza e os meus pontos de exclamação tinham se dissolvido na fúria e na premência que estreitavam os meus interesses e destruíam o meu estilo.

O meu declínio foi precipitado pelos cinquenta minutos que eu passei com *Um dia na vida de Ivan Deníssovitch*, de Alexander Soljenítsin, na nova tradução de Gillon Aitken. Eu peguei o livro assim que acabei o *Octopussy* de Ian Fleming. A transição foi dura. Eu não sabia nada dos campos de trabalho soviéticos e nunca tinha ouvido a palavra *"gulag"*. Tendo crescido numa catedral, o que é que eu sabia dos cruéis absurdos do comunismo, ou de como homens e mulheres corajosos em lúgubres colônias penais afastadas de tudo eram reduzidos a pensar dia a dia em nada além da sua própria sobrevivência? Centenas de milhares transportados para as estepes siberianas por terem lutado pelo seu país numa terra estrangeira, por terem sido prisioneiros de guerra, por terem irritado um executivo do Partido, por serem executivos do Partido, por usarem óculos, por serem judeus, homossexuais, camponeses donos de uma vaca, poetas. Quem estava denunciando a perda de toda essa parcela da humanidade? Eu nunca tinha me incomodado com política antes. Não sabia nada das discussões e da desilusão de uma geração mais velha que a minha. E também não tinha ouvido falar da "oposição de esquerda". Além da escola, a minha educação tinha se limitado a um pouco mais de matemática e pilhas de romances em edições baratas. Eu era uma inocente e a minha sensação de ultraje era moral. Eu não usava, e não tinha sequer ouvido, a palavra "totalitarismo". Eu provavelmente teria pensado que tinha alguma coisa a ver com totalidades. Achava que estava vendo o mundo através de um véu, que estava desbravando novas fronteiras enquanto mandava as minhas mensagens de um *front* obscuro.

Em uma semana eu já tinha lido O *primeiro círculo*, de Soljenítsin. O título vinha de Dante. O seu primeiro círculo do inferno ficava reservado para os filósofos gregos e consistia, a bem da verdade, num agradável *jardim murado* cercado por um sofrimento infernal, um jardim de onde era proibido fugir para entrar no paraíso. Eu cometi o erro do entusiasta, de presumir que todo mundo compartilhava a minha ignorância anterior. A minha coluna virou uma arenga. Será que a presunçosa cidade de Cambridge não sabia o que tinha acontecido, ainda estava acontecendo, a cinco mil quilômetros a leste, será que ela não tinha percebido o dano que aquela utopia fracassada de filas para comida, roupas horríveis e viagens restritas estava causando ao espírito humano? O que é que se podia fazer? *?Quis?* tolerou quatro rodadas do meu anticomunismo. Os meus interesses se estenderam até *O zero e o infinito*, de Koestler, *Bend Sinister*, de Nabokov, e aquele belo tratado que é *The Captive Mind*, de Miłosz. Também fui a primeira pessoa do mundo a entender *1984* de Orwell. Mas o meu coração ficava sempre com o meu primeiro amor, Alexander. A testa que se erguia como uma cúpula ortodoxa, a barbinha passa-piolho, a autoridade austera que o *gulag* tinha lhe conferido, a sua teimosa imunidade aos políticos. Nem as convicções religiosas dele conseguiam me deter. Eu o perdoei quando ele disse que o homem tinha esquecido Deus. *Ele* era Deus. Quem podia estar à altura dele? Quem podia lhe negar o prêmio Nobel? Encarando a fotografia dele, eu queria ser a sua namorada. Eu teria sido uma criada dele como a minha mãe foi do meu pai. Guardar as meinhas dele? Eu teria caído de joelhos para lavar os pés daquele homem. Com a língua!

Naquele tempo, martelar as iniquidades do sistema soviético era coisa rotineira para os políticos do Ocidente e os editoriais de quase todos os jornais. No contexto da vida e da política estudantil, era só um tantinho de mau gosto. Se a CIA estava contra o comunismo, devia ter alguma coisa boa no regime. Certas seções do Partido Trabalhista ainda tinham algum amor pelos monstros de cara quadrada lá no Kremlin e pelo seu projetinho macabro, ainda cantavam a *Internacional* na conferência anual, ainda mandavam estudantes em programas de intercâmbio. Nos anos de pensamento binário da Guerra Fria não era possível você se ver concordando sobre a União Soviética com um presidente americano que estava em guerra no Vietnã. Mas naquele chá no Copper Kettle, Rona, sempre tão educadinha, tão perfumada, tão precisa, disse que não era a política da minha coluna que estava incomodando. O meu pecado era ser franca. A próxima edição da revista dela não tinha mais o meu texto. O meu espaço foi ocupado por uma entrevista com a Incrível Banda de Cordas. E aí a *?Quis?* fechou.

Poucos dias depois da minha demissão eu comecei uma fase Colette, que me consumiu vários meses. E eu tinha outras preocupações urgentes. As provas finais aconteceriam dali a poucas semanas e eu estava de namorado novo, um historiador chamado Jeremy Mott. Ele era de um tipinho antiquado — esguio, nariz comprido, com um pomo de adão exagerado. Era descabelado, inteligente sem ser pretensioso, e extremamente educado. Eu tinha notado vários caras como ele por ali. Eles pareciam ser todos descendentes de uma mesma família e ter vindo de escolas de qualidade do norte da Inglaterra, onde recebiam as mesmas roupas. Eram os últimos homens da Terra que ainda usavam paletós de *tweed* Harris com couro nos cotovelos e debrum nos punhos. Fiquei sabendo, não pelo Jeremy, que achavam que ele ia se formar com louvor e distinção e que ele já tinha publicado um artigo numa revista acadêmica de estudos do século XVI.

Ele acabou se revelando um amante delicado e atento, apesar de ter um ossinho infeliz e pontudo no púbis que na primeira vez doeu demais. Ele pediu desculpas, como quem pede desculpas por um parente doido mas distante. Ou seja, não ficou particularmente constrangido. Nós resolvemos a questão fazendo amor com uma toalha dobrada entre nós, um paliativo que eu senti que ele já tinha usado antes. Ele era atencioso e competente de verdade, e eu podia ficar naquilo o quanto quisesse, e mais ainda, até não conseguir aguentar mais. Mas os orgasmos dele eram difíceis, apesar dos meus esforços, e eu comecei a suspeitar que havia alguma coisa que ele queria que eu dissesse ou fizesse.

Ele não me dizia o que era. Ou melhor, ele insistia que não havia nada. Não acreditei nele. Queria que ele tivesse um desejo secreto e vergonhoso que só eu pudesse satisfazer. Queria fazer esse homem altivo e cortês ser todo meu. Será que ele queria me dar um tapa no traseiro, ou que eu desse uns tapas no dele? Será que ele queria vestir as minhas calcinhas? Esse mistério me obcecava quando eu estava longe dele, e tornava ainda mais difícil parar de pensar nele quando eu devia estar me concentrando na matemática. Colette era a minha fuga.

Uma tarde, no começo de abril, depois de uma sessão com a toalhinha dobrada no quarto de Jeremy, nós estávamos atravessando a rua perto do Corn Exchange, eu numa nuvem de felicidade e com alguma dor derivada disso, por causa de um músculo distendido nas costas, e ele — bom, eu não sabia direito. Enquanto nós andávamos eu estava pensando se devia tocar naquele assunto de novo. Ele estava um amor, com o braço largado pesando nos meus ombros enquanto me falava do seu ensaio sobre a Câmara Estrelada. Eu estava convencida de que ele não estava plenamente realizado. Eu achava que dava para perceber isso na tensão da voz dele, naquele passo nervoso. Depois de dias fazendo amor ele não tinha recebido a bênção de um único orgasmo. Eu queria ajudar, e estava curiosa de verdade. Também estava torturada pela ideia de que podia estar deixando ele na mão. Ele se excitava comigo, até aí estava claro, mas talvez não me desejasse o bastante. Nós passamos pelo Corn Exchange no friozinho do crepúsculo de uma primavera úmida, com o braço do meu namorado em volta de mim como uma estola de pele de raposa e a minha felicidade vagamente comprometida por uma pontadinha nas costas e só um pouco mais comprometida pelo enigma dos desejos de Jeremy.

De repente, de uma ruela lateral, apareceu na nossa frente sob a inadequada luz dos postes o orientador de Jeremy, Tony

Canning. Quando nós fomos apresentados, ele apertou a minha mão e ficou segurando tempo demais, eu achei. Ele estava com cinquenta e poucos anos — mais ou menos a idade do meu pai — e eu sabia só o que o Jeremy tinha me contado. Ele era professor, era um antigo amigo do secretário do Interior, Reggie Maudling, que tinha vindo jantar na universidade. Os dois homens tinham rompido numa noite de bebedeira, por causa da política de detenções sem julgamento na Irlanda do Norte. O professor Canning tinha sido presidente de uma Comissão de Sítios Históricos, era membro de vários conselhos, inclusive do British Museum, e tinha escrito um livro muito elogiado sobre o Congresso de Viena.

Ele pertencia aos bons e grandes, um tipo que me era vagamente familiar. Homens como ele passavam pela nossa casa para fazer uma visita ao Bispo de vez em quando. É claro que eram irritantes para qualquer um abaixo dos vinte e cinco anos naquele período pós-anos 1960, mas eu até que gostava deles. Eles podiam ser muito encantadores, e até espirituosos, e o rastro que deixavam, de charutos e *brandy*, fazia o mundo parecer organizado e rico. Eles se tinham em alta conta, mas não pareciam desonestos, e tinham, ou davam a impressão de ter, uma vigorosa noção de dever público. Levavam a sério os seus prazeres (vinho, comida, pesca, *bridge* etc.) e aparentemente alguns deles tinham participado de uma guerra interessante. Eu tinha lembranças de Natais da minha infância em que um ou dois deles deram uma nota de dez xelins para mim e para a minha irmã. Tudo bem que esses sujeitos controlassem o mundo. Tinha gente muito pior.

Canning tinha modos grandiosos algo contidos, talvez para combinar com os seus modestos papéis públicos. Eu percebi o cabelo ondulado, delicadamente repartido, e lábios carnudos úmidos e uma fendinha no meio do queixo, que eu achei bonitinha porque dava para ver, até com aquela luz ruim, que ele tinha dificuldade para fazer a barba direito. Uns pelos escuros ingovernáveis se projetavam do sulco vertical na pele. Era um homem bonito.

Quando as apresentações acabaram, Canning me fez algumas perguntas, sobre mim. Eram coisas educadas e bem inocentes — sobre o meu curso, Newnham, o diretor, que era grande amigo dele, a minha cidade, a catedral. Jeremy entrou na conversa com umas amenidades e aí Canning também o interrompeu para agradecer por ele ter mostrado os meus últimos três artigos na *?Quis?*.

Ele se voltou novamente para mim. "Uns textinhos excelentes. Você tem talento, querida. Você quer entrar para a imprensa?"

A *?Quis?* era um pasquim de estudantes, que não pretendia ser lido por gente séria. Fiquei agradecida pelas palavras generosas, mas era novinha demais para saber aceitar um elogio. Resmunguei alguma coisa modesta, mas pareceu que eu não estava levando aquilo a sério, e aí eu tentei me corrigir de um jeito meio atabalhoado e fiquei toda afobada. O professor ficou com pena de mim e nos convidou para um chá e nós aceitamos, ou Jeremy aceitou. E assim nós fomos atrás de Canning, voltando pelo mercado, na direção da faculdade em que ele trabalhava.

Os aposentos dele eram menores, mais encardidos e mais caóticos do que eu esperava, e fiquei surpresa ao ver ele fazer tudo errado com o chá, mal enxaguando as canecas lascadas e manchadas de marrom e derramando a água quente de uma chaleira elétrica imunda em cima dos livros e dos papéis. Ele sentou atrás da escrivaninha, nós sentamos em poltronas e ele continuou a fazer perguntas. Parecia um encontro de orientação acadêmica. Agora que eu estava roendo os seus biscoitinhos de chocolate Fortnum & Mason, me sentia obrigada a responder em mais detalhes. O Jeremy estava me encorajando, balançando a cabeça que nem um bobo com tudo que eu dizia. O professor perguntou dos meus pais, e de como tinha sido crescer "à sombra de uma catedral" — eu disse, espirituosamente, eu achei, que não havia sombra porque a catedral ficava ao norte da nossa casa. Os dois homens riram e eu fiquei pensando se a minha piada tinha insinuado mais do que eu tinha entendido. Nós passamos às armas nucleares e às propostas do Partido Trabalhista, de um desarmamento unilateral. Fiquei repetindo uma frase que eu li em algum lugar — depois percebi que era um clichê. Depois de solto é impossível "botar o gênio de volta na garrafa". As armas nucleares teriam de ser gerenciadas, e não proibidas. Fim do idealismo da juventude. A bem da verdade, eu não tinha grandes opiniões a respeito. Em outro contexto, teria falado a favor do desarmamento nuclear. Teria negado, mas estava tentando agradar, dar as respostas certas, ser interessante. Gostava do jeito de Tony Canning se inclinar para a frente quando eu falava, o seu sorrisinho de aprovação me encorajava, esticando mas sem chegar a separar direito aqueles lábios carnudos, e aquele jeito de dizer "Sei" ou "É isso mesmo..." toda vez que eu fazia uma pausa.

Talvez devesse ter sido óbvio para mim onde aquilo tudo ia acabar. Num mundinho minúsculo e fechado de jornalismo estudantil, eu tinha me anunciado como soldado estagiário da Guerra Fria. Agora deve parecer óbvio. Afinal de contas, era Cambridge. Senão, por que eu estaria contando sobre essa reunião? Na época o encontro não teve significado algum para mim. Nós estávamos a caminho da livraria e acabamos tomando um chá com o orientador de Jeremy. Nada de muito estranho nisso. Os métodos de recrutamento naqueles dias estavam mudando, mas só um pouquinho. O mundo ocidental podia estar em constante transformação, os jovens podiam achar que tinham descoberto um jeito novo de conversar, as pessoas diziam que as velhas barreiras estavam desmoronando. Mas a famosa "conversa ao pé do ouvido" ainda era empregada, talvez com uma frequência menor, talvez com uma pressão menor. No contexto universitário certos catedráticos continuavam procurando material promissor e passando nomes para futuras entrevistas. Certos candidatos aprovados nos exames para o funcionalismo ainda eram chamados a um canto para dizerem se por acaso já tinham pensado em "outro" departamento. Em geral as pessoas recebiam uma proposta discreta depois de estarem há alguns anos na vida profissional. Ninguém precisava dizer com todas as letras, mas o passado continuava sendo importante, e ter o Bispo no meu não era uma desvantagem. Já se comentou muitas vezes o quanto demorou para que os casos de Burgess, Maclean e Philby derrubassem a ideia de que certas classes de indivíduos tinham mais chance de serem leais ao seu país que as outras. Nos anos 1970 essas famosas traições ainda ecoavam, mas os velhos métodos de recrutamento estavam firmes.

Em geral, tanto a conversa quanto o ouvido eram de homens. Não era normal que uma mulher fosse abordada dessa maneira conhecidíssima e tradicionalíssima. E embora fosse absolutamente verdade que Tony Canning acabou me recrutando para o MI5, os motivos dele eram complicados e ele não tinha nenhuma sanção oficial. Se o fato de eu ser nova e atraente era importante para ele, demorou um pouco para que todo o *páthos* dessa situação se revelasse. (Agora que o espelho já conta uma história diferente, eu posso dizer de uma vez. Eu era bonita *mesmo*. Mais que isso. Como o Jeremy escreveu numa rara carta mais efusiva, eu era "até bem linda. Na verdade, estupenda".) Nem os figurões de barba grisalha no quinto andar, com quem eu nunca falei e a quem raramente vi no meu breve período na Inteligência, tinham ideia do motivo de eu ter sido enviada a eles. Eles tinham os seus palpites, mas nunca iriam imaginar que o professor Canning, ele mesmo um ex-membro do MI5,

achava que estava lhes dando um presente, num espírito de ex-
piação. O caso dele era mais complexo e mais triste do que qualquer um sabia. Ele ia mudar a minha vida e agir com generosa
crueldade enquanto se preparava para embarcar numa jornada
que não tinha esperança de volta. Se sei tão pouco ainda hoje
sobre ele é porque o acompanhei apenas num trecho muito curto do caminho.

2.

O meu caso com Tony Canning durou poucos meses. De início eu estava saindo também com Jeremy, mas no fim de junho, depois das provas finais, ele se mudou para Edimburgo para começar um doutorado. A minha vida ficou menos tensa, embora eu ainda me torturasse por não ter descoberto o seu segredo antes de ele ir embora e por não ter podido satisfazê-lo. Ele nunca tinha reclamado nem se lamentado. Algumas semanas depois ele escreveu uma carta carinhosa e cheia de arrependimento para dizer que, ao assistir a uma apresentação de um concerto para violino de Bruch no Usher Hall, tinha se apaixonado por uma nova estrela de Düsseldorf, com um timbre magnífico, especialmente no movimento lento. Seu nome era Manfred. Claro. Se eu tivesse pensado de um jeito um pouquinho mais antiquado, teria adivinhado, pois houve um tempo em que todos os problemas sexuais dos homens tinham um único motivo.

Que coisa mais conveniente. O mistério estava resolvido e eu podia parar de me torturar com a felicidade do Jeremy. Ele estava preocupado, que amor, com os meus sentimentos, chegando até a se oferecer para vir me explicar tudo. Eu escrevi para lhe dar os parabéns, e me senti madura ao exagerar o meu deleite para deixá-lo feliz. Essas ligações só eram legais havia cinco anos e para mim eram uma novidade. Eu lhe disse que ele não tinha por que vir até Cambridge, que eu sempre lembraria dele com muito carinho, que ele era o mais doce dos homens, e que eu queria muito conhecer o Manfred um dia, por favor vamos nos manter em contato, Tchau! Queria agradecer por ele ter me apresentado o Tony, mas não vi por que levantar suspeitas. E também não contei ao Tony sobre o seu ex-aluno. Todo mundo sabia tudo que precisava saber para ficar feliz.

E nós ficamos. Nós consumávamos o nosso pacto todo fim de semana num chalé isolado não muito longe de Bury St. Edmunds, em Suffolk. Você saía de uma estradinha estreita para uma trilha quase imperceptível que atravessava um campo, parava à beira de um bosque antigo de árvores podadas, e ali, oculto por um emaranhado de espinheiros, ficava um portãozinho de tábuas brancas. Um caminho de pedras serpenteava por um jardim descuidado (tremoço, malva, papoulas gigantes) até uma pesada porta de carvalho cravada de rebites ou pregos. Quando abria a porta você estava na sala de jantar, um lugar com um piso de pedras gigantes e vigas carcomidas semienterradas no gesso. Numa das paredes havia uma colorida cena mediterrânea de casinhas caiadas e lençóis secando no varal. Era uma aquarela de Winston Churchill, pintada em Marrakech durante uma pausa na conferência de 1943. Eu nunca fiquei sabendo como ela acabou nas mãos do Tony.

Frieda Canning, uma *marchande* que viajava muito para o exterior, não gostava de ir lá. Ela reclamava da umidade e do cheiro de mofo e das dúzias de tarefas que decorriam de ter uma segunda casa. A bem da verdade, o cheiro sumia assim que a casa esquentava, e era o marido dela quem fazia todas as tarefas. Que requeriam conhecimentos e habilidades especiais: como acender o teimoso fogão Rayburn e forçar a janela da cozinha até conseguir abrir, como acionar o encanamento do banheiro e se livrar dos ratos com as costas partidas nas ratoeiras. Eu nem tinha que cozinhar grandes coisas. Apesar daquela derramação toda com o chá, o Tony gostava de se ver na cozinha. Eu às vezes ficava de *sous-chef*, e ele me ensinou muita coisa. Ele cozinhava à moda italiana, como aprendeu durante os quatro anos que passou como palestrante num instituto em Siena. A coluna dele incomodava um pouco, então no começo de cada visita eu atravessava o jardim carregando sacos de juta cheios de comida e de vinho que saíam do velho MGA dele, estacionado no campo.

Era um verão bem decente para os padrões ingleses e o Tony estabelecia um ritmo solene para o dia. Muitas vezes nós almoçávamos à sombra de um cotoneáster envelhecido no jardim. Em geral, quando acordava da soneca de depois do almoço, ele tomava um banho e aí, se estivesse quente, ficava lendo na rede estendida entre duas bétulas. E se estivesse quente demais, ele às vezes sofria de sangramentos nasais e tinha que ficar deitado de costas dentro de casa com um paninho cheio de cubos de gelo apertado contra o rosto. Em algumas noites nós levávamos um piquenique para o bosque, com uma garrafa de vinho branco enrolada num pano de prato limpinho, taças guardadas numa caixa de cedro, e uma garrafa de café. Era o Conselho Universitário *sur l'herbe*. Pires, além das xícaras, toalha de mesa de adamascado, pratos de porcelana, prataria e uma cadeira dobrável de alumínio e lona — eu carregava tudo sem reclamar. Mais para o fim do verão nós não íamos muito longe pelas trilhas porque o Tony dizia que andar doía, e ele cansava fácil. À noite ele gostava de pôr discos de ópera para tocar num gramofone velho e apesar de ele explicar animadamente os personagens e as tramas da *Aída*, *Così fan tutte* e *L'elisir d'amore*, aquelas vozes ansiosas e fanhosas não me diziam muita coisa. O estranho zumbido e os estalidos da agulha rombuda que delicadamente subia e descia pelos sulcos do álbum soavam como o éter, através do qual os mortos nos chamavam desesperadamente.

Ele gostava de me falar da sua infância. O pai dele tinha sido comandante naval na Primeira Guerra e era um iatista extremamente competente. No fim dos anos 1920, a noção de feriado em família consistia em viajar entre as ilhas do Báltico e foi assim que os pais dele encontraram e compraram um chalé de pedra na remota ilha de Kumlinge. Ela virou um daqueles paraísos de infância polidos pela saudade. Tony e o seu irmão mais novo andavam livres pela ilha, fazendo fogueiras e acampamentos nas praias, remando até uma ilhota desabitada para roubar ovos de aves. Ele tinha uns instantâneos craquelados para demonstrar que o sonho era real.

Um dia, no fim de agosto, nós entramos no bosque. Nós vivíamos fazendo isso, mas naquela ocasião o Tony saiu da trilha e eu o segui cegamente. Nós nos enfiamos mato adentro, e imaginei que íamos fazer amor em algum lugarzinho secreto que ele conhecia. As folhas estavam bem sequinhas. Mas ele só estava pensando em cogumelos, *porcini*. Disfarcei a minha decepção e aprendi os truques para identificar — poros e não lamelas, uma fina filigrana na haste, não manchar quando você aperta com o polegar. Naquela noite ele preparou uma panelada do que ele preferia chamar de *funghi*, com azeite de oliva, sal, pimenta e *pancetta*, e nós comemos os cogumelos com polenta grelhada, salada e vinho tinto, um Barolo. Aquilo era comida exótica na Inglaterra dos anos 1970. Eu lembro de tudo — a mesa de pinho lixada com as pernas de um azul-piscina todo lascado, a grande vasilha de faiança com os *porcini* escorregadios, o disco de polenta sorridente como um sol em miniatura sobre um prato verde-claro com a cerâmica rachada, a garrafa de vinho preta e empoeirada, a rúcula apimentada numa tigelinha branca trincada, e o Tony fazendo o molho em questão de segundos, virando o óleo e apertando meio limão com a mão ainda enquanto, ou pelo menos era o que parecia, levava a salada até a mesa. (A minha mãe elaborava os molhos dela bem na altura dos olhos, como um engenheiro químico.) Tony e eu fizemos muitas dessas refeições naquela mesa, mas essa pode representar todas. Que simplicidade, que bom gosto, que homem do mundo! Naquela madrugada o vento estava forte e o ramo de um freixo ficou batendo e raspando no teto de palha. Depois do jantar vinha a leitura, aí claro que vinha uma conversa, mas só depois de fazer amor, e isso só depois de outro copo de vinho.

Na cama? Bom, claro que ele não era tão enérgico e incansável quanto Jeremy. E embora o Tony estivesse bem em forma para a idade dele, eu fiquei um pouco desanimada na primeira vez, ao ver o que cinquenta e quatro anos podem fazer com um corpo. Ele estava sentado na beira da cama, se dobrando para tirar uma meia. O pobrezinho daquele pé descalço parecia um sapato gasto. Eu vi dobras de pele em locais improváveis, até debaixo dos braços dele. Que coisa mais estranha que, na minha surpresa, rapidamente reprimida, não tenha me ocorrido que eu estava olhando para o meu próprio futuro. Eu estava com vinte e um. O que eu considerava a regra — rija, lisa, macia — era o caso especial, e passageiro, da juventude. Para mim, os velhos eram uma espécie à parte, como os pardais ou as raposas. E agora, o que eu não daria para voltar a ter cinquenta e quatro! O maior órgão do corpo fica com a pior parte — os velhos não cabem mais direito na própria pele. Ela fica pendurada neles, em nós, como um *blazer* de escola comprado maior. Ou como se fosse um pijama. E numa certa luz, embora pode ser que tenham sido as cortinas do banheiro, o Tony tinha uma aparência meio amarelada, como um livro velho, um livro em que você podia ler vários infortúnios — gula, cicatrizes de cirurgias de joelho e de apendicite, de mordida de cachorro, de um acidente de alpinismo e um desastre de infância com uma frigideira de café da manhã que tinha deixado um pedaço de seu púbis sem os pelos. Havia uma cicatriz branca de dez centímetros do lado direito do peito dele, que seguia para o pescoço, cuja história ele nunca quis explicar. Mas se ele era ligeiramente... enferrujadinho, e às vezes parecia o meu ursinho velho e puído lá na catedral, também era um amante cosmopolita e cavalheiresco. O estilo dele era cortês. Eu fui gostando de como ele me despia, e ia pendurando as minhas roupas no braço, como um garçom à beira da piscina, e como ele às vezes queria que eu sentasse montada no rosto dele — coisas que eram novas para mim, essa, pelo menos, como a salada de rúcula.

Eu também tinha as minhas reservas. Ele sabia ser apressadinho, impaciente para começar o que viria a seguir — as paixões da vida dele eram beber e falar. Depois, eu às vezes fiquei achando que ele era egoísta, definitivamente velha guarda, apressado para chegar ao seu próprio triunfo, que ele sempre alcançava com um grito meio sem fôlego. E obcecado demais pelos meus seios, que eu sei que eram lindos naquela época, mas não parecia certo ter um homem da idade do Bispo fixado de uma maneira quase infantil, praticamente mamando ali com um barulhinho choraminguento totalmente esquisito. Ele era um daqueles ingleses arrancados da mamãe aos sete anos e levados a um entediante exílio num internato. Eles nunca reconhecem os danos que sofreram, esses coitados, só vivem com eles. Eram queixas insignificantes. Era tudo novo, uma aventura que provava a minha própria maturidade. Um homem mais velho, vivido, gostava de mim. Eu perdoava tudo nele. E adorava aqueles lábios acolchoados. Ele dava beijos incríveis.

Ainda assim, eu gostava mais era quando ele estava vestido

de novo, com aquele cabelo bem repartidinho (ele usava brilhantina e um pente de metal), quando ele voltava a ser grande e bom, me ajeitando numa poltrona, tirando habilmente a rolha de um Pinot Grigio, orientando as minhas leituras. E tinha uma coisa que eu acabei percebendo com os anos — a verdadeira cordilheira que separa o homem nu do vestido. Dois homens com um só passaporte. Mas, enfim, não fazia a menor diferença, era tudo a mesma coisa — sexo e culinária, vinho e passeios, conversas. E nós também éramos estudiosos. Nos primeiros dias, na primavera e no começo do verão daquele ano, eu estava me preparando para as provas finais. Tony não podia me ajudar com isso. Ele ficava sentado do outro lado da mesa, escrevendo um trabalho sobre John Dee.

Ele tinha montes de amigos, mas é claro que nunca convidava ninguém quando eu estava lá. Só uma vez nós tivemos visitas. Eles chegaram de tarde, num carro com motorista, dois homens de terno escuro, com seus quarenta anos, eu imaginei. Algo rispidamente, Tony me perguntou se eu me incomodava em ir dar um longo passeio pelo bosque. Quando eu voltei uma hora e meia depois, os homens tinham ido embora. Tony não deu nenhuma explicação, e naquela noite nós voltamos para Cambridge.

O chalé era o único lugar em que nós nos víamos. Cambridge era uma cidade pequena demais; Tony era conhecido demais por lá. Eu tinha que ir a pé com a minha sacola até um cantinho afastado da cidade, quase na entrada de um conjunto habitacional, e ficar esperando num ponto de ônibus até ele passar com aquele carrinho esporte decadente. Era para aquilo ser um conversível, mas as pecinhas sanfonadas que sustentavam a capota de lona estavam enferrujadas demais para ficar dobradas. Aquele MGA antigo tinha uma luzinha interna com um suporte cromado, e mostradores trêmulos. Eu cheirava a óleo de motor e a calor do atrito das peças, como devia ser numa caça dos tempos da guerra. Dava para sentir o chão quente de lata vibrar embaixo dos pés. Era emocionante sair da fila do ônibus, observada com rancor pelos outros passageiros enquanto eu passava de sapa a princesa e me dobrava toda para me enfiar no banco ao lado do professor. Era como entrar na cama, em público. Eu enfiava a minha bolsa dentro do espacinho minúsculo atrás de mim, e sentia o couro rachado do assento enroscar um pouquinho na seda da minha blusa — uma que ele tinha comprado para mim na Liberty — quando eu me inclinava para ganhar o meu beijo.

Quando as provas acabaram Tony disse que ia se encarregar das minhas leituras. Chega de romances! Ele estava pasmado com a minha ignorância do que ele chamava de "nossa história insular". E com razão. Eu não tinha estudado nada de história na escola depois dos catorze anos. Agora eu estava com vinte e um, contava com a bênção de uma educação privilegiada, mas Azincourt, o Direito Divino dos Reis, a Guerra dos Cem Anos eram meramente expressões familiares para mim. Até a palavra "história" evocava uma enfiada monótona de tronos e intrigas internas fatais. Mas eu aceitei a orientação. Aquilo era mais interessante que matemática e a minha lista de leitura era curta — Winston Churchill e G.M. Trevelyan. O resto o meu professor ia me explicar.

A minha primeira aula aconteceu no jardim, debaixo do cotoneáster. Aprendi que desde o século XVI a base da política inglesa e depois britânica na Europa era a busca do equilíbrio do poder. Eu tive que ler sobre o Congresso de Viena de 1815. Tony insistia que uma estase entre as nações era a base de um sistema internacional e justo de diplomacia pacífica. Era vital que as nações mantivessem umas as outras nos seus lugares.

Muitas vezes eu ficava lendo sozinha depois do almoço enquanto o Tony tirava a sua soneca — essas sestas foram ficando mais longas à medida que o verão ia acabando, e eu devia ter me dado conta. De início eu o deixei impressionado com a minha leitura dinâmica. Duzentas páginas em coisa de duas horas! Aí ele ficou decepcionado. Eu não conseguia responder direito às perguntas dele, eu não estava guardando as informações. Ele me fez voltar para a versão de Churchill da Revolução Gloriosa, me testou, gemeu dramaticamente — mas que peneira que você é! —, me fez ler de novo, fez mais perguntas. Essas provas orais aconteciam durante passeios pelo bosque, e entre copos de vinho depois dos jantares que ele preparava. A persistência dele me magoava. Eu queria que nós fossemos namorados, e não professor e aluna. Ficava irritada tanto com ele quanto comigo quando não sabia as respostas. E aí, depois de algumas sessões bem hostis, comecei a sentir certo orgulho, e não simplesmente da melhora do meu desempenho. Eu comecei a prestar atenção na história propriamente dita. Era algo precioso que estava na minha frente, e parecia que eu tinha descoberto aquilo sozinha, como a opressão soviética. A Inglaterra no fim do século XVII não era a sociedade mais livre e mais inquisitiva que o mundo tinha conhecido? O iluminismo inglês não era mais relevante que o francês? Não era verdade que a Inglaterra tinha se distinguido por lutar contra os despotismos católicos do Continente? E, claro, nós éramos os herdeiros dessa liberdade...

Eu era fácil de conduzir. Estava sendo preparada para a minha primeira entrevista, que iria acontecer em setembro. Ele tinha uma certa ideia do tipo de inglesa que eles iam querer contratar, ou que ele ia querer, e tinha medo de que a minha educação estreita fosse me derrubar. Acreditava, e estava errado afinal, que um dos seus ex-alunos estaria entre os meus entrevistadores. Ele insistia que eu lesse um jornal todo dia, e é claro que estava pensando no *Times*, que naquele tempo era ainda o augusto jornal de referência. Antes disso eu nunca tinha dado muita bola para a imprensa, e nunca tinha sequer ouvido falar de um editorial. Aparentemente, era ali que ficava o "coração" de um jornal. À primeira vista, a prosa parecia um problema de xadrez. E eu fiquei viciada. Admirava aqueles pronunciamentos estentóreos e verbosos a respeito de questões de interesse público. As opiniões eram mais ou menos opacas e nunca iam além de uma referência a Tácito ou Virgílio. Tão maduro! Eu achava que qualquer um daqueles autores anônimos estava à altura de ser presidente do Mundo.

E quais eram as preocupações naqueles tempos? Nos editoriais, grandiosas orações subordinadas orbitavam em torno dos seus estelares núcleos verbais, mas nas páginas de cartas ninguém tinha dúvidas. Os planetas estavam desalinhados e os escritores de cartas sabiam no fundo dos seus corações torturados que o país estava se afundando em desespero e fúria e prestes a se machucar. O Reino Unido tinha sucumbido, anunciava uma carta, a um surto de *akrasia* — que era, como Tony me lembrou, a palavra grega para a ação contra os interesses próprios. (Eu não tinha lido o *Protágoras* de Platão?) Palavrinha útil. Guardei bem direitinho. Mas não *havia* um interesse próprio, nada contra o que agir. Todos estavam loucos, diziam todos. A antiga palavra "contenda" estava sendo muito empregada naqueles dias tumultuosos, com a inflação gerando greves, os acordos salariais empurrando a inflação, empresários cabeças-duras com os seus almoços infinitos, sindicatos sanguinários com ambições insurrecionais, um governo fraco, crises de energia e cortes de eletricidade, *skinheads*, ruas imundas, o conflito na Irlanda do Norte, as armas nucleares. Decadência, queda, declínio, uma ineficiência burra e o apocalipse...

Entre os temas preferidos das cartas ao *Times* estavam os mineiros, "um Estado operário", o mundo bipolar de Enoch Powell e Tony Benn, piquetes-relâmpago e a batalha de Saltley. Uma carta de um contra-almirante da reserva dizia que o país estava parecendo um encouraçado enferrujado com um buraco abaixo da linha-d'água. Tony leu a carta no café da manhã e sacudiu o jornal ruidosamente na minha direção — papel-jornal era barulhento naquela época.

"Encouraçado?", ele vociferou. "Não é nem uma corveta. Isso aqui é uma merda de um barquinho a remo, que está afundando!"

Aquele ano, 1972, foi só o começo. Quando eu comecei a ler o jornal, a semana de três dias, os próximos blecautes, o *quinto* estado de emergência do governo iriam acontecer em não muito tempo. Acreditava no que lia, mas parecia tudo muito distante. Cambridge parecia basicamente igual, assim como os bosques em volta do chalé dos Canning. Apesar das minhas aulas de história eu achava que não tinha nada a ver com o destino da nação. Era dona da minha sacola com roupas, de menos de cinquenta livros, de uns objetos de infância no meu quarto em casa. Tinha um namorado que me adorava e cozinhava para mim e nunca ameaçava abandonar a esposa. Tinha só uma obrigação, uma entrevista para tentar um emprego — a *semanas* de distância. Eu era livre. Então o que é que eu estava fazendo com isso de me inscrever no Serviço de Segurança para ajudar a manter aquele país moribundo, aquele velhinho da Europa? Nada, eu não estava fazendo nada. Eu não sabia. Tinha aparecido uma chance na minha frente e eu estava aproveitando. O Tony queria, então eu também queria, e eu não tinha grandes ideias diferentes. Então por que não?

Além disso, eu ainda achava que devia explicações aos meus pais, e eles ficaram satisfeitos quando souberam que eu estava considerando a possibilidade de entrar para uma área respeitável do funcionalismo público, o Departamento de Saúde e Seguridade Social. Pode até não ter sido o fracionamento de átomos que a minha mãe tinha em mente, mas aquela solidez em tempos turbulentos deve ter feito ela ficar mais calma. Ela queria saber por que eu não tinha voltado para morar em casa depois das provas finais, e eu pude lhe dizer que um ex-orientador generoso estava me preparando para a minha "banca". Fazia sentido, com certeza, alugar um quartinho perto do Jesus Green e "estudar que nem doida", inclusive no fim de semana.

A minha mãe pode até ter manifestado algum ceticismo, se a minha irmã Lucy não tivesse desviado as atenções ao se meter numa encrenca tão grande naquele verão. Ela sempre falou mais alto, sempre foi mais mal-humorada, correu mais riscos, e tinha sido muito mais convencida do que eu pelo passo manco que a liberação dos anos 1960 tinha já no final da década. Ela também já estava cinco centímetros mais alta e foi a primeira pessoa que eu vi usando um shortinho feito de uma calça jeans cortada. Relaxa, Serena, seja livre! Vamos sair pra viajar! Ela virou *hippie* bem quando ser *hippie* estava saindo da moda, mas é assim que as coisas são em cidades-mercado interioranas. Ela também andava dizendo aos quatro ventos que o seu único objetivo na vida era ser médica, clínica geral ou quem sabe pediatra.

Ela foi atrás das suas ambições por um caminho meio tortuoso. Naquele mês de julho ela embarcou a pé na balsa de Calais para Dover e foi barrada por um funcionário da alfândega, ou melhor, pelo cachorro dele, um *bloodhound* barulhento que de repente ficou animado com o aroma da mochila dela. Lá dentro, embrulhados em camisetas sujas e camadas de plástico à prova de cachorro, estavam duzentos gramas de haxixe turco. E dentro de Lucy, embora isso também não estivesse declarado, havia um embrião em desenvolvimento. A identidade do pai era incerta.

A minha mãe teve que devotar uma bela parcela de cada dia do mês que se seguiu a uma missão quádrupla. A primeira era salvar Lucy da prisão, a segunda, manter a história longe dos jornais, a terceira, evitar que ela fosse expulsa de Manchester, onde estava cursando o segundo ano de medicina, e a quarta, depois de se torturar só um pouquinho, marcar um aborto. Pelo que pude depreender na minha visita ao lar em crise (a Lucy cheirando a patchuli e soluçando enquanto me agarrava com aqueles braços bronzeados), o Bispo estava disposto a baixar a cabeça e aceitar tudo que o céu tivesse preparado para ele. Mas a minha mãe já estava no controle, ativando energicamente as redes que se estendiam local e nacionalmente a partir de qualquer catedral do século XII. Por exemplo, o chefe da polícia no nosso condado era um diácono leigo e amigo de longa data do seu colega, o chefe de polícia de Kent. Um amigo da Associação Conservadora conhecia o magistrado de Dover diante de quem Lucy prestou o seu primeiro depoimento. O editor do nosso jornal local estava querendo colocar os filhos gêmeos e desafinados no coro da catedral. O ouvido deles, claro, era relativo, mas não se podia dar nada de barato, e, como a minha mãe me garantiu, era tudo *um trabalho bem puxado*, e nenhuma parte era tão puxada quanto o aborto, coisa de rotina em termos médicos mas, para surpresa da Lucy, profundamente perturbadora. Ela acabou recebendo uma sentença de seis meses com *sursis*, nada apareceu na imprensa, e um reitor ou alguma outra eminência da Universidade de Manchester recebeu garantias do apoio do meu pai em algum assunto arcano no sínodo que estava por começar. A minha irmã voltou aos estudos em setembro. Dois meses depois ela abandonou a universidade.

Então eu fiquei em paz durante julho e agosto para andar à toa pelo Jesus Green, lendo Churchill, de saco cheio, esperando o fim de semana e a caminhada até o ponto de ônibus nos confins da cidade. Não ia demorar muito para eu canonizar o verão de 1972 como uma era dourada, um idílio precioso, mas era só o período entre sexta e domingo que guardava os prazeres.

Aqueles finais de semana corresponderam a um curso prolonga-do sobre como viver, como e o que comer, como ler os jornais e sustentar o meu ponto de vista numa discussão e como "drenar" um livro. Eu sabia que tinha uma entrevista chegando, mas nun-ca passou pela minha cabeça perguntar por que o Tony estava se dando esse trabalho por minha causa. Se tivesse passado eu provavelmente teria pensado que essas atenções eram parte do que significava ter um caso com um sujeito mais velho.

É claro que a situação não podia durar muito e tudo caiu por terra durante uma meia hora tempestuosa ao lado de uma estrada movimentada, dois dias antes da minha entrevista em Londres. A sequência precisa dos eventos vale um registro. Ha-via uma blusa de seda, aquela que eu já mencionei, que o Tony comprou para mim no começo de julho. Era bem escolhida. Eu gostava daquela textura rica na minha pele numa noite quente e o Tony me disse mais de uma vez o quanto ele gostava daquele corte simples e larguinho em mim. Eu fiquei tocada. Ele foi o primeiro homem da minha vida que me comprou uma peça de roupa. Um tiozinho generoso. (Acho que o Bispo nunca tinha entrado numa loja.) Era uma coisa antiquada, aquele presente, com um toquinho cafona, e tremendamente feminino, mas eu adorava. Quando eu usava aquela blusa era como ganhar um abraço dele. As palavras gravadas em azul-claro na etiqueta pa-reciam nitidamente eróticas — "seda selvagem lavada à mão". A gola e os punhos tinham um debrum de *broderie anglaise,* e duas preguinhas no ombro combinavam com duas dobrinhas nas costas. Aquele presente era um símbolo, acho. Quando che-gava a hora de ir embora, eu voltava com ele para o meu quarti-nho, lavava na pia e passava a ferro e dobrava para a blusa ficar prontinha para a próxima visita. Como eu.

Mas nessa ocasião, em setembro, nós estávamos no quarto e eu guardava as minhas coisas quando Tony interrompeu o que estava dizendo — ele estava falando de Idi Amin, de Uganda — e me disse para meter a blusa no cesto de roupas junto com uma das camisas dele. Fazia sentido. Nós logo estaríamos de volta e a caseira, a sra. Travers, viria no dia seguinte para cuidar de tudo. A sra. Canning ia ficar dez dias em Viena. Eu guardei bem aquele momento na memória, porque me deu tanto prazer. O fato de que o nosso amor era uma coisa rotineira, dada de barato, com um futuro imediato medido em três ou quatro dias, era reconfortante. Eu vivia me sentindo sozinha em Cambridge, esperando que o Tony me ligasse no telefone público que ficava no corredor. Num momento fugaz de algo que parecia uma estabilidade conjugal, eu levantei a tampa de vime e larguei a minha blusa em cima da camisa dele e não pensei mais no assunto. Sarah Travers vinha três vezes por semana da cidadezinha mais próxima. Uma vez nós passamos uma bela meia hora debulhando ervilhas juntas na mesa da cozinha e ela me falou sobre o seu filho, que tinha ido ser *hippie* no Afeganistão. Ela disse isso com orgulho, como se ele tivesse entrado para o exército, para lutar numa guerra necessária e perigosa. Eu não gostava de pensar muito no assunto, mas imaginava que ela tivesse visto uma série de amigas do Tony passar pelo chalé. Não acho que ela se incomodasse muito, desde que fosse paga.

De volta ao Jesus Green, quatro dias passaram e eu não tive notícias. Obedientemente, fui lendo sobre as Leis Fabris e as Leis do Milho e examinando o jornal. Eu via algumas amigas que estavam de passagem, mas nunca me afastava muito do telefone. No quinto dia fui até a faculdade de Tony, deixei um bilhete com o porteiro e voltei correndo para casa, com medo de ter perdido a ligação dele. Eu não podia ligar — o meu namorado tinha cuidadosamente evitado me dar o seu telefone de casa. Ele me ligou naquela noite. A voz dele estava pesada. Sem me cumprimentar, disse para eu ir para o ponto de ônibus na manhã seguinte, às dez horas. Eu estava no meio de uma pergunta lamuriosa quando ele desligou. É claro que não dormi muito naquela noite. É incrível que eu tenha ficado acordada preocupada com *ele*, quando devia ter percebido no meu coração bobo que era o meu pescoço que estava correndo risco.

Quando o sol nasceu eu tomei um banho e me pus perfumada. Às sete eu estava pronta. Que coisa mais tola e esperançosa, arrumar uma bolsinha com a lingerie de que ele gostava (preta, claro, e roxa) e tênis para andar no bosque. Eu estava no ponto de ônibus às nove e vinte e cinco, com medo de que ele tivesse vindo cedo e tivesse ficado decepcionado ao não me ver ali. Ele apareceu cerca de dez e quinze. Abriu a porta do carona e eu entrei, mas nada de beijo. Em vez disso ele ficou com as duas mãos no volante e se afastou do meio-fio. Nós andamos por uns quinze quilômetros e ele não me dirigiu a palavra. As juntas dos dedos dele estavam brancas de apertar o volante e ele só olhava para a frente. O que estava errado? Ele não me dizia. E eu estava alucinada, intimidada por aquele jeito de ele jogar o carrinho de uma pista para outra, ultrapassando imprudentemente em subidas e em curvas, como que para me avisar sobre a tempestade que se aproximava.

Ele fez um retorno para Cambridge numa rotatória e entrou num recuo da A45, um lugar coberto por uma grama gordurosa e um monte de lixo, com um quiosque sobre a terra batida, que vendia cachorros-quentes e hambúrgueres para caminhoneiros. Naquele horário a banca estava trancada a cadeado e ninguém mais estava estacionado ali. Nós descemos. Era o pior tipo de dia de fim de verão — sol, vento, poeira. À nossa direita havia uma fileira espaçada de mudas secas de sicômoros e atrás dela os carros zuniam e rugiam. Era como estar à beira de uma pista de corrida. O recuo tinha quase cem metros de comprimento. Ele começou a andar e eu fui do lado dele. Para conversar nós quase tínhamos que gritar.

A primeira coisa que ele disse foi, "Então o seu truquezinho não funcionou".

"Que truque?"

Eu revi rapidamente o passado recente. Como não havia truques, de repente me vi com a esperança de que houvesse algo simples que nós pudéssemos resolver em questão de segundos. Nós podíamos logo estar rindo disso tudo, eu cheguei a pensar. Nós podíamos estar fazendo amor ainda antes do meio-dia.

Nós chegamos ao ponto em que o recuo se juntava à estrada. "Vamos deixar isso bem claro", ele disse, e nós paramos. "Você nunca vai ficar entre mim e a Frieda."

"Tony, que truque?"

Ele se virou de novo para o carro e eu fui atrás. "Pesadelo do cacete." Ele estava falando sozinho.

Eu gritei por sobre o barulho. "Tony. Me diga!"

"Você não está satisfeita? Ontem à noite nós tivemos a nossa pior briga em vinte e cinco anos. Está feliz agora?"

Até eu, inexperiente e chocada e horrorizada como estava, podia sentir o absurdo daquilo tudo. Ele ia me dizer lá do jeito dele, então eu não falei mais e fiquei esperando. Nós passamos pelo carro dele e fomos até o quiosque fechado. À nossa direita havia uma moita alta de espinheiros poeirentos. Embalagens coloridas de doces e saquinhos amassados estavam presos aos ramos pontudos. Havia uma camisinha usada, ridiculamente comprida, estendida na grama. Belo lugar para terminar um caso.

"Serena, como é que você pôde ser tão estúpida?"

Eu estava mesmo me sentindo estúpida. Nós paramos de novo e eu disse numa voz trêmula que não conseguia controlar, "Eu não estou entendendo, de verdade".

"Você queria que ela achasse a sua blusa. Bom, ela achou a sua blusa. Você achou que ela ia ficar furiosa e estava certa. Você achou que podia acabar com o meu casamento e ir morar comigo, mas estava errada."

A injustiça da situação estava me deixando desorientada e era difícil falar. Em algum ponto logo atrás e acima da raiz da língua a minha garganta estava começando a endurecer. Com medo de lágrimas, eu virei rápido o rosto. Eu não queria que ele visse.

"É claro que você é novinha e tudo mais. Mas você devia ter vergonha."

Quando ela apareceu, eu detestei o coaxar humilhado da minha voz. "Tony, você disse pra pôr no cesto de roupa."

"Ora, vamos. Você sabe que eu não disse uma coisa dessas."

Ele disse isso delicadamente, quase amorosamente, como um pai preocupado, que eu estava prestes a perder. Nós devíamos estar tendo uma briga, maior que qualquer briga que ele já tinha tido com a Frieda, eu devia estar partindo para cima dele. Mas inconvenientemente eu achava que estava a ponto de começar a chorar e estava determinada a não deixar isso acontecer. Eu não choro fácil, e quando choro quero estar sozinha. Mas aquela voz baixinha e leve da autoridade me pegou. Ela era tão confiante e tão bondosa que eu estava perto de acreditar. Eu já pressentia que jamais iria conseguir alterar as lembranças dele do domingo anterior ou evitar que ele me dispensasse. Eu sabia também que estava correndo o risco de agir como se fosse culpada. Como um ladrãozinho de loja, chorando aliviado ao ser pego. Tão injusto, tudo, tão inútil. Eu não podia falar para me defender. Aquelas horas de espera ao lado do telefone e a noite sem sono tinham acabado comigo. O fundo da minha garganta continuava endurecendo, outros músculos mais para baixo no pescoço se juntaram a ele, puxando os meus lábios, tentando esticá-los por sobre os dentes. Alguma coisa ia se partir, mas eu não podia deixar, não na frente dele. Não quando ele estava tão errado. O único jeito de segurar aquilo e manter a minha dignidade era ficar calada. Falar teria sido desistir. E eu estava desesperada de vontade de falar. Eu precisava lhe dizer como ele estava sendo injusto, como estava pondo em risco tudo entre nós por causa de um lapso de memória. Era uma daquelas situações familiares em que a mente quer uma coisa e o corpo quer outra. Como querer sexo durante uma prova, ou passar mal num casamento. Quanto mais eu lutava em silêncio para manter o controle dos meus sentimentos, mais eu me odiava e mais calma ficava.

"Foi traiçoeiro, Serena. Eu achava que você não era capaz de uma coisa dessas. Não é fácil eu te dizer isso, mas eu estou muito decepcionado."

Ele seguiu adiante enquanto eu ficava de costas. Como ele tinha me encorajado, confiado em mim, tido grandes esperanças quanto a mim, e eu tinha sido uma decepção. Deve ter sido mais fácil para ele falar com a minha nuca, sem ter que me olhar nos olhos. Eu estava começando a suspeitar que isso não era tudo um engano qualquer, um erro comum da memória de um homem mais velho, ocupado e importante. Eu achei que estava entendendo tudo direitinho. Frieda tinha voltado antes de Viena. Por algum motivo, talvez uma intuição sinistra qualquer, ela tinha ido até o chalé. Ou eles tinham ido juntos. No quarto estava a minha blusa lavada. Aí veio a cena em Suffolk ou Londres, e o ultimato dela — se livre da menina ou caia fora. Então Tony tinha tomado a decisão óbvia. Mas aí é que estava. Ele também tinha tomado outra decisão. Ele tinha decidido se colocar no papel de vítima, de ofendido, de enganado, de quem tem direito de estar enfurecido. Ele tinha se convencido de que não tinha falado nada sobre o cesto de roupa. A memória tinha sido apagada, e com um motivo. Mas agora ele nem sabia que tinha apagado. Ele não estava nem fingindo. Ele acreditava mesmo naquela decepção. Achava mesmo que eu tinha feito uma coisa feia e má. Ele estava se protegendo contra a ideia de que poderia escolher. Fraco, iludido, arrogante? Tudo isso, mas, acima de tudo, um fracasso *racional*. Conselho Universitário, monografias, comissões — tudo à toa. O raciocínio dele tinha fugido correndo. Na minha opinião, o professor Canning estava sofrendo uma incrível pane intelectual.

Eu tateei o bolso justo da minha calça até achar um lenço e assoei o nariz com o som triste de uma buzina. Eu ainda não estava confiando na minha capacidade de falar.

Tony estava dizendo, "Você sabe aonde isso tudo te levou, não sabe?".

Ainda no seu registro terapêutico-fala-mansa. Eu fiz que sim. Sabia exatamente. Mas ele me disse mesmo assim. Enquanto ele dizia, eu fiquei olhando uma caminhonete se aproximar velozmente e parar com uma derrapada competente no pedrisco que ficava na frente do quiosque. Da cabine vinha música *pop* em volume alto. Um rapaz com um rabo de cavalo e camiseta de baterista que mostrava os seus braços bronzeados e musculosos saiu e largou dois sacos de plástico cheios de pão de hambúrguer na terra perto do quiosque. E aí ele se foi com o barulho do motor e uma nuvem de fumaça azul que o vento trouxe direto até nós. Sim, eu estava sendo largada ali, que nem os pãezinhos. De repente entendi por que nós estávamos ali naquele recuo. Tony estava esperando uma cena. Ele não queria que isso se desse no seu carrinho minúsculo. Como é que ele ia ejetar uma menina histérica do banco do passageiro? Então por que não aqui, onde ele podia ir embora e me deixar pedindo carona para voltar à cidade?

Por que eu ia tolerar uma coisa dessas? Eu me afastei dele, na direção do carro. Sabia o que tinha que fazer. Nós podíamos ficar, os dois, no recuo. Obrigado a ficar na minha companhia por mais uma hora, ele podia criar juízo. Ou não. Não fazia diferença. Eu tinha o meu plano. Cheguei à porta do motorista, abri e tirei as chaves da ignição. Toda a vida dele num aro pesado, um grande conjunto masculino e confuso de gorjas, pantográficas e Yales, do escritório, de casa, da outra casa, da caixa de correspondência, do cofre e do outro carro, e de todas as outras partes da sua existência que ele tinha mantido longe de mim. Eu levei o braço para trás para jogar aquilo tudo por cima da moita de espinheiros. Se ele desse um jeito de atravessar a moita, ele que ficasse rastejando pelo mato no meio das vacas e das poças de mijo e procurasse as chaves da vida dele enquanto eu ficava olhando.

Depois de três anos jogando tênis no Newnham, o meu braço devia ter bastante força. Mas eu não pude exibir essa força toda. O meu braço estava no limite do movimento de catapulta quando senti os dedos dele segurarem o meu pulso e apertarem. Ele tirou as chaves de mim em questão de segundos. Não foi rude e eu não ofereci resistência. Ele me empurrou de lado e entrou no carro sem falar. Ele tinha dito tudo e, além disso, eu acabava de confirmar as piores suposições que ele poderia ter a meu respeito. Ele jogou a minha bolsa no chão, bateu a porta e ligou o motor. Agora que a minha voz tinha voltado, o que foi que eu disse? De novo, eu fui patética. Não queria que ele fosse embora. Eu gritei que nem uma tonta para a capota de lona do carro, "Tony, pare de fingir que você não sabe a verdade".

Coisa mais ridícula. Claro que ele não estava fingindo. Era precisamente essa a questão. Ele acelerou o motor algumas vezes caso houvesse algo mais que eu quisesse dizer e que tivesse de ser abafado. E aí ele arrancou — primeiro devagar, talvez com medo de que eu me jogasse no para-brisa ou embaixo das rodas. Mas eu fiquei ali parada que nem uma boba trágica e olhei ele ir embora. Vi as luzes de freio acenderem quando ele diminuiu de velocidade para entrar na pista. E aí ele foi, e acabou.

3.

Eu não cancelei a minha hora marcada com o MI5. Eu não tinha mais nada na vida agora, e com os problemas da Lucy resolvidos por enquanto, até o Bispo estava encorajando as minhas veleidades de uma carreira no Serviço de Saúde e Segurança Social. Dois dias depois da cena no recuo eu fui para a entrevista na Great Marlborough Street, no lado oeste do Soho. Fiquei esperando numa cadeira dura que uma secretária que desaprovava aquilo tudo calada colocou para mim num corredor escuro com piso de concreto. Acho que eu nunca tinha entrado num prédio tão deprimente. Na parede contra a qual eu estava sentada ficava uma fileira de janelas de esquadrias de ferro, formadas pelo tipo de tijolos de vidro com bolhas que eu associava a porões. Mas era a sujeira, dentro e fora, e não os tijolos, que detinha a luz. Na soleira mais próxima de mim havia pilhas de jornais cobertos de uma fuligem escura. Fiquei imaginando se o emprego, caso me oferecessem um emprego, não se revelaria um castigo prolongado administrado à distância pelo Tony. Subia um odor complexo de uma escada. Matei algum tempo tentando identificar as suas múltiplas fontes. Perfume, cigarros, produto de limpeza à base de amônia, e algo orgânico, que talvez um dia tivesse sido comestível.

A minha primeira entrevista, com uma mulher simpática e eficiente chamada Joan, consistiu basicamente em uns formulários que eu tinha que preencher e em respostas a questões biográficas simples. Uma hora depois eu estava de volta à mesma sala com a Joan e um sujeito estilo militar chamado Harry Tapp, que tinha um bigodinho fino alourado e fumava sem parar uns cigarros que tirava de um estojinho fino de ouro. Eu gostei da voz antiquada e telegráfica dele, e de como ele batucava devagarzinho com os dedos amarelos da mão direita sempre que falava, e os descansava enquanto ouvia. Em cinquenta minutos nós três concordamos com a construção do meu perfil. Eu era essencialmente uma matemática com outros interesses adequados. Mas como é que eu tinha conseguido terminar sem louvor? Eu menti ou distorci conforme a necessidade e disse que no meu último ano eu tinha, de maneira muito imprudente, dada a minha carga de trabalho, ficado interessada por literatura, pela União Soviética e pela obra de Soljenítsin. O sr. Tapp ficou curioso por ouvir as minhas opiniões, que recitei, depois de ter relido os meus velhos textos, conforme os conselhos do namorado que tinha ido embora. E, fora a universidade, o eu que apareceu ali foi integralmente derivado do meu verão com ele. Quem mais eu tinha? Às vezes eu *era* o Tony. Era apaixonada, quem diria, pelo interior da Inglaterra, especialmente por Suffolk, e por um incrível bosque antigo e podado, onde gostava de caminhar e colher *porcini* no outono. A Joan conhecia *porcini* e enquanto o Tapp olhava impaciente, nós trocamos umas receitas por alto. Ela nunca tinha ouvido falar de *pancetta*. Tapp me perguntou se eu já tinha me interessado por criptografia. Não, mas confessei ter um fraco por questões atuais. Nós passamos rapidamente pelos problemas da época — as lutas dos mineiros e dos estivadores, o

Mercado Comum, o caos em Belfast. Falei a língua dos editoriais do *Times*, ecoando opiniões aristocráticas e que soavam ponderadas, opiniões que mal podiam ser contestadas. Por exemplo, quando nós chegamos à "sociedade permissiva", eu citei a opinião do *Times* de que a liberdade sexual dos indivíduos tinha de ser considerada em relação às necessidades de segurança e de amor das crianças. Quem podia se opor a isso? Eu estava esquentando. Aí veio a minha paixão pela história inglesa. Mais uma vez Harry Tapp ficou animado. Alguma coisa em particular? A Revolução Gloriosa. Ah, mas isso era muito interessante mesmo! E depois disso, quem era o meu herói intelectual? Eu falei de Churchill, não como político, mas como historiador (resumi a sua "incomparável" narrativa da Batalha de Trafalgar), como vencedor do prêmio Nobel de Literatura, e depois como aquarelista. Sempre tive um carinho especial pela pouco conhecida "Roupa lavada nos telhados de Marrakech" que eu achava que agora estava numa coleção particular.

Motivada por algo que Tapp disse, apliquei ao meu autor-retrato uma demãozinha de enxadrismo sem mencionar que não jogava havia três anos. Ele me perguntou se eu conhecia o final da partida entre Zilber e Tal em 1958. Eu não conhecia mas podia muito bem falar da famosa posição de Saavedra. A bem da verdade, eu nunca fui tão inteligente, na minha vida inteira, quanto naquela entrevista. E desde os meus artigos na *?Quis?* eu não ficava tão satisfeita comigo mesma. Podia falar sobre quase qualquer coisa. Eu consegui dar uma certa aura à minha ignorância sobre qualquer tema. A minha voz era a do Tony. Eu falava como o chefe de uma faculdade, o presidente de um comitê de pesquisa governamental, um nobre do interior. Entrar para o MI5? Estava pronta para ser a cabeça do Serviço. Não foi grande surpresa, então, depois de terem me pedido para sair da sala e me chamarem de volta cinco minutos depois, ouvir o sr. Tapp me dizer que tinha decidido me oferecer um emprego. Que opção ele tinha?

Por vários segundos eu não consegui assimilar o que ele estava dizendo. E quando consegui, achei que ele estava me sacaneando ou me testando. Eu iria ocupar a posição de funcionária assistente júnior. Já sabia que na hierarquia do funcionalismo esse era o fundo do fundo do poço. As minhas tarefas principais seriam arquivar, indexar e fazer outros trabalhos de bibliotecária. Com trabalho duro e com o tempo, eu podia chegar a funcionária assistente. Não deixei que a minha expressão traísse o que entendi subitamente — que eu tinha cometido um engano terrível, ou Tony tinha cometido. Ou que aquilo era na verdade o castigo que ele tinha preparado para mim. Eu não estava sendo recrutada como "funcionária". Nada de espionagem, então, nada de trabalhar na linha de frente. Fingindo estar satisfeita, fiz algumas perguntas discretas, e Joan confirmou aquilo como um fato normal da vida: os homens e as mulheres tinham planos de carreiras diferentes e só os homens viravam funcionários oficiais. É claro, é claro, eu disse. Claro que eu sabia disso. Eu era a mocinha inteligente que sabia tudo. Era orgulhosa demais para deixar que eles vissem como eu estava mal informada ou como estava frustrada. Eu me ouvi aceitar entusiasmada. Maravilha! Obrigada! Me disseram quando eu começaria. Mal posso esperar! Nós levantamos e o sr. Tapp apertou a minha mão e se afastou. Enquanto Joan me acompanhava até a entrada, ela explicou que a oferta dele estava sujeita aos vetos de praxe. Se fosse aceita, eu trabalharia na Curzon Street, seria obrigada a assinar o Ato de Segredos Oficiais e ficaria obrigada a obedecer às suas estritas determinações. Claro, eu ficava repetindo. Maravilha. Obrigada.

Saí do prédio me sentindo transtornada e melancólica. Antes mesmo de me despedir de Joan eu tinha decidido que não queria aquele emprego. Era um insulto, uma humilde posição de secretária com dois terços do pagamento normal. Com as gorjetas eu podia ganhar o dobro disso como garçonete. Eles que ficassem com aquele emprego. Eu ia mandar uma cartinha. Por mais que fosse uma decepção, pelo menos isso parecia decidido. Estava me sentindo oca, não tinha ideia do que devia fazer ou de onde deveria ir. O meu dinheiro estava acabando, não daria para pagar o quartinho em Cambridge. Eu só podia voltar para a casa dos meus pais então, virar filha de novo, criança, e encarar a indiferença do Bispo e o fervor organizacional da minha mãe. Mas ainda pior que essa perspectiva era aquele súbito ataque de dor de amor. Imitar a voz de Tony por meia hora e saquear as lembranças do nosso verão para uso próprio naquela situação tinha feito tudo voltar à vida na minha cabeça. Eu tinha me convencido a entender a medida plena da minha perda. Era como se nós estivéssemos no meio de uma conversa e ele de repente tivesse me dado as costas, me deixando com uma opressiva noção da sua ausência. Sentia saudade dele e desejo, e sabia que nunca ia ficar com ele de novo.

Desolada, seguia lentamente pela Great Marlborough Street. O emprego e Tony eram lados gêmeos de uma mesma coisa, a educação sentimental de um verão, e aquilo tudo tinha se desintegrado na minha frente em quarenta e oito horas. Ele tinha voltado para a mulher e a universidade, e eu não tinha nada. Sem amor, sem emprego. Só o frio da solidão. E a dor só aumentava com a lembrança de como ele tinha se voltado contra mim. Coisa mais injusta! Dei uma olhada para o outro lado da rua e por uma coincidência cruel me vi chegando perto da fachada imitação de estilo Tudor da Liberty, onde Tony tinha comprado a blusa.

Tentando não me sentir um trapo, virei rápido para a Carnaby Street e fui abrindo caminho em meio à multidão. Um violãozinho lamurioso e o cheiro de patchuli de uma loja de porão me fizeram pensar na minha irmã e na encrenca toda lá em casa. Enfiadas de camisas "psicodélicas" e roupas militares enfeitadas *à la* Sgt. Pepper pendiam de longas araras na calçada. À disposição de hordas de pessoas que pensavam igual e estavam desesperadas por exprimir a sua individualidade. Bom, o meu humor estava péssimo. Desci a Regent Street, depois virei à esquerda, penetrando mais no Soho, e caminhei por ruas imundas, cheias de lixo e comida abandonada, hambúrgueres e cachorros-quentes listrados de *ketchup* e caixinhas esmagadas na calçada e na sarjeta, e sacos de lixo empilhados em volta dos postes. A palavra "adulto" estava por toda parte, em neon vermelho. Nas vitrines, itens em soclos cobertos de um veludo fajuto, chicotes, consolos, unguentos eróticos, uma máscara com rebites. Um sujeito gordo com uma jaqueta de couro, meio que o mestre de cerimônias de um barzinho de *striptease*, gritou para mim, da porta onde estava parado, uma única palavra indistinta que soava como Boba! Talvez tenha sido Oba! Alguém assoviou para mim. Segui em frente, tomando cuidado para não olhar nos olhos de ninguém. Eu ainda estava pensando na Lucy. Injusto associar esse bairro a ela, mas o novo espírito de liberação que tinha feito a minha irmã acabar grávida e na cadeia tinha também permitido aquelas lojas (e, eu podia ter acrescentado, meu próprio caso com um homem mais velho). A Lucy tinha me dito mais de uma vez que o passado era um fardo, que era hora de desmontar tudo. Muita gente estava pensando assim. Uma insurreição vagabunda e desleixada estava no ar. Mas graças a Tony eu agora sabia o trabalho que tinha dado erigir a sociedade ocidental, por mais que ela fosse imperfeita. Nós estávamos tendo que suportar um governo com problemas, as nossas liberdades eram incompletas. Mas neste canto do mundo os nossos líderes não tinham mais poder absoluto, a selvageria era basicamente uma questão privada. Fosse o que fosse que estava sob os meus pés nas ruas do Soho, nós tínhamos nos erguido da lama. As catedrais, os parlamentos, as pinturas, os tribunais, as bibliotecas e os laboratórios — preciosos demais para desmontar.

Talvez fosse Cambridge e o efeito acumulado de tantos prédios e jardins antigos, de ver como o tempo era bondoso com as pedras, ou talvez simplesmente me faltasse a coragem da juventude e eu fosse cautelosa e certinha demais. Mas aquela revolução inglória não era para mim. Eu não queria uma *sex shop* em cada cidade, eu não queria uma vida como a da minha irmã, e não queria que incendiassem a história. Ir viajar? Eu queria viajar com homens civilizados como Tony Canning, que davam de barato a importância das leis e instituições e pensavam o tempo todo em jeitos de melhorar essas instituições. Ah, se ele quisesse viajar *comigo*. Se ele não fosse tão filho da puta.

A meia hora que eu levei para caminhar da Regent Street até a Charing Cross Road preparou o meu destino. Eu mudei de opinião, decidi acabar aceitando o emprego e ter ordem e objetivos na vida, e alguma independência. Pode ter havido um leve toque de masoquismo na minha decisão — como namorada rejeitada eu não merecia mais do que ser uma empregadinha de escritório. E não havia outras ofertas. Podia abandonar Cambridge e as suas associações com Tony, e podia me perder nas multidões londrinas — havia nisso algo agradavelmente trágico. Eu ia contar aos meus pais que tinha um emprego de verdade de funcionária pública no Departamento de Saúde e Seguridade Social. No fim das contas eu nem precisava de tanto segredo, mas na época me deixou bem animada desorientar os dois.

Voltei para o meu quartinho naquela tarde, avisei o senhorio e comecei a guardar as minhas coisas. No dia seguinte cheguei em casa, na catedral, com tudo que era meu. Minha mãe ficou felicíssima por mim e me deu um abraço amoroso. Para meu grande espanto, o Bispo me deu uma nota de vinte libras. Três semanas depois comecei a minha vida nova em Londres.

Se eu conhecia Millie Trimingham, a mãe solteira que um dia se tornaria a diretora-geral? Quando, anos mais tarde, ficou possível contar para todo mundo que você um dia trabalhou para o MI5, muitas vezes me fizeram essa pergunta. Se isso me irritava era porque eu suspeitava que a pergunta ocultasse outra: com as minhas conexões em Cambridge, por que não cheguei nem perto das alturas a que ela subiu? Eu entrei três anos depois dela, e é bem verdade que comecei seguindo os seus passos, que ela descreve nas suas memórias — o mesmo edifício lúgubre em Mayfair, a mesma seção de treinamento numa sala comprida, estreita e mal iluminada, as mesmas tarefas, tanto insignificantes quanto intrigantes. Mas quando eu entrei em 1972 Trimingham já era uma lenda entre as meninas novas. Lembre, nós estávamos com vinte e pouquinhos, ela já tinha passado dos trinta. A minha nova amiga Shirley Shilling foi quem me mostrou quem ela era. Trimingham estava na ponta de um corredor, iluminada por trás, por uma janela encardida, com uma pilhinha de documentos debaixo de um braço, dialogando ansiosamente com um sujeito anônimo que parecia provir dos nublados picos onde reside a autoridade. Ela parecia à vontade, quase à altura dele, claramente com direito de se permitir uma piadinha, que fez com que ele desse uma risada repentina e pusesse brevemente a mão no antebraço dela, como quem diz, segure esse seu senso de humor ou você vai deixar a minha vida impossível.

Ela era admirada pelas recém-chegadas porque nós tínhamos ouvido dizer que ela tinha dominado o sistema de arquivamento e as complexidades do Registro tão rapidamente que foi transferida em menos de dois meses. Tinha gente que dizia que eram semanas, ou até dias. Nós acreditávamos que havia uma insinuação de rebeldia nas roupas que ela usava, tons vivos de rosa e echarpes, autênticas, compradas no Paquistão, onde tinha trabalhado para o Serviço em algum posto avançado irregular. Era isso que nós nos dizíamos. Nós devíamos ter perguntado a ela. Uma eternidade depois li nas memórias dela que ela trabalhou de secretária no escritório de Islamabad. Eu ainda não sei se ela participou da Revolta das Mulheres daquele ano, quando as funcionárias mais avançadas do MI5 começaram a lutar por melhores oportunidades. Elas queriam ter direito de cuidar dos agentes, como os funcionários burocráticos homens. O meu palpite é que Trimingham deve ter apoiado os objetivos, mas deve ter tido receio de ações coletivas, discursos e resoluções. Nunca entendi por que a notícia da Revolta jamais chegou até nós. Talvez fôssemos considerados muito inexperientes. Acima de tudo, foi o espírito da época que lentamente mudou o Serviço, mas ela foi a primeira a se libertar, a primeira a abrir o buraco no teto da ala feminina. Ela fez isso em silêncio, com tato. O resto de nós seguiu aos tropeços atrás dela, estrepitosamente. Eu fui uma das últimas. E quando ela acabou transferida da seção de treinamento, foi para confrontar o duro futuro — o terrorismo do IRA — enquanto muitas de nós que a seguimos ficamos mais para trás, lutando as antigas batalhas contra a União Soviética.

Quase todo o térreo era ocupado pelo Registro, aquele imenso banco de dados onde mais de trezentas secretárias bem-nascidas trabalhavam como escravas nas pirâmides, processando pedidos de documentos, devolvendo ou distribuindo pastas para funcionários burocráticos em todo o prédio e organizando o material que chegava. Achavam que o sistema funcionava tão bem que ele acabou durando demais diante da era da informática. Foi o último reduto, a última tirania do papel. Exatamente como se faz um recruta do exército abraçar a sua nova vida descascando batatas e esfregando o chão do pátio com uma escova de dentes, eu passei os meus primeiros meses compilando listas de membros de ramos suburbanos do Partido Comunista da Grã-Bretanha e abrindo fichas para os que ainda não estavam catalogados. O meu território em especial era Gloucestershire. (Na sua época, Trimingham ficou com Yorkshire.) No meu primeiro mês abri uma ficha para o diretor de uma escolinha em Stroud que tinha participado de uma reunião aberta do seu grupo local numa noite de sábado de julho de 1972. Ele escreveu o nome numa folha de papel que os camaradas fizeram circular, mas depois deve ter decidido não se filiar. Não estava em nenhuma das listas de filiação que nós conseguimos obter. Mas preferi abrir uma ficha para ele porque ele estava em posição de influenciar mentes jovens. Foi iniciativa própria, a primeiríssima, e é por isso que eu lembro do nome dele, Harold Templeman, e o ano em que ele nasceu. Se o Templeman tivesse decidido largar a carreira escolar (ele tinha apenas quarenta e três anos) e se inscrever para um emprego público que o pusesse em contato com informações confidenciais, o procedimento de veto teria levado alguém àquela ficha. O Templeman teria sido interrogado a respeito daquela noite de julho (claro que ele teria ficado impressionado) ou a sua inscrição seria recusada e ele nunca teria ficado sabendo por quê. Perfeito. Em teoria, pelo menos. Nós ainda estávamos aprendendo os rigorosos protocolos que determinavam o que era material aceitável para uma ficha. Durante os primeiros meses de 1973 um sistema tão fechado e funcional quanto aquele, por mais que fosse sem sentido, foi um consolo para mim. Todas as doze meninas que estavam trabalhando naquela salinha sabiam muito bem que qualquer agente que estivesse sob ordens do Centro Soviético jamais iria se anunciar para nós se filiando ao Partido Comunista da Grã-Bretanha. Eu nem me importava.

No caminho do trabalho eu normalmente refletia sobre a

imensidão que separava a descrição do meu trabalho da realidade. Eu podia me dizer — já que não podia dizer a mais ninguém — que trabalhava para o MI5. Isso soava bem. Até hoje eu fico meio sacudida, quando penso naquela criaturinha pálida querendo fazer a sua parte pelo país. Mas eu era só mais uma moça de escritório, de minissaia, enfiada no meio das outras, milhares de moças jorrando dos túneis de conexão do metrô na baldeação para Green Park, onde o lixo acumulado e a fuligem e as fedorentas rajadas subterrâneas que nos cabiam nos lambiam o rosto e remodelavam o nosso penteado. (Londres hoje está tão mais limpa.) E quando chegava ao trabalho, eu ainda era uma moça de escritório, datilografando de costas retas numa Remington gigante numa sala enfumaçada como centenas de milhares por toda a capital, indo buscar documentos, decifrando letras de homens, correndo para não me atrasar na volta do almoço. Eu até ganhava menos que a maioria. E exatamente como a mocinha do poema de Betjeman que Tony um dia leu para mim, eu também lavava a roupa de baixo na pia do meu quartinho.

Como funcionária de nível baixíssimo, o salário da minha primeira semana depois de feitos os descontos foi de catorze libras e trinta *pence*, na nova moeda decimalizada, que ainda não tinha perdido o seu ar pouco sério, imaturo, fraudulento. Eu pagava quatro libras por semana pelo meu quarto, e uma libra a mais pela luz. O transporte me custava pouco mais de uma libra, o que me deixava oito libras para a comida e tudo mais. Eu estou apresentando esses detalhes não para reclamar, mas no espírito dos romances de Jane Austen, que um dia eu devorei em Cambridge. Como é que se pode entender a vida interior de um personagem, real ou ficcional, sem conhecer o estado das suas finanças? A *srta. Frome, recém-instalada em aposentos minúsculos sitos no número 70 da St. Augustine's Road, na cidade de Londres, North West One, tinha menos de mil por ano e um coração pesado*. Eu me virava de uma semana para outra, mas não estava me sentindo parte de um glamouroso mundo clandestino.

Ainda assim, eu era jovem, e manter um coração pesado em todos os momentos do dia estava além das minhas capacidades. A minha companhia, nos horários de almoço e nas noitadas na cidade, era Shirley Shilling, cujo nome aliterativo que fazia referência à boa e velha moeda antiga captava algo do seu roliço sorriso de canto de boca e do seu gosto antiquado em termos de diversão. Ela se encrencou com a nossa supervisora, a srta. Ling, fumante compulsiva, já na primeira semana por "demorar demais no toalete". A bem da verdade, a Shirley tinha saído correndo do prédio às dez horas para comprar um vestido para uma festa naquela noite, tinha ido até a Marks & Spencer na Oxford Street, achado exatamente o que queria, provara, provara um tamanho maior, pagara e entrara num ônibus para voltar — em vinte minutos. Não haveria tempo na hora do almoço porque ela estava planejando provar uns sapatos. Nenhuma outra de nós teria tido essa ousadia.

Então o que nós achávamos dela? As mudanças culturais dos últimos anos podiam parecer profundas mas não tinham cortado as antenas sociais de ninguém. Em um minuto, não, menos, assim que a Shirley tinha dito três palavras, nós já saberíamos que ela tinha origens humildes. O pai dela tinha uma loja de camas e sofás em Ilford chamada Mondo Cama, a escola dela era uma coisa gigante bancada pelo Estado, a sua universidade era Nottingham. Ela era a primeira da família a ficar na escola depois dos dezesseis. O MI5 podia estar querendo dar mostras de uma política de recrutamento mais aberta, mas Shirley na verdade era excelente. Ela datilografava duas vezes mais rápido que a melhor de nós, a memória dela — para rostos, documentos, conversas, protocolos — era mais afiada que a nossa, ela fazia perguntas corajosas e interessantes. Era um sinal dos tempos que uma minoria significativa das meninas tivesse admiração por ela — o seu leve sotaque *cockney* tinha um toque de glamour moderno, a voz e os modos dela nos lembravam Twiggy ou Keith Richards ou Bobby Moore. A bem da verdade o irmão dela era jogador de futebol profissional, e jogava no time reserva dos Wolverhampton Wanderers. Esse clube, como nós fomos obrigadas a aprender, tinha chegado à final da nova Copa da UEFA naquele ano. Shirley era exótica, ela representava um novo mundo cheio de confiança.

Algumas meninas era esnobes com Shirley, mas nenhuma de nós era tão vivida e tão bacana. Muitas das que chegavam ao nosso grupo teriam sido apresentadas à rainha Elizabeth como debutantes se esse costume não tivesse sido abolido quinze anos antes. Algumas eram filhas ou sobrinhas de oficiais da ativa ou da reserva. Dois terços de nós tínhamos diplomas das universidades mais antigas. Nós falávamos em tons idênticos, éramos socialmente seguras e podíamos ter passado por aristocratas num fim de semana no campo. Mas havia sempre um vestígio de desculpas no nosso estilo, um polido impulso de deferência, especialmente quando um dos funcionários de nível mais alto, um dos tipos que pareciam sair do mundo colonial, aparecia na nossa sala crepuscular. Aí quase todas (inclusive eu, é claro) eram mestras no olhar baixo e no meio sorriso complacente. Entre as recém-chegadas, havia uma tácita e discreta busca por um marido decente, que viesse do mundo certo.

Shirley, por outro lado, falava descaradamente alto e, como não estava a fim de casar, olhava no olho de todo mundo. Ela tinha uma mania ou um ponto fraco, rir estrondosamente das suas próprias piadas — não, eu achava, por pensar que era engraçada, mas porque achava que a vida precisava ser celebrada e queria que os outros se juntassem a ela. Gente que fala alto, especialmente as mulheres, sempre atrai inimigos, e a Shirley tinha uma ou duas que a desprezavam de todo o coração, mas em geral ela ganhava um espaço na vida de todo mundo, especialmente na minha. Um elemento que pode lhe ter sido favorável era o fato de ela não ser ameaçadoramente linda. Ela era grande, estava pelo menos dez quilos acima do peso, tamanho quarenta e quatro enquanto eu era quarenta, e ela efetivamente nos disse que a palavra que devíamos usar para ela era "esbelta". E aí ela riu. O seu rosto redondo e meio fofo era salvo, e até abençoado, pelo fato de raramente estar em repouso, de tão animada que ela era. O seu melhor traço era a combinação algo incomum de um cabelo preto, naturalmente cacheado, com vagas sardas no nariz e olhos de um azul cinzento. E o sorriso dela se entortava para a direita, o que lhe dava uma aparência que eu não sei descrever direito. Algo entre *dissoluta* e *resoluta*. Apesar da sua situação limitada, ela tinha viajado mais que quase todo mundo ali. No ano seguinte à sua formatura ela foi de carona sozinha até Istambul, vendeu sangue, comprou uma moto, quebrou a perna, o ombro e o cotovelo, se apaixonou por um médico sírio, fez um aborto e veio para a Inglaterra num iate que partia da Anatólia em troca de cozinhar um pouco a bordo.

Mas do meu ponto de vista, nenhuma dessas aventuras era tão exótica quanto o caderninho que ela sempre carregava, uma coisinha infantil e cor-de-rosa com um lápis curtinho enfiado na lombada. Por um tempo ela não quis dizer o que escrevia, mas uma noite num *pub* na Muswell Hill ela assumiu que anotava "as coisas inteligentes ou engraçadas ou doidas" que as pessoas diziam. Ela também escrevia "umas historinhas bem pequenininhas sobre outras histórias" e também meramente "ideias". O caderno estava sempre ao alcance da mão e ela escrevia nele bem no meio de uma conversa. As outras meninas do escritório provocavam Shirley por causa daquilo, e eu tinha curiosidade de saber se ela tinha maiores ambições literárias. Eu falava com ela sobre os livros que estava lendo, e embora ela ouvisse educada, e até atentamente, nunca oferecia uma opinião própria. Não sabia bem se ela lia alguma coisa. Ou isso, ou ela estava protegendo um grande segredo.

Ela morava pouco mais de um quilômetro ao norte de onde eu estava, num quartinho minúsculo de terceiro andar que dava para a ruidosíssima Holloway Road. Uma semana depois de nos conhecermos, nós começamos a sair de noite. Logo depois descobri que a nossa amizade tinha nos conferido no escritório o apelido de "a Gorda e a Magra", uma referência aos nossos tamanhos relativos, e não a um gosto por pastelão. Não contei para Shirley. Nunca passou pela cabeça dela que uma noitada pudesse ser algo diferente de um *pub*, de preferência os mais barulhentos, com música. Ela não tinha interesse algum pelos lugares em torno de Mayfair. Em alguns meses eu já conhecia bem a ecologia humana, as gradações de decência e decadência dos *pubs* de Camden, Kentish Town e Islington.

Foi em Kentish Town, na nossa primeira excursão, que eu vi num *pub* irlandês uma briga terrível. Nos filmes, um soco no queixo é uma coisa banal, mas é extraordinário testemunhar isso na vida real, embora o som, o baque ósseo, seja muito mais abafado e molhado. Para uma moça com uma vida protegida, parecia imprudente além de qualquer limite, tão inconsequente no que se referia a retaliações, perspectivas, à própria vida, que aqueles punhos que durante o dia manejavam uma picareta para a firma de construção de Murphy, batessem estaca na cara dos outros. Nós ficamos assistindo nos nossos banquinhos. Vi alguma coisa passar em curva no ar pelo cabo da bomba de chope — um botão ou um dente. Mais gente estava entrando na briga, havia uma quantidade razoável de gritos, e o *barman*, ele mesmo um sujeito com cara de trabalhador braçal e com um caduceu tatuado em cima do pulso, estava falando no telefone. Shirley pôs um braço em volta do meu ombro e me empurrou para a porta. As nossas cubas-libres ficaram para trás, com o gelo derretendo, em cima do balcão.

"Polícia a caminho, eles podem querer testemunhas. Melhor zarpar." Já na rua nós lembramos do casaco dela. "Ah, esquece", ela disse com um aceno. Ela já estava seguindo adiante. "Eu odeio essas *coisa*."

Nós não ficávamos procurando homens nas nossas noitadas. Em vez disso, nós conversávamos bastante — sobre as nossas famílias, sobre as nossas vidas até ali. Ela falava do seu médico sírio, eu falava de Jeremy Mott, mas não de Tony Canning. Fofoca de trabalho era estritamente proibida, até para nós, meras principiantes, e era uma questão de orgulho obedecer às ordens. Além disso, eu tinha a impressão de que Shirley já estava fazendo coisas mais importantes que eu no trabalho. Era feio perguntar. Quando a nossa conversa de *pub* era interrompida, quando homens se aproximavam de nós, eles vinham procurando por mim e acabavam ficando com Shirley. Eu ficava feliz de ficar calada ali do lado enquanto ela assumia. Eles não conseguiam atravessar o falatório e a risada, as brilhantes perguntas verborrágicas sobre o que eles faziam e de onde vinham, e se retiravam depois de subsidiar uma ou duas rodadas de cuba-libre. Nos *pubs hippies* de Camden Lock, que ainda não era uma atração turística, os cabeludos eram mais insidiosos e persistentes com cantadas mais sutis que falavam do seu espírito feminino interior, do inconsciente coletivo, do trânsito de Vênus e umas baboseiras dessas. Shirley repelia esses tipos com uma simpatia incompreensiva enquanto eu me afastava dessas lembranças da minha irmã.

Nós íamos àquela parte da cidade por causa da música, bebendo de bar em bar até chegar ao Dublin Castle na Parkway. Shirley tinha uma paixão meio masculina por *rock'n'roll* e no começo dos anos 1970 as melhores bandas tocavam em *pubs*, muitas vezes uns estabelecimentos vitorianos cavernosos. Eu surpreendentemente desenvolvi um gosto passageiro por essa música ousada e despretensiosa. O meu quartinho era chato e eu achava muito bom ter alguma coisa para fazer à noite além de ler romances. Uma noite, quando nós já nos conhecíamos melhor, Shirley e eu tivemos uma conversa sobre os nossos homens ideais. Ela me contou o seu sonho, um sujeitinho introspectivo e ossudo, pouco mais de um metro e oitenta, jeans, camiseta preta, cabelo raspado e rosto encovado e uma guitarra pendurada no pescoço. Nós devemos ter visto duas dúzias desse arquétipo enquanto ela me levava a todos os *pubs* entre Canvey Island e Shepherd's Bush. Nós ouvimos Bees Make Honey (a minha favorita), Roogalator (a dela) — e Dr. Feelgood, Ducks Deluxe, Kilburn and the High Roads. Não era nada a minha cara, isso de ficar de pé no meio de uma multidão suarenta com um caneco pequeno de cerveja na mão, os ouvidos zunindo por causa do barulho. Me dava um prazer meio inocente pensar o quanto o pessoalzinho da contracultura em volta de nós ficaria horrorizado ao saber que nós éramos o maior inimigo, o mundo "careta" e cinza do MI5. A Gorda e a Magra, a nova tropa de choque da segurança interna.

4.

Mais para o fim de 1973 eu recebi uma carta que a minha mãe encaminhou, do meu velho amigo Jeremy Mott. Ele ainda estava em Edimburgo, ainda feliz com o trabalho do doutorado e com a nova vida de casos semissecretos, que terminavam todos, dizia ele, sem muitos problemas ou remorsos. Li a carta de manhã enquanto ia para o trabalho numa das raras ocasiões em que tinha conseguido abrir caminho na marra pelo vagão lotado e fedorento e achar um lugar para sentar. O parágrafo importante começava na metade da segunda página. Para Jeremy não teria sido mais que um item de fofoca séria.

Você lembra do meu orientador, Tony Canning. A gente foi tomar chá na sala dele uma vez. Em setembro do ano passado ele deixou a mulher, a Frieda. Eles eram casados havia mais de trinta anos. Aparentemente sem explicação. Tinham corrido uns boatos na universidade de que ele andava levando uma menina ao chalé deles em Suffolk. Mas não foi isso. Disseram que ele largou dessa também. Eu recebi uma carta de um amigo mês passado.

Ele ouviu do próprio mestre. Tudo isso foi um segredo público na universidade mas ninguém pensou em me dizer. O Canning estava doente. Por que não dizer? Tinha alguma coisa muito errada com ele e ele não podia nem ser tratado mais. Em outubro ele pediu exoneração da cátedra e foi sozinho para uma ilha no Báltico, onde alugou uma casinha. Quem cuidava dele era uma mulher de lá que pode ter sido mais que uma caseira. Mais perto do fim ele foi transferido para um hospitalzinho em outra ilha. O filho dele foi visitar e a Frieda foi também. Eu estou considerando que você não leu o obituário no *Times* em fevereiro. Tenho certeza que você ia ter me escrito se tivesse lido. Nunca soube que ele foi do Serviço Secreto no fim da Segunda Guerra. Bem heroico e tudo mais, pulando de paraquedas na Bulgária e recebendo um ferimento grave no peito durante uma emboscada. Aí quatro anos no MI5 no fim dos anos 1940. A geração dos nossos pais — a vida deles era tão mais significativa que a nossa, você não acha? O Tony foi muito bacana comigo. Queria que alguém tivesse me avisado. Pelo menos eu teria escrito para ele. Por que você não aparece aqui para me animar? Tem um quartinho bem bonitinho que comunica com a cozinha. Mas acho que já te disse isso antes.

Por que não dizer? Câncer. Nos anos 1970 estava começando a acabar o tempo em que as pessoas baixavam a voz para dizer a palavra. Câncer era uma desgraça, para a vítima, um tipo de fracasso, uma mácula, uma sujeira, um defeito de caráter e não da carne. Naquele tempo eu tenho certeza de que eu nem teria pensado duas vezes na necessidade que Tony sentiu de sair rastejando sem explicações para passar o inverno com o seu segredo horroroso numa ilha gelada. As dunas de areia da infância dele, ventos duros, alagadiços sem árvores nas ilhas, e Tony caminhando pela praia vazia encolhido na sua jaquetinha de operário com a sua vergonha, o seu segredo pérfido e a sua necessidade crescente de mais uma soneca. O sono que vinha em ondas. Claro que ele precisou ficar só. Tenho certeza de que eu não questionei nada disso. O que me deixou impressionada e chocada foi o planejamento. Me mandar pôr a blusa no cesto de roupa suja e aí fingir que tinha esquecido para se tornar repulsivo para mim e eu não ir atrás dele e complicar os seus últimos meses. Será que tinha mesmo que ser tão elaborado assim? Ou tão duro?

Indo para o trabalho eu corei ao lembrar como tinha pensado que entendia mais que ele de sentimentos. Corei logo antes de começar a chorar. Os passageiros que estavam mais perto de mim no metrô tiveram a decência de desviar os olhos. Ele deve ter sabido quanto eu teria que reescrever o passado quando ouvisse a história real. Deve ter sido algum conforto, acreditar que aí eu o perdoaria. Parecia uma coisa muito triste. Mas por que não veio uma carta póstuma, explicando, lembrando alguma coisa entre nós, dizendo adeus, reconhecendo que eu existia, me dando alguma coisa para eu levar comigo, qualquer coisa que ocupasse o lugar da nossa última cena? Por semanas a fio depois disso eu fiquei me atormentando com suspeitas de que uma carta desse tipo tivesse sido interceptada pela "caseira" ou por Frieda.

Tony exilado, andando pelas praias solitárias, sem o irmão, o companheiro de brincadeiras com quem tinha dividido os anos de leveza — Terence Canning foi morto no desembarque do Dia D —, e sem a universidade, os amigos, a mulher. Acima de tudo, sem mim. Tony podia ter contado com os cuidados de Frieda, podia ter ficado no chalé ou no quarto dele, em casa, com os seus livros, com visitas de amigos e do filho. Eu até podia ter dado um jeito de aparecer, disfarçada de ex-aluna. Flores, champanhe, família e velhos amigos, fotos velhas — não era assim que pessoas tentavam organizar a morte, pelo menos quando não estavam lutando para respirar ou se contorcendo de dor ou inertes, imobilizadas pelo pânico?

Nas semanas seguintes eu revi dúzias de pequenos momentos. Aquelas sonecas à tarde que me deixavam tão impaciente, aquela cara cinzenta de manhã que eu não conseguia nem olhar. Na época eu tinha achado que era simplesmente como as coisas tinham que ser, quando você tinha cinquenta e quatro anos. Havia uma conversa em particular que eu vivia revivendo — aqueles poucos segundos no quarto junto do cesto de roupa quando ele estava me falando de Idi Amin e dos asiáticos expulsos de Uganda. Era uma história importante na época. O ditador perverso estava fazendo os seus compatriotas saírem do país, eles tinham passaportes britânicos, e o governo de Ted Heath, ignorando os tabloides enfurecidos, estava insistindo, muito decentemente, que eles tinham que ter direito de se instalar aqui. Era a opinião de Tony também. Ele se interrompeu e sem parar para respirar disse rapidamente, "Só jogue ali junto com as minhas. A gente volta logo". Só isso, uma instrução doméstica cotidiana, e aí ele continuou a seguir o seu raciocínio. Agora me diga se não foi engenhoso, quando o corpo dele já estava pifando e os planos estavam tomando forma? Orquestrar o momento, ver uma oportunidade e aproveitar sem perder o compasso. Ou inventar alguma coisa depois. Talvez menos um truque e mais um hábito mental que ele pegou no Serviço Secreto. Um truque da profissão. Como artifício, como ardil, foi muito inteligente. Ele me apanhou de surpresa e fiquei brava demais para ir atrás dele. Não acho que o amasse de verdade naquele tempo, durante aqueles meses no chalé, mas quando ouvi a notícia da morte dele eu logo me convenci de que o amava. O truque, o seu artifício, era muito mais traiçoeiro que o caso amoroso de um sujeito casado qualquer. Já naquela época eu o admirei por isso, mas não consegui perdoá-lo.

Fui até a biblioteca pública de Holborn, onde os números antigos do *Times* ficavam guardados, e dei uma olhada no obituário. Como uma idiota, li por cima, procurando o meu nome, e aí comecei de novo. Uma vida inteira em poucas colunas, e nem uma fotografia. A escola Dragon em Oxford, Marlborough e depois Balliol, a Guarda, a ação no deserto oriental, uma lacuna inexplicável, e aí o Serviço Secreto como Jeremy tinha descrito, seguido de quatro anos no Serviço de Segurança a partir de 1948. Como é que eu não tinha tido curiosidade sobre os anos da guerra e do pós-guerra de Tony, embora soubesse que ele tinha boas relações no MI5? O texto resumia brevemente dos anos 1950 em diante — jornalismo, livros, funcionalismo público, Cambridge, morte.

E, para mim, nada mudou. Continuei trabalhando na Curzon Street enquanto cuidava do pequeno santuário da minha dor secreta. Tony tinha escolhido a minha profissão, tinha me emprestado um bosque, *porcini*, opiniões, cosmopolitismo. Mas eu não tinha prova, nenhum suvenir, nenhuma foto dele, nenhuma carta, nem um pedaço rasgado de um bilhete, porque os nossos encontros eram marcados por telefone. Diligentemente, devolvi todos os livros que ele me emprestou depois que li, a não ser um, *Religion and the Rise of Capitalism*, de R.H. Tawney. Procurei aquele livro por toda parte, e voltei várias vezes a procurar desiludida nos mesmos lugares de antes. Ele tinha uma capa verde-clara desbotada pelo sol com uma marca de xícara que envolvia as iniciais do autor e um simples "Canning" em imperiosa tinta púrpura na primeira folha de rosto e por tudo, em quase toda página, os comentários dele com lápis duro. Tão precioso. Mas tinha evaporado, como só os livros conseguem evaporar, talvez quando eu me mudei do meu quarto no Jesus Green. As minhas únicas lembranças eram um marcador de livro que eu dei sem nem pensar, e ainda vou voltar a falar disso, e o emprego. Ele tinha me enviado àquele escritório encardido na Leconfield House. Eu não gostava, mas era o legado dele e eu não podia ter tolerado a ideia de estar em qualquer outro lugar.

Trabalhando pacientemente, sem queixas, me dobrando humildemente aos disparates da srta. Ling — era assim que eu não permitia que aquela chama se apagasse. Se deixasse de ser eficiente, se chegasse tarde ou reclamasse ou pensasse em sair do MI5, estaria decepcionando o Tony. Eu me convenci da existência de um grande amor em ruínas, e assim eu vencia a dor. *Akrasia!* Toda vez que eu cuidadosamente transformava os rabiscos de algum funcionário num memorando datilografado sem erros e em três vias, era porque era meu dever honrar a memória do homem que eu tinha amado.

Havia doze pessoas na nossa turma, incluindo três homens. Deles, dois eram homens de negócios, casados, com seus trinta e poucos anos e sem nenhum interesse para ninguém. Havia um terceiro, Greatorex, a quem pais ambiciosos haviam conferido o nome de Maximilian. Ele tinha cerca de trinta anos, orelhas que se projetavam da cabeça, e era extremamente reticente, se por timidez ou superioridade ninguém sabia ao certo. Ele tinha sido transferido do MI6 e já tinha *status* de funcionário burocrático, ficando ali com os recém-chegados meramente para ver como funcionava o nosso sistema. Os outros dois, os homens de negócios, também já não estavam tão longe do *status* de burocratas. Por mais que eu tenha pensado certas coisas durante a entrevista, agora eu não me incomodava tanto. Conforme o nosso caótico treinamento prosseguia, fui absorvendo o espírito geral do lugar e, seguindo o exemplo das outras meninas, comecei a aceitar que naquela pequena parte do mundo adulto, e ao contrário de no resto do funcionalismo público, as mulheres pertenciam a uma casta inferior.

Nós estávamos passando ainda mais tempo agora com as

dúzias de meninas do Registro, aprendendo as regras rígidas de pesquisa de documentos e descobrindo, sem que ninguém nos dissesse, que havia círculos concêntricos de autorizações de segurança e que nós estávamos abandonadas em total escuridão. Os carrinhos temperamentais e barulhentos que seguiam pelos trilhos entregavam documentos a vários departamentos por todo o prédio. Toda vez que um deles dava problema, Greatorex sabia como arrumar com um conjunto de chaves de fenda em miniatura que ele sempre carregava. Entre as meninas mais esnobes isso lhe valeu o apelido de "Faz-Tudo", o que o confirmava como um alvo ridículo. Isso para mim foi bom porque, mesmo na minha situação de luto, eu estava começando a me interessar por Maximilian Greatorex.

De vez em quando, no fim da tarde, nós éramos "convidados" a assistir a uma palestra. Teria sido inconcebível não ir. O tema nunca se afastava muito do comunismo, teoria e prática, a batalha geopolítica, a nítida intenção da União Soviética de atingir o domínio mundial. Estou fazendo essas falas parecerem mais interessantes do que eram. O elemento de teoria e prática era de longe o maior, e quase tudo era teoria. Isso era porque as palestras eram de um ex-integrante da RAF, Archibald Jowell, que tinha estudado tudo aquilo, talvez num cursinho noturno, e queria muito dividir o que sabia de dialética e conceitos afins. Se você fechasse os olhos, como muitos faziam, era fácil imaginar que estava numa reunião do Partido Comunista em algum lugar como Stroud, pois a intenção de Jowell não era fazer pouco do pensamento marxista-leninista ou demoli-lo, não era nem manifestar ceticismo. Ele queria que nós entendêssemos a mente do inimigo "por dentro", e conhecêssemos plenamente as bases teóricas a partir das quais ela funcionava. No fim de um dia de datilografia e de tentativas de aprender o que constituía um fato que aos olhos da temível srta. Ling merecia arquivamento, o tom franco e perorante de Jowell tinha um efeito mortal e soporífico em quase todos os empregados. Todo mundo achava que ser apanhado num momento vergonhoso, quando os músculos do pescoço relaxam e a cabeça cai para a frente, podia diminuir as chances de um bom futuro na carreira. Mas acreditar não era exatamente o bastante. As pálpebras pesadas do fim da tarde tinham lá a sua lógica própria, o seu peso peculiar.

Então o que será que estava errado comigo, que eu sentava retinha e atenta durante toda aquela hora, na beirada da cadeira, de pernas cruzadas, caderno apertado contra o joelho nu enquanto tomava notas? Eu era matemática e ex-enxadrista, e era uma moça que precisava de consolo. O materialismo dialético era um sistema devidamente autônomo, como os procedimentos de veto, só que mais rigoroso e intricado. Mais como uma equação de Leibniz ou Hilbert. Aspirações humanas, sociedades, história e um método de análise num emaranhado tão expressivo e sobre-humanamente perfeito quanto uma fuga de Bach. Quem é que podia dormir durante aquilo? A resposta era todo mundo menos eu e Greatorex. Ele viria sentar a um lance de cavalo na minha frente e à minha esquerda, com a página visível do caderno dele coberta de letras densas e cheias de volteios.

Uma vez, a minha atenção se desviou da palestra enquanto eu o examinava. De fato as orelhas dele se projetavam de estranhos montículos de ossos do lado do crânio e as tais orelhas eram muitíssimo vermelhas. Mas o efeito era exagerado demais por aquele corte de cabelo antiquado, as laterais e a parte de trás no padrão curto dos militares, um penteado que lhe revelava um fundo sulco na nuca. Ele me lembrava Jeremy e, de maneira menos confortável, alguns dos alunos de matemática de Cambridge, os que tinham me humilhado nas aulas. Mas a aparência facial dele era enganosa, porque o seu corpo parecia firme e forte. Na minha cabeça eu mudei o cabelo dele, deixando crescer para preencher o espaço entre as pontas das orelhas e a cabeça, e cobrir o alto do colarinho, algo perfeitamente aceitável naqueles dias, até em Leconfield House. O paletó xadrez de *tweed* cor de mostarda tinha que ir embora. Até do meu ângulo oblíquo dava para ver que o nó da gravata dele era pequeno demais. Ele precisava começar a se apresentar como Max e a guardar as chaves de fenda numa gaveta. Ele estava escrevendo com tinta marrom. Isso também teria que mudar.

"E assim eu volto ao meu argumento inicial", estava dizendo o ex-comandante Jowell, em conclusão. "Em última análise o poder e a resistência do marxismo, assim como de qualquer outro esquema teórico, repousam na sua capacidade de seduzir homens e mulheres inteligentes. E este esquema aqui certamente consegue seduzir. Obrigado."

O nosso grupinho exausto se ergueu respeitosamente para ficar de pé enquanto o palestrante saía da sala. Quando ele tinha saído, Max se virou e olhou direto para mim. Era como se o sulco vertical na base do crânio dele fosse telepaticamente sensível. Ele sabia que eu andava recompondo toda a sua vida.

Fui eu quem desviou os olhos.

Ele apontou para a caneta na minha mão. "Anotando um monte de coisa."

Eu disse, "Foi fascinante".

Ele começou a dizer alguma coisa, e aí mudou de ideia e com um gesto impaciente de cima para baixo com a mão ele virou para o outro lado e saiu da sala.

Mas nós ficamos amigos. Como ele me lembrava Jeremy, eu preguiçosamente presumi que ele preferia homens, apesar de ter a esperança de estar errada. Eu mal poderia esperar que ele falasse desses assuntos, especialmente naquele tipo de escritório. O mundo da segurança desprezava os homossexuais, pelo menos nas aparências, o que fazia que eles fossem vulneráveis a chantagens, o que fazia que fossem imprestáveis para os serviços de Inteligência e portanto desprezíveis. Mas enquanto ia criando fantasias sexuais sobre Max, eu pelo menos podia me dizer que provavelmente já estava superando Tony. E Max, como eu tentei fazer todo mundo se referir a ele, poderia compor bem com a gente. De início eu achei que nós daríamos um trio bacana com Shirley pela cidade, mas ela me disse que ele era esquisitão e não parecia de confiança. E ele não gostava de *pubs* e fumaça de cigarro, nem de música alta, então a gente às vezes acabava num banco no Hyde Park depois do trabalho, ou na Berkeley Square. Ele não podia falar disso e eu não ia perguntar, mas a minha impressão era que ele tinha trabalhado um tempo em Cheltenham, na interceptação de comunicações. Ele tinha trinta e dois anos e morava sozinho em parte de uma ala de uma casa de campo perto de Egham, numa curva do Tâmisa. Ele disse mais de uma vez que eu devia ir fazer uma visitinha, mas nunca houve um convite direto. Ele vinha de uma família de acadêmicos, tinha sido educado em Winchester e Harvard, onde se formou em direito e depois em psicologia, mas não conseguia se livrar da ideia de que tinha feito as escolhas erradas, que devia estar estudando alguma coisa prática, como engenharia. Num dado momento ele tinha pensado em virar aprendiz de projetista de relógios em Genebra, mas os pais dele o convenceram a desistir. O pai dele era filósofo e a mãe, antropóloga social, e Maximilian era filho único. Eles queriam que ele tivesse uma vida intelectual e achavam que não devia ficar trabalhando com as mãos por aí. Depois de um curto período infeliz dando aula num cursinho, de uns artigos de jornal e umas viagens, ele entrou para o Serviço através de alguém que um tio dele conhecia profissionalmente.

Foi um ano com uma primavera quente e a nossa amizade cresceu com as árvores e os arbustos em volta dos nossos vários bancos. Bem no comecinho, ansiosa, eu dei um passo maior do que a nossa intimidade permitia e perguntei se pais acadêmicos fazendo pressão num filho único podiam ser a causa da timidez dele. A pergunta o deixou bem agastado, como se eu tivesse ofendido a família dele. Ele tinha uma aversão tipicamente inglesa por explicações psicológicas. Agiu de maneira rígida quando explicou que não se reconhecia naquela descrição. Se ele não se abria com estranhos era porque acreditava que era melhor ir com cuidado até entender com quem estava lidando. Ele ficava perfeitamente à vontade com pessoas que conhecia e estimava. Delicadamente estimulada, eu lhe contei tudo — a minha família, a minha Cambridge, o meu diplominha vagabundo de matemática, a minha coluna na ?Quis?.

"Eu ouvi falar da sua coluna", ele disse, para minha surpresa. E aí ele acrescentou algo que me deixou satisfeita. "O que se comenta no escritório é que você leu tudo que vale a pena ler. Que você entende de literatura moderna e tudo mais."

Foi uma libertação falar com alguém, finalmente, sobre Tony. Max até já tinha ouvido falar dele, e lembrava de uma comissão federal, um livro de história e mais uma ou duas coisinhas, sendo que uma delas era uma discussão na imprensa sobre financiamento das artes.

"Como é que você disse que era o nome da ilha dele?"

Foi aí que a minha cabeça ficou vazia. Eu sabia o nome tão bem. Era um sinônimo da morte dele. Eu disse, "Me deu um branco, de repente".

"Finlândia? Suécia?"

"Finlândia. No arquipélago de Åland."

"Era Lemland?"

"Não parece que seja o nome certo. Eu vou lembrar."

"Me avise quando lembrar."

Eu fiquei surpresa com a insistência dele. "Por que isso é importante?"

"Sabe como é, eu já andei um pouco pelo Báltico. Dezenas de milhares de ilhas. Um dos segredos mais bem guardados do turismo moderno. Graças a Deus que todo mundo corre para o sul no verão. Nitidamente esse seu Canning era um sujeito de bom gosto."

Nós deixamos por isso mesmo. Mas coisa de um mês depois, nós estávamos sentados na Berkeley Square tentando reconstruir a letra de uma música famosa sobre um rouxinol que cantava exatamente ali. Max me disse que era pianista autodidata e que gostava de tocar temas de musicais e números meio operísticos dos anos 1940 e 1950, uma música tão fora de moda quanto o cabelo dele. Por acaso eu conhecia aquela canção em particular, de um espetáculo que montaram na escola. Nós estávamos meio cantando, meio dizendo a letra tão bonitinha, *I may be right, I may be wrong/ But I'm perfectly willing to swear/ That when you turned and smiled at me/ A nightingale...** quando Max parou e disse, "Não era Kumlinge?".

"Isso mesmo. Como é que você soube?"

"Bom, eu ouvi dizer que é muito lindo lá."

"Acho que ele gostava do isolamento."

"Ele devia gostar mesmo."

Com o passar da primavera, até que fui gostando cada vez mais do Max, até chegar a uma leve obsessão. Quando não estava com ele, quando saía à noite com Shirley, eu me sentia incompleta e inquieta. Era um alívio voltar ao trabalho, onde podia vê-lo por sobre as mesas, com a cabeça inclinada em cima dos documentos. Mas isso nunca bastava e logo eu já ia estar tentando marcar o nosso próximo encontro. Eu tinha que encarar que tinha uma quedinha por um certo tipo de homem malvestido e

---

* Eu posso estar certo, posso estar errado/ Mas estou perfeitamente disposto a jurar/ Que quando você virou e sorriu para mim/ Um rouxinol...

antiquado (Tony não contava), ossudo e magro e canhestramente inteligente. Havia algo distante e reto nos modos de Max. A sua contenção automática fazia eu me sentir estabanada e enfática demais. Eu tinha medo de que ele não gostasse de mim na verdade e só fosse educado demais para dizer. Imaginava que ele tinha todo tipo de regras privadas, noções ocultas de correção que eu vivia transgredindo. O meu desconforto ampliava o meu interesse por ele. O que o animava, o tema que punha algum calor nos seus modos, era o comunismo soviético. Ele era um soldado da Guerra Fria, de um tipo superior. Onde outros sentiam desprezo e raiva, Max acreditava que boas intenções tinham se combinado com a natureza humana para conceber uma tragédia de aprisionamento sombrio. A felicidade e a realização pessoal de centenas de milhões por todo o Império Russo tinham sido fatalmente comprometidas. Ninguém, nem mesmo os seus líderes, teria escolhido o que eles tinham agora. O segredo era oferecer uma escapatória gradual, sem que eles se humilhassem, com argumentos e incentivos pacientes, gerando confiança e mantendo a firmeza contra o que ele chamava de uma ideia absolutamente terrível.

Ele certamente não era o tipo de sujeito que eu podia interrogar sobre a vida amorosa. Eu ficava imaginando se ele tinha um namorado que morava com ele em Egham. Até cheguei a pensar em ir lá dar uma olhada. Para você ver como as coisas estavam ficando. Querer o que eu achava que não podia ter dava mais força aos meus sentimentos. Mas eu também ficava pensando se ele, como Jeremy, podia ser capaz de dar prazer a uma mulher sem ter ele próprio muito prazer. Nada ideal, nada recíproco, mas não seria a pior coisa do mundo para mim. Melhor que um desejo inútil.

Nós estávamos andando no parque à noitinha, depois do trabalho. O tema era o IRA — eu suspeitava que ele tivesse algumas informações privilegiadas. Ele estava me falando de um artigo que tinha lido quando, impulsivamente, eu segurei o braço dele e perguntei se ele queria me beijar.

"Não muito."

"Eu queria que você me beijasse."

Nós paramos no meio da trilha, bem onde ela passava entre duas árvores, obrigando as pessoas a se espremerem pelo nosso lado. Foi um beijo fundo, apaixonado, ou uma boa imitação. Achei que ele pudesse estar compensando uma falta de desejo. Quando ele se afastou, eu tentei puxá-lo de volta para mim, mas ele resistiu.

"Por enquanto chega", ele disse, tocando a ponta do meu nariz com o indicador, agindo como um pai severo que reprime uma criancinha exigente. Então, entrando na brincadeira, fiz um biquinho exagerado e, bem boazinha, segurei na mão dele e nós seguimos em frente. Eu sabia que o beijo ia deixar tudo mais difícil para mim, mas pelo menos nós estávamos de mãos dadas pela primeira vez. Ele soltou a minha mão alguns minutos depois.

Nós sentamos na grama, bem longe de outras pessoas, e depois voltamos ao assunto dos irlandeses. No mês passado Whitehall e a Scotland Yard tinham sido bombardeados. O Serviço continuava se reorganizando. Um punhadinho, o punhadinho mais promissor, incluindo Shirley, dos nossos colegas tinha sido transferido do trabalho bobinho do Registro e provavelmente fora incorporado ao novo objetivo. Salas estavam ocupadas, reuniões passavam da hora com portas fechadas. Eu tinha ficado para trás. Mascarava a minha frustração reclamando, como antes, de estar presa a uma guerra antiga. As palestras eram fascinantes à maneira de uma língua morta. O mundo estava comodamente disposto em dois partidos, eu argumentava. O comunismo soviético tinha um fervor evangélico tão expansionista quanto o que você encontraria na Igreja Anglicana. O Império Russo era repressivo e corrupto, mas estava em coma. A nova ameaça era o terrorismo. Eu tinha lido um artigo na revista *Time* e me considerava bem informada. Não era só o IRA, ou os diversos grupos palestinos. Facções ilegais de anarquistas e esquerdistas radicais por todo o continente europeu já estavam detonando bombas e sequestrando políticos e industriais. As Brigadas Vermelhas, o Grupo Baader-Meinhof, e na América do Sul os Tupamaros e vários outros como eles, nos Estados Unidos o Exército Simbionês de Libertação — esses niilistas e narcisistas sanguinários tinham boas relações em todo o mundo e logo representariam um problema interno aqui. Nós já tínhamos enfrentado a Angry Brigade e outros, muito piores, estavam por vir. O que é que nós estávamos fazendo, ainda enfiando quase todos os nossos recursos numa brincadeira de gato e rato com empregadinhos irrelevantes nas delegações de comércio soviéticas?

Quase todos os nossos recursos? O que é que uma mera estagiária podia saber da alocação de verbas no Serviço? Mas eu tentava soar segura. Eu estava sacudida com aquele beijo, e queria impressionar o Max. Ele estava me observando de perto, tolerantemente divertido por aquilo tudo.

"Que bom que você está disposta a atacar as nossas facções mais sombrias. Mas, Serena, no ano retrasado nós expulsamos cento e cinco agentes soviéticos. Eles estavam enfiados em tudo quanto era buraco. Instruir Whitehall a fazer o que era certo foi um grande momento para o Serviço. Dizem as más-línguas que foi difícil à beça convencer o secretário do Interior."

"Ele era amigo do Tony até eles..."

"Foi tudo por causa da deserção do Oleg Lyálin. A tarefa dele era organizar sabotagens no Reino Unido em caso de crise. Fizeram uma declaração diante da Casa dos Comuns. Você deve ter ouvido falar disso na época."

"Eu lembro, sim."

Claro que não lembrava. A expulsão não tinha entrado nas minhas colunas na *?Quis?*. Eu não tinha o Tony por perto para me fazer ler os jornais.

"Ou seja", Max disse, "acho que não é bem um caso de coma, não é verdade?"

Ele ainda estava me olhando de um jeito diferente, como se esperasse que a conversa levasse a algo significativo.

Eu disse, "Acho que não". Estava me sentindo incomodada, ainda mais porque percebia que ele queria que eu me incomodasse. A nossa amizade era tão recente e repentina. Eu não sabia nada dele e agora ele parecia um estranho para mim, com aquelas orelhonas imensas viradas na minha direção como antenas de radar prontas a captar o meu sussurro mais baixo e menos honesto, aquele rosto intenso e magro estreitamente concentrado no meu. Fiquei com medo de que ele quisesse alguma coisa de mim e que, mesmo se conseguisse, eu não ia saber o que era.

"Quer que eu te beije de novo?"

Foi tão comprido quanto o primeiro, o beijo daquele estranho, e como quebrou a tensão entre nós, foi ainda mais agradável. Eu me senti relaxar, e até *derreter*, como as pessoas fazem nos romances românticos. Não aguentava mais pensar que ele estava fingindo.

Ele se afastou e disse baixinho, "O Canning chegou a mencionar o Lyálin com você?". Antes que eu pudesse responder ele me beijou de novo, só um levíssimo toque de lábios e línguas. Eu estava me sentindo tentada a dizer que sim porque era o que ele queria.

"Não, não mencionou. Por que você está perguntando?"

"Só curiosidade. Ele te apresentou ao Maudling?"

"Não. Por quê?"

"Eu ia achar interessante ouvir as suas impressões, só isso."

Nós nos beijamos de novo. Estávamos reclinados na grama. Eu estava com a mão na coxa dele e deixei que ela escorregasse até a virilha. Queria saber se ele estava legitimamente excitado por mim. Eu não queria que ele fosse um brilhante fingidor. Mas bem quando os meus dedos estavam a centímetros da prova incontestável, ele girou de lado, escapou dali e se pôs de pé, e aí parou para espanar a grama seca das calças. O gesto parecia exagerado. Ele ofereceu a mão para me levantar.

"Eu devia ir pegar o trem. Vou preparar um jantar para uma pessoa."

"Pois é."

Nós seguimos em frente. Ele tinha percebido a hostilidade na minha voz e o toque dele no meu braço era incerto, ou até arrependido. Ele disse, "Você já foi a Kumlinge para visitar o túmulo dele?".

"Não."

"Você leu o obituário?"

Por causa daquela "pessoa", a nossa noite não tinha futuro.

"Li."

"Foi no *Times* ou no *Telegraph*?"

"Max, isso é um interrogatório?"

"Não seja boba. É só que eu sou muito intrometido. Desculpa, por favor."

"Então me deixe em paz."

Nós ficamos andando calados. Ele não sabia o que dizer. Filho único, internato só de meninos — não sabia como falar com uma mulher quando as coisas davam errado. E eu não abri a boca. Estava com raiva, mas não queria afastá-lo. Eu já estava mais calma quando nós paramos para nos despedir na calçada bem na frente das grades do parque.

"Serena, você percebeu que eu estou ficando muito ligado a você."

Eu fiquei satisfeita, muito satisfeita, mas não demonstrei e permaneci calada, esperando que ele dissesse mais. Ele parecia estar a ponto de fazer isso, e aí mudou de assunto.

"Aliás. Não fique impaciente com o trabalho. Por acaso eu até sei que tem um projeto bem interessante que vai aparecer. *Tentação*. Bem a sua cara. Eu vou recomendar você."

Ele não esperou pela resposta. Fechou o bico e deu de ombros, e aí foi pela Park Lane na direção de Marble Arch, enquanto eu ficava ali olhando para ele, imaginando se ele estava dizendo a verdade.

5.

O meu quarto na St. Augustine's Road tinha face norte e dava direto para a rua, com uma vista dos galhos de um castanheiro-da-índia. À medida que a árvore recuperava as folhas naquela primavera o quarto foi ficando cada vez mais escuro. A minha cama, que ocupava quase metade do quarto, era uma coisinha trêmula com uma cabeceira folheada de nogueira e um colchão de uma maciez pantanosa. Com a cama veio uma colcha atoalhada bolorenta. Levei a dita colcha para a lavanderia várias vezes, mas nunca consegui livrá-la completamente de um cheiro íntimo e gosmento, talvez de cachorro, ou de um ser humano muito infeliz. O único outro móvel era uma cômoda com um espelho bisotado inclinado em cima. A peça toda ficava defronte a uma lareira em miniatura que exalava um cheiro azedo de fuligem nos dias quentes. Com a árvore em flor não entrava luz natural que bastasse para ler quando o céu estava encoberto, então comprei uma luminária *art déco* por trinta *pence* num mercado de pulgas na Camden Road. Um dia depois eu voltei e paguei uma libra e vinte *pence* por uma poltroninha compacta e atarracada para ler sem ter que me enfiar na cama. O dono da loja levou a poltrona nas costas até a minha casa, quase um quilômetro e mais dois lances de escada pelo que nós concordamos que era o preço de uma cerveja — treze *pence*. Mas eu dei quinze.

Quase todas as casas da rua eram subdivididas e não tinham sido modernizadas, embora eu não consiga lembrar de ninguém usar essa palavra na época, ou pensar nesses termos. O aquecimento era uma lareira elétrica, o piso era coberto de um linóleo marrom antiquíssimo nos corredores e na cozinha, e no resto da casa de um carpete floral que grudava nos pés da gente. Pequenas melhorias provavelmente datavam dos anos 1920 ou 1930 — a fiação se acomodava em canos empoeirados aparafusados nas paredes, o telefone ficava confinado num corredor cheio de vento encanado, o aquecedor elétrico, conectado a um relógio fominha, fornecia água quase fervente para um banheirinho minúsculo e gelado que não tinha chuveiro e era compartilhado por quatro mulheres. Essas casas ainda não tinham escapado à sua herança de melancolia vitoriana, mas nunca ouvi uma só reclamação. Pelo que eu me lembro, ainda nos anos 1970 as pessoas comuns que por acaso moravam nessas casas velhas estavam só começando a despertar para a ideia de que podiam ter mais conforto nos limites da cidade se os preços aqui continuassem aumentando. As casas nas ruelas de Camden Town estavam à espera de uma nova classe de pessoas vigorosas que se mudassem e pusessem mãos à obra, instalando aquecedores e, por motivos que ninguém saberia explicar, arrancando dos rodapés, das tábuas do piso e de tudo quanto era porta os menores vestígios de tinta ou de verniz.

Eu tive sorte com as pessoas que moravam comigo — Pauline, Bridget, Tricia —, três meninas de classe operária que vinham de Stoke-on-Trent e se conheciam desde a infância, passaram nos exames escolares e deram algum jeito de continuar juntas durante o estágio para a advocacia, que estava quase no fim. Elas eram chatinhas, ambiciosas, violentamente organizadas. A casa funcionava direitinho, a cozinha estava sempre limpa, a geladeira minúscula vivia cheia. Se elas tinham namorados, eu nunca vi. Nada de bebedeiras, nada de drogas, nada de música alta. Naqueles tempos, uma casa mais típica teria gente como a minha irmã. Tricia estava estudando para trabalhar em tribunais, Pauline ia se especializar em direito corporativo e Bridget ia trabalhar com advocacia imobiliária. Todas elas me disseram, cada uma à sua própria maneira desafiadora, que nunca iam voltar. E elas não estavam falando de Stoke em termos puramente geográficos. Mas eu não fiz maiores investigações. Estava me adaptando ao meu novo emprego e não me via muito interessada na luta de classes delas ou nessa coisa toda de mobilidade social. Elas achavam que eu era uma funcionária pública maçante. Eu achava que elas eram umas estagiárias de direito maçantes. Perfeito. Nós tínhamos horários diferentes e raramente comíamos juntas. Ninguém se preocupava muito com a sala de estar — o único espaço comum confortável. Até a televisão vivia quieta. Elas estudavam cada uma no seu quarto de noite, eu lia no meu, ou saía com a Shirley.

Eu continuava lendo como antes, três ou quatro livros por semana. Naquele ano era principalmente literatura moderna em edições baratas que eu comprava de lojas de caridade e de livros usados na High Street ou, quando achava que podia bancar, na Compendium perto de Camden Lock. Eu abordava tudo do meu jeito voraz de sempre, e havia também um elemento de tédio, que tentava manter afastado, e não conseguia direito. Qualquer pessoa que ficasse me olhando podia pensar que eu estava consultando uma obra de referência, de tão rápido que eu virava as páginas. E acho que eu estava mesmo, do meu jeito desligado, procurando por algo como uma versão de mim, uma heroína em que eu pudesse entrar como se entra num par de sapatos preferidos. Ou numa blusa de seda selvagem. Pois era o melhor de mim que eu queria, não a moça debruçada de noite, naquela poltrona velha, em cima de um livrinho todo gasto, mas uma jovem senhorita veloz que abria a porta do passageiro de um carro esporte, se inclinava para receber o beijo do seu namorado, corria para um esconderijo no campo. Eu não admitiria para mim mesma que devia estar lendo ficção de um nível mais baixo, algo como um romance popular. Eu tinha finalmente conseguido absorver um certo grau de esnobismo de Cambridge, ou de Tony. Eu não defendia mais Jacqueline Susann em comparação com Jane Austen. Às vezes o meu *alter ego* dava brevemente as caras nas entrelinhas, ela vinha flutuando na minha direção como um fantasma camarada, saindo das páginas de Doris Lessing, ou de Margaret Drabble ou de Iris Murdoch. E aí sumia — as versões delas eram educadas demais ou inteligentes demais, ou não eram assim tão sozinhas no mundo, para ser eu. Acho que eu não ficaria satisfeita até ter nas mãos um romance sobre uma menina num quartinho em Camden que tinha um emprego fuleiro no MI5 e estava sem um homem.

O que me fazia falta era uma espécie de realismo ingênuo. Eu prestava uma atenção especial, espichava o meu pescocinho de leitora, toda vez que aparecia uma rua de Londres que eu conhecia, ou um certo tipo de vestido, uma pessoa pública real, até uma marca de carro. Era aí, eu pensava, que eu tinha uma régua, que eu podia avaliar a qualidade da escrita pela sua precisão, pela medida em que ela correspondia às minhas próprias impressões, ou era melhor que elas. A minha sorte era que quase toda a prosa inglesa daquela época tomava a forma de um documentarismo social fácil. Não me impressionavam os escritores (eles se espalhavam entre a América do Sul e a do Norte) que se infiltravam nas suas páginas como parte do elenco, determinados a lembrar ao coitado do leitor que todos os personagens e até eles mesmos eram puras invenções e que havia uma diferença entre a ficção e a vida. Ou, pelo contrário, insistindo que a vida afinal era uma ficção. Só os escritores, eu achava, poderiam um dia chegar a correr o risco de confundir as duas coisas. Eu era uma empiricista nata. Acreditava que os escritores eram pagos para fingir, e deveriam usar o mundo real onde coubesse, aquele que nós todos compartilhávamos, para dar plausibilidade ao que inventavam. Então, nada de palavrório chique sobre os limites da arte, nada de demonstrar deslealdade para com o leitor ao parecer cruzar e recruzar sob algum disfarce as fronteiras do imaginário. Nos livros de que eu gostava não havia lugar para agentes duplos. Naquele ano tentei e descartei os autores que os meus amigos sofisticados de Cambridge tinham insistido que eu devia ler — Borges e Barth, Pynchon e Cortázar e Gaddis. Nenhum inglês entre eles, eu notei, e nenhuma mulher de qualquer raça que fosse. Eu era mais como as pessoas da geração dos meus pais, que não só não gostavam do gosto e do cheiro de alho, mas desconfiavam de todos que o consumissem.

Durante o nosso verão de amor Tony Canning vivia chamando a minha atenção por eu ter deixado livros abertos pela casa, virados para baixo. Aquilo acabava com a lombada, o que fazia que o livro abrisse sozinho numa certa página, o que era uma intrusão aleatória e irrelevante nas intenções do autor e nas opiniões de outro leitor. E ele me deu de presente um marcador de página. Não era um grande presente. Ele deve ter tirado aquilo do fundo de alguma gaveta. Era uma tira de couro verde com as pontas serrilhadas e com o nome de algum castelo ou alguma fortaleza em Gales gravado em ouro. Era uma coisinha cafona de loja de presentes de férias, dos tempos em que ele e a mulher eram felizes, ou felizes o bastante para fazer passeios juntos. E eu só fiquei levemente ressentida, com aquela língua de couro que falava tão insidiosamente de outra vida em outro lugar, sem mim. Acho que nunca usei. Eu decorava os números de páginas e parei de danificar lombadas. Meses depois do nosso caso achei o marcador largado, enroscado e grudento, junto com um papel de chocolate no fundo de uma bolsa de viagem.

Eu tinha dito que depois da morte dele eu não tinha lembranças. Mas tinha aquilo. Limpei o marcador, desentortei, e comecei a dar valor a ele, e a usá-lo. Dizem que os escritores têm superstições e pequenos rituais. Leitores também. O meu ritual era ficar segurando o meu marcador enroscado entre os dedos e passar o polegar por ele enquanto lia. Tarde da noite, quando chegava a hora de largar o livro, o ritual era encostar o marcador na boca, e colocar entre as páginas antes de fechar o livro e pôr o livro no chão ao lado da poltrona, onde eu podia pegar com facilidade na próxima vez. Tony teria aprovado.

Numa tarde do começo de maio, mais de uma semana depois dos nossos primeiros beijos, fiquei até mais tarde que o normal conversando com Max na Berkeley Square. Ele estava particularmente falante, me contando de um relógio do século XVIII sobre o qual ele achava que um dia ia escrever alguma coisa. Na hora em que voltei para a St. Augustine's Road a casa estava escura. Lembrei que era o segundo dia de algum feriado jurídico obscuro. Pauline, Bridget e Tricia, apesar de todas as declarações em contrário, tinham voltado para Stoke para um fim de semana prolongado. Eu acendi as luzes do corredor e da passagem que levava à cozinha. Tranquei a porta da frente e subi para o meu quarto. De repente senti falta daquele trio de moças sensatas do norte e do risco de luz por baixo das portas dos quartos delas, e fiquei intranquila. Mas eu também era sensata. Não tinha medos sobrenaturais, e fazia pouco de conversas em tons reverentes sobre intuições e sextos sentidos. O batimento cardíaco acelerado, eu garantia a mim mesma, se devia aos meus esforços na escadaria. Mas quando cheguei à minha porta, parei no limiar antes de acender a luz de cima, contida pelo mais leve traço de uma angústia de me ver sozinha numa grande casa antiga. Um mês antes tinha acontecido um esfaqueamento na calçada, um ataque sem motivo, de um esquizofrênico de trinta anos de idade. Eu tinha certeza de que não havia intrusos na casa, mas a notícia de um evento terrível como esse age em você de uma forma visceral, de uma maneira quase inconsciente. Desperta os sentidos. Fiquei imóvel e ouvi e escutei, além do zumbido, quase como um tinido, do silêncio, o som da cidade e, mais perto, rangidos e estalidos da laje do imóvel se contraindo por causa do ar frio da noite.

Estendi a mão e abaixei o interruptor de baquelite e vi imediatamente que o quarto estava intocado. Ou foi o que eu achei. Entrei, larguei a bolsa. O livro que eu estava lendo na noite anterior — *Eating People is Wrong*, de Malcolm Bradbury — estava na sua devida posição, no chão perto da poltrona. Mas o marcador estava no assento da minha poltrona. E ninguém tinha entrado na casa depois que eu saíra de manhã.

É claro que a minha primeira explicação foi que eu tinha me desviado do meu ritual na noite anterior. O que é bem fácil quando se está cansado. Eu podia muito bem ter levantado e deixado o marcador cair enquanto ia até a pia me lavar. Mas a minha memória dizia outra coisa. O romance era curto o bastante para eu poder ler em duas sentadas. Mas eu estava com os olhos pesados. E não estava nem na metade quando beijei o pedacinho de couro e o coloquei entre as páginas noventa e oito e noventa e nove. Eu até lembrava a última frase que tinha lido, porque dei mais uma olhada nela antes de fechar o livro. Era uma fala de um personagem. "As *intelligentsias* de maneira alguma são sempre liberais na aparência."

Andei pelo quarto procurando outros sinais de alteração.

Como eu não tinha estantes, os meus livros ficavam empilhados contra a parede, divididos em lidos e não lidos. No alto desta última pilha estava *The Game*, de A.S. Byatt. Estava tudo em ordem. Verifiquei a cômoda, a minha sacola de roupa suja, olhei a cama e embaixo dela — nada fora do lugar ou roubado. Voltei para a poltrona e fiquei um bom tempo olhando de cima, como se isso fosse resolver o mistério. Eu sabia que devia descer e procurar sinais de arrombamento, mas não queria. O título do romance de Bradbury estava me encarando e agora parecia um protesto vão contra uma ética dominante em que se podia, sim, comer pessoas. Peguei o livro e folheei e achei o lugar onde tinha parado. No patamar eu me inclinei por cima da balaustrada e não ouvi nada anormal, mas ainda não ousava descer.

A minha porta não tinha fechadura nem tranca. Arrastei a cômoda até a frente dela e fui para a cama com a luz acesa. Passei quase a noite inteira deitada de costas com as cobertas puxadas até o queixo, ouvindo, pensando em círculos, esperando que a aurora chegasse como uma mãe bondosa e deixasse tudo melhor. E quando chegou, tudo melhorou. Com os primeiros raios de sol eu me convenci de que o cansaço tinha embaralhado a minha memória, que eu estava confundindo intenções e atos, que eu tinha largado o livro sem o marcador. Estava me assustando com a minha própria sombra. A luz do dia parecia ser a manifestação física do bom senso. Eu precisava descansar porque no dia seguinte tinha que assistir a uma palestra importante. O marcador já estava recoberto de tanta ambiguidade que eu consegui dormir as duas horas e meia que faltavam para que o despertador tocasse.

No dia seguinte eu sujei um pouco a minha ficha no MI5, ou melhor, Shirley Shilling sujou para mim. Eu era o tipo de menina que de vez em quando dizia o que pensava, mas o meu impulso mais forte era de conseguir avançar na carreira e receber a aprovação dos meus superiores. Shirley tinha algo de combativo, e até de imprudente, que era estranho ao meu caráter. Mas nós éramos uma duplinha, afinal, a Gorda e a Magra, e talvez fosse inevitável que eu fosse tragada pelo ambiente geral da arrogância dela e fosse escalada no papel de escada, condenada a levar a culpa.

Aconteceu na noite seguinte, quando nós assistimos a uma palestra na Leconfield House, com o título "Anarquia econômica, agitação civil". O encontro teve um belo público. Por uma convenção tácita, sempre que havia uma visita importante, as pessoas se sentavam por ordem de importância. Bem na frente ficavam as várias figuras de destaque do quinto andar. Três fileiras atrás ficava Harry Tapp, sentado com Millie Trimingham. Duas fileiras atrás deles estava Max, conversando com um homem que eu nunca tinha visto. Aí vinham as fileiras cerradas das mulheres abaixo do nível de funcionário assistente. E, finalmente, Shirley e eu, as malvadinhas, ficamos com a última fileira toda para nós. Eu, ao menos, tinha um caderno na manga.

O diretor-geral se adiantou para apresentar o palestrante convidado, um brigadeiro, alguém com longa experiência na contrainsurgência, que agora trabalhava como consultor para o Serviço. De cantos isolados da sala vieram palmas para o militar. Ele falava com um pouco do tom telegráfico que nós associamos aos velhos filmes ingleses e aos comentaristas de rádio dos anos 1940. Ainda havia alguns entre os nossos superiores que exalavam aquela seriedade pedregosa que derivava de sua experiência prolongada e total da guerra.

Mas o brigadeiro também tinha lá um certo gosto por uma frase florida de vez em quando. Disse que sabia que havia um bom número de ex-funcionários do Serviço na sala e que esperava que o perdoassem por expor fatos bem conhecidos por eles mas não pelos outros. E o primeiro desses fatos era o seguinte — os nossos soldados estavam em guerra, mas nenhum político tinha coragem de dar um nome a essa guerra. Homens enviados para manter a paz entre facções divididas por um ódio sectário obscuro e antigo se viam atacados pelos dois lados. As regras de conduta adotadas levavam a uma situação em que soldados treinados não tinham direito de responder como melhor sabiam fazer. Recrutas de dezenove anos de idade vindos lá de Northumberland ou de Surrey, que um dia podem ter pensado que a sua missão era ir proteger a minoria católica do poder protestante, perdiam a vida, perdiam o futuro nas sarjetas de Belfast e de Derry enquanto criancinhas católicas e arruaceiros adolescentes os provocavam e faziam festa. Esses homens estavam caindo ante fogo de francoatiradores, muitas vezes do alto de prédios, e em geral pistoleiros do IRA que operavam cobertos por tumultos ou transtornos coordenados nas ruas. Quanto ao Domingo Sangrento do ano anterior, os soldados estavam sob uma pressão intolerável gerada pelas mesmas táticas de sempre — baderneiros de Derry com apoio de francoatiradores. O Relatório de Widgery agora em abril, produzido com uma presteza louvável, tinha confirmado os fatos. Isso dito, foi claramente um erro operacional mandar um grupo agressivo e extremamente motivado como o dos paraquedistas para policiar uma passeata pelos direitos civis. Isso devia ter sido trabalho das forças locais. Devia ter sido responsabilidade da polícia local. Até os Royal Anglians teriam sido uma influência mais calma.

Mas eram favas contadas, e o efeito final de ter matado treze civis naquele dia foi o de melhorar a imagem das duas alas do IRA no mundo. Dinheiro, armas e recrutas eram como rios de mel, aos baldes. Americanos sentimentais e ignorantes, muitos de ascendência protestante, e não católica, estavam alimentando as fogueiras com os seus dólares tolos doados através de organizações como o Noraid para a causa republicana. Os Estados Unidos não poderiam nem começar a entender enquanto não tivessem os seus próprios ataques terroristas. Para fazer justiça pela tragédia das vidas perdidas em Derry, o IRA assassinou cinco faxineiras, um jardineiro e um padre católico em Aldershot, enquanto os Provisórios mataram mães e crianças no restaurante Abercorn, em Belfast, algumas delas católicas. E durante a greve nacional os nossos meninos enfrentaram pérfidas maltas protestantes, açuladas pela Vanguarda do Ulster, um grupinho dos piores que podem ser encontrados por aí. Depois veio o cessar-fogo e, quando ele não funcionou, total selvageria administrada ao povo de Ulster por psicopatas com armas e bombas dos dois credos, e milhares de assaltos à mão armada e bombas de pregos indiscriminadas, tiros nos joelhos, surras como castigo, cinco mil feridos graves, e não poucos deles feridos pelo exército inglês — ainda que não, claro, intencionalmente. Foi esse o saldo de 1972.

O brigadeiro deu um suspiro teatral. Ele era grande, com olhos pequenos demais para a massa óssea daquela cabeça. Nem uma vida inteira de graxa e trapinho nem o seu terno escuro de alfaiate com lencinho no bolso eram capazes de conter aquele volume descabelado e bamboleante de um metro e noventa. Ele parecia pronto a se livrar com as mãos nuas de um bando de psicopatas. Agora, ele nos disse, o IRA Provisório tinha se organizado em células no interior, no melhor estilo terrorista. Depois de um ano e meio de ataques letais o que se dizia era que eles estavam para piorar. O fingimento de estar apenas atrás de instalações militares já tinha cessado havia muito. O jogo era o terror. Como na Irlanda do Norte, crianças, fregueses de lojas, trabalhadores comuns eram todos alvos possíveis. Bombas em lojas de departamentos e *pubs* teriam ainda mais impacto no contexto de colapso social que era amplamente esperado, provocado pelo declínio industrial, pelas altas taxas de desemprego, inflação galopante e por uma crise energética.

Era motivo de vergonha coletiva nós termos fracassado na tarefa de desmascarar as células ou cortar as suas linhas de suprimentos. E esse devia ser o ponto central — havia um grande motivo para o nosso fracasso, que era a falta de inteligência coordenada. Agências demais, burocracias demais defendendo cada uma o seu quinhão, pontos de demarcação demais, um controle centralizado insuficiente.

O único som foi de cadeiras rangendo e sussurros, e eu vi na minha frente um movimento contido de cabeças que se inclinavam ou viravam minimamente, de ombros adernando levemente na direção de um vizinho. O brigadeiro tinha tocado numa queixa comum na Leconfield House. Até eu já tinha ouvido falar disso, graças a Max. Nada de transmissão de informação entre as fronteiras dos impérios enciumados. Mas será que o nosso visitante ia dizer à plenária o que ela queria ouvir, será que ele estava do nosso lado? Estava. Ele disse que o MI6 estava operando onde não devia, em Belfast e Londonderry, dentro do Reino Unido. Com as suas responsabilidades pela Inteligência internacional, o 6 reivindicava esses direitos com base numa situação antiga, anterior à divisão, que agora era irrelevante. Era uma questão doméstica. O território portanto pertencia ao 5. A Inteligência Militar tinha mais empregados do que precisava, e estava atolada em precedentes para decidir como agir. O Ramo Especial do RUC, que se considerava o rei da cocada preta, era atrapalhado, tinha poucos recursos e, a bem da verdade, era parte do problema — um feudo protestante. E quem mais teria conseguido bagunçar daquele jeito a lei de detenção de terroristas em 1971?

O 5 tinha tido razão de se manter longe de técnicas dúbias de interrogatório, tortura, para bom entendedor. Agora ele estava fazendo o melhor possível num campo coalhado de gente. Mas mesmo que cada agência fosse formada de gênios e de exemplos de eficiência, quatro agências em colaboração jamais derrotariam a entidade monolítica do IRA, um dos grupos terroristas mais pavorosos que o mundo já tinha visto. A Irlanda do Norte era uma questão central de segurança nacional. O Serviço tem que assumir o controle e reivindicar nos corredores de Whitehall o direito de agir, tem que dobrar os outros interessados às suas vontades, tornar-se o herdeiro de direito do Estado, e atacar a raiz do problema.

Não houve aplauso, em parte porque o tom do brigadeiro estava próximo da exortação, e esse tipo de coisa não funcionava aqui. E todo mundo sabia que um ataque aos corredores de Whitehall nunca seria o bastante. Eu não tomei notas durante a discussão entre o brigadeiro e o diretor-geral. Da sessão de perguntas eu registrei só uma, ou juntei algumas como representantes do tom geral. Elas vinham de antigos funcionários do regime colonial — um em particular, eu lembro, era Jack MacGregor, que tinha uma cara seca e tímida e as vogais duras e travadas de um sul-africano, embora viesse originalmente de Surrey. Ele e alguns dos seus colegas estavam particularmente interessados numa resposta adequada ao colapso social. Qual seria o papel do Serviço? E quanto ao exército? Será que nós podíamos ficar de lado assistindo enquanto a ordem social desmoronava, caso o governo não conseguisse dar conta da situação?

O diretor-geral respondeu — laconicamente e com uma polidez excessiva. O Serviço respondia ao Comitê Geral de Inteligência e ao secretário do Interior, o exército, ao Ministério da Defesa, e era assim que as coisas continuariam. Os Poderes de Emergência bastavam para enfrentar qualquer ameaça e já eram eles próprios em alguma medida uma ameaça à democracia.

Alguns minutos depois a pergunta voltou de forma mais direta, através de outro ex-funcionário nas colônias. Suponhamos que na próxima Eleição Geral nós voltássemos a ter um governo trabalhista. E suponhamos que a ala esquerdista do Partido se integrasse ao projeto dos elementos radicais do sindicalismo e nós víssemos uma ameaça direta à democracia parlamentar. É claro que seria adequado contar com alguma forma de plano de emergência.

Eu escrevi as palavras exatas do DG. "Eu realmente acho que deixei a minha posição perfeitamente clara. Restaurar a democracia, como se costuma dizer, é o que o exército e os serviços de Segurança podem fazer no Paraguai. Não aqui."

Achei que o DG estava constrangido por ver o que ele considerava que eram fazendeiros e plantadores de chá mostrando a cara na frente de um estranho, que aquiescia com seriedade.

Foi nesse momento que Shirley chocou a plenária ao falar lá da última fila, bem do meu lado, "Esses filhos da puta querem é dar um golpe!".

Houve um pasmo coletivo e todas as cabeças se voltaram para nós. Ela tinha violado várias regras de uma pancada só. Tinha falado sem que o diretor-geral tivesse lhe dado a voz, e tinha usado um termo dúbio como "filhos da puta", cuja incômoda e mal disfarçada referência deve ter sido compreendida por alguns. Ela tinha portanto ofendido o decoro oficial e dois funcionários burocráticos muito superiores a ela. Tinha sido rude na frente da visita. E era uma figura humilde na hierarquia, ela era mulher. E, pior ainda, ela provavelmente estava certa. Nada disso teria feito diferença para mim não fosse o fato de que Shirley ficou sentada ali indiferente ao olhar coletivo, enquanto eu enrubescia, e quanto mais eu corava mais ficavam todos certos de que era eu quem tinha falado. Consciente do que eles estavam pensando, eu corei ainda mais, até ficar com o pescoço quente. Os olhos deles não estavam mais presos em nós, mas em mim.

Eu queria me enfiar debaixo da cadeira. A minha vergonha estava entalada na garganta, por causa do crime que eu não tinha cometido. Brinquei com meu caderno — aquelas anotações que tinha esperado que fossem me fazer ganhar algum respeito — e baixei os olhos, fiquei encarando os joelhos e assim dei ainda mais provas de culpa.

O diretor-geral levou a ocasião de volta para os trilhos da decência formal agradecendo ao brigadeiro. Houve aplausos, o brigadeiro e o DG saíram da sala e as pessoas levantaram para ir embora, e viraram para olhar para mim de novo.

De repente Max estava na minha frente. Ele disse baixinho, "Serena, isso não foi uma boa ideia".

Eu virei para recorrer a Shirley, mas ela estava no grupo que ia saindo pela porta. Não sei onde é que eu fui inventar um código de honra tão masoquista que me impediu de insistir que não tinha sido eu quem gritou. E no entanto eu tinha certeza de que àquela altura o DG estaria perguntando o meu nome, e alguém como Harry Tapp estaria contando quem eu era.

Mais tarde, quando alcancei a Shirley e a confrontei, ela me disse que a coisa toda tinha sido uma banalidade hilária. Não era para eu me preocupar, ela disse. Não ia me fazer mal nenhum se as pessoas achassem que eu tinha ideias próprias. Mas eu sabia que era o contrário. Ia me fazer muito mal. As pessoas do nosso nível não deviam ter opiniões próprias. Foi a primeira mancha no meu currículo, e não a última.

6.

Estava esperando uma repreensão, mas em lugar disso a minha vez chegou, me passaram uma missão secreta, fora do prédio, e Shirley veio comigo. Nós recebemos as nossas instruções certa manhã, de um funcionário burocrático chamado Tim Le Prevost. Eu o tinha visto por ali, mas ele nunca tinha falado conosco. Nós fomos chamadas ao seu escritório e ele pediu para nós ouvirmos com atenção. Era um sujeitinho de lábios pequenos, todo certinho, de ombros estreitos e uma expressão rígida, quase certamente um ex-militar. Um furgão estava estacionado numa garagem trancada perto da Mayfair Street, a menos de um quilômetro dali. Nós tínhamos de ir até um endereço em Fulham. Era uma "casa segura", usada nas operações do Serviço, e no envelope de papel pardo que ele jogou em cima da mesa havia várias chaves. Atrás do furgão nós encontraríamos material de limpeza, um aspirador e aventais de vinil, que deveríamos vestir antes de sair. A nossa cobertura era estarmos trabalhando para uma firma chamada Kazalimpa.

Quando chegássemos ao nosso destino devíamos dar uma

"bela de uma esfregada geral", que incluiria trocar os lençóis de todas as camas e lavar as janelas. A roupa de cama limpa já tinha sido entregue. Um dos colchões numa cama de solteiro tinha que ser virado. Precisava ter sido substituído muito tempo antes. Os lavabos e o banheiro pediam uma atenção especial. A comida estragada na geladeira tinha que ser jogada fora. Todos os cinzeiros deviam ser esvaziados. Le Prevost enunciava esses detalhes domésticos com muito desagrado. Antes do fim do dia nós tínhamos que ir a um supermercado na Fulham Road e comprar provisões básicas e três refeições por dia para duas pessoas por três dias. Outra viagem seria necessária, a uma loja de bebidas, onde nós compraríamos quatro garrafas de Johnnie Walker Red Label. Nós não devíamos aceitar outra coisa. Aqui estava outro envelope com cinquenta libras em notas de cinco. Ele queria recibos e troco. Nós tínhamos que lembrar de fechar todas as três tetrachaves da porta da frente quando saíssemos. Acima de tudo, jamais deveríamos mencionar esse endereço, nem mesmo aos nossos colegas aqui no prédio.

"Ou", Le Prevost disse, com a boquinha retorcida, "talvez *principalmente?*"

Nós fomos liberadas e quando estávamos fora do prédio, seguindo pela Curzon Street, era Shirley, e não eu, quem estava enfurecida.

"A nossa *cobertura*", ela ficava dizendo, sussurrando alto. "Grande merda de cobertura. Faxineiras fingindo de *faxineiras!*"

Claro que era ofensivo, embora menos na época do que seria hoje. Eu não disse a coisa mais óbvia, que o Serviço não teria exatamente como trazer gente de fora para limpar uma casa segura, assim como não poderia convocar os nossos colegas homens — eles não apenas eram orgulhosos demais, mas ainda teriam feito um trabalho muito ruim. Fiquei surpresa com o meu estoicismo. Acho que eu devo ter absorvido o espírito geral de camaradagem e de uma bem-disposta devoção ao dever que é comum entre as mulheres. Eu estava ficando como a minha mãe. Minha mãe tinha o Bispo, eu tinha o Serviço. Como ela, eu tinha a minha própria inclinação determinada a obedecer. Mas fiquei com receio de que esse fosse o trabalho que Max tinha dito que era bem a minha cara. Se fosse, eu nunca mais ia falar com ele.

Nós encontramos a garagem e vestimos os aventais. Shirley, entalada entre o volante e o assento, ainda resmungava sediciosamente quando entramos em Piccadilly. O furgão era do pré-guerra — tinha rodas com raios e um estribo lateral e devia ser um dos últimos calhambeques daquele tipo nas ruas. O nome da firma estava escrito nas laterais com letras estilo *art déco*. O *k* de "Kazalimpa" tinha a forma de uma dona de casa toda animada com um espanador de plumas. Eu achei que nós estávamos chamativas demais. Shirley dirigia com uma confiança surpreendente, contornando com considerável velocidade a esquina do Hyde Park e demonstrando uma técnica espalhafatosa com a alavanca de câmbio, que ela me disse que era necessária com carros de "caixa seca" como aquela coisa.

O apartamento ocupava o segundo andar de uma casa do período georgiano numa rua lateral tranquila e era mais imponente do que eu imaginava. Todas as janelas estavam vedadas. Quando entramos com os nossos esfregões, detergentes e baldes, nós demos uma volta pelo apartamento. A decrepitude era ainda mais deprimente do que Le Prevost tinha dado a entender e era de um tipo obviamente masculino, chegando até a um toco de charuto que um dia tinha sido encharcado e estava na beira da banheira, e a uma pilha de trinta centímetros de *Times*, com alguns exemplares toscamente cortados em quatro, quebrando galho como papel higiênico. A sala de estar tinha um ar abandonado de fim de noite — cortinas fechadas, garrafas vazias de vodca e de uísque, cinzeiros cheios, quatro copos. Eram três quartos, sendo que o menor tinha uma cama de solteiro. No colchão, que estava descoberto, havia uma grande mancha de sangue seco, bem onde poderia estar uma cabeça. Shirley ficou ruidosamente enojada, eu fiquei bem excitada. Alguém tinha sido intensamente interrogado. Aqueles documentos do Registro se ligavam a destinos reais.

Enquanto íamos andando e avaliando a bagunça, ela não parava de reclamar e clamar, e claramente queria que eu me juntasse a ela. Tentei, mas não era de coração. Se o meu pequeno papel na guerra contra a mente totalitária era ensacar comida podre e esfregar cracas endurecidas da banheira, então eu estava ali para isso. Era só um pouquinho mais chato que datilografar um memorando.

Acabou que eu tinha uma compreensão melhor do trabalho a ser feito ali — estranho, considerando-se a minha infância protegida, com babá e diarista. Sugeri que nós fizéssemos o trabalho mais imundo primeiro, lavabos, banheiro, cozinha, tirando o lixo, aí nós podíamos começar com os móveis, depois o piso e finalmente as camas. Mas antes de tudo nós viramos o colchão, por causa da Shirley. Tinha um rádio na sala de estar e decidimos que seria coerente com nosso disfarce deixar música *pop* tocando. Trabalhamos duas horas, aí eu peguei uma das notas de cinco e saí para comprar o necessário para um chá. Na volta usei umas moedas para alimentar o parquímetro. Quando voltei para a casa, Shirley estava empoleirada na beira de uma das camas de casal, escrevendo no seu caderninho cor-de-rosa. Ficamos sentadas na cozinha, tomamos o nosso chá, fumamos e comemos biscoitos de chocolate. O rádio estava tocando, pelas janelas abertas entrava ar fresco e sol, e Shirley tinha recuperado um bom humor tradicional e me contou uma história surpreendente sobre ela enquanto acabávamos com os biscoitos todos.

Seu professor de inglês no cursinho em Ilford, uma força motivadora na vida dela como alguns professores podem ser, era um conselheiro trabalhista, provavelmente um ex-membro do Partido Comunista, e foi através dele que ela se viu aos dezesseis anos de idade num intercâmbio com alunos alemães. Ou seja, ela foi para a Alemanha comunista com um grupo de alunos, para uma cidade a uma hora de ônibus de Leipzig.

"Eu achei que ia ser uma merda. Todo mundo disse que ia. Serena, foi do cacete."

"A RDA?"

Ela ficou hospedada com uma família quase nos limites da cidade. A casa era uma choupaninha de dois quartos feia e atulhada, mas havia meio acre de pomar e um riacho e, não muito longe, uma floresta grande o bastante para alguém se perder. O pai era engenheiro de televisão, a mãe era médica, e havia duas menininhas com menos de cinco anos de idade que se apaixonaram pela convidada e viviam subindo na cama dela de manhã. O sol brilhava o tempo todo na Alemanha Oriental — era abril e por sorte havia uma onda de calor. Eles fizeram expedições à floresta para caçar cogumelos, havia vizinhos bacanas, todos encorajavam o alemão dela, alguém tinha um violão e sabia umas músicas de Bob Dylan, havia um rapaz bonito com três dedos numa das mãos que gostou dela. Ele a levou a Leipzig uma tarde, para ver um jogo de futebol importante.

"Ninguém tinha muita coisa. Mas eles tinham o bastante. Depois de dez dias eu pensei, não, isso aqui funciona mesmo, é melhor que Ilford."

"Talvez qualquer lugar seja. Especialmente no interior. Shirley, você podia ter tido uma experiência bacana na periferia de Dorking."

"Sério, era uma coisa diferente. As pessoas pensavam umas nas outras."

O que ela estava dizendo era familiar. Alguns artigos de jornal e um documentário de TV tinham relatado triunfalmente que a Alemanha Oriental finalmente tinha ultrapassado a Inglaterra em padrão de vida. Anos depois, quando o muro caiu e os livros se abriram, revelou-se que era tudo bobagem. A RDA era um desastre. Os fatos e as cifras em que as pessoas tinham acreditado, e nos quais tinham desejado acreditar, eram inventados pelo Partido. Mas nos anos 1970 o clima na Inglaterra era de autoflagelação, e havia uma disposição generalizada de presumir que qualquer país do mundo, inclusive Alto Volta, estava prestes a nos deixar comendo poeira.

Eu disse, "As pessoas pensam umas nas outras aqui também".

"Pois muito bem. Todo mundo pensa nos outros. Então a gente está combatendo o que mesmo?"

"Um Estado monopartidário paranoico, sem imprensa livre, sem liberdade pra viajar. Uma nação que é como um campo de prisioneiros, essas coisas." Eu estava ouvindo Tony por cima do meu ombro.

"*Isso aqui* é um Estado monopartidário. A nossa imprensa é uma piada. E os pobres não podem viajar pra lugar nenhum."

"Ah, Shirley, por favor!"

"O Parlamento é o nosso partido único. Heath e Wilson pertencem à mesma elite."

"Que bobagem!"

Nós nunca tínhamos falado de política. Era sempre de música, família, gostos pessoais. Eu presumia que todos os meus colegas tivessem basicamente as mesmas opiniões. Estava olhando bem para ela para ver se ela estava me sacaneando. Ela desviou os olhos, pegou rispidamente outro cigarro na mesa. Estava brava. Eu não queria uma briga declarada com a minha nova amiga. Baixando de tom eu disse delicadamente, "Mas se você acha isso, Shirley, por que se juntar a esse pessoal aqui?".

"Não sei. Um pouco pra agradar o meu pai. Quer dizer, eu falei pra ele que era funcionalismo. Eu não achei que iam me deixar entrar. Quando deixaram ficou todo mundo orgulhoso. Até eu. Parecia uma vitória. Mas você sabe como é — eles tinham que ter alguém de um tipo não Oxbridge. Eu sou só a proletária obrigatória de vocês. Então." Ela levantou. "Melhor continuar com o nosso trabalho crucial aqui."

Eu levantei também. A conversa era constrangedora e eu estava feliz por ela ter terminado.

"Eu vou acabar lá na sala", ela disse, e aí se deteve na porta da cozinha. Ela parecia uma figura triste, estufando aquele avental de plástico, com o cabelo, ainda úmido por causa do esforço antes da pausa para o chá, grudado na testa.

Ela disse, "Qual é, Serena, você não pode pensar que tudo é assim tão simples. Que a gente deu a sorte de estar do lado dos anjos".

Eu dei de ombros. Na verdade, em termos relativos eu achava que nós estávamos mesmo, mas o tom dela era tão ácido que eu não queria dizer isso. Eu falei, "Se as pessoas pudessem votar livremente na Europa Oriental, inclusive na sua RDA, elas iam expulsar os russos, e o Partidão não teria a menor chance. Eles estão lá pela força. É contra isso que eu sou".

"Você acha que as pessoas daqui não iam expulsar os americanos das bases lá deles? Você deve ter percebido — a escolha não está no cardápio."

Eu estava prestes a responder quando Shirley passou a mão no espanador e numa lata de lustra-móveis violeta, e saiu, gritando enquanto seguia pelo corredor, "Você mamou direitinho a propaganda política, menina. A realidade nem sempre é classe média".

Agora eu estava brava, brava demais para falar. Nesse último minuto e pouco a Shirley tinha aumentado o sotaque *cockney*, para empregar melhor contra mim uma certa noção de integridade de classe. Como é que ela ousava ser condescendente desse jeito? A realidade não era sempre classe média! Intolerável. A *"reality"* dela tinha sido ridiculamente glotal. Como é que ela podia trair a nossa amizade e dizer que era a minha proletária obrigatória? E eu nunca tinha parado um minuto para pensar em que universidade ela tinha estudado, a não ser para pensar que eu teria sido mais feliz na dela. Quanto às opiniões políticas dela — a cansada ortodoxia dos *idiotas*. Eu estava com a sensação de que podia sair correndo e gritando atrás dela. A minha cabeça estava cheia de réplicas cáusticas, e eu queria usá-las todas de uma vez. Mas fiquei calada e andei umas vezes em volta da mesa da cozinha, aí peguei o aspirador, um aparelho industrial, e fui para o quarto menor, o que tinha o colchão ensanguentado.

Foi assim que acabei limpando o quarto tão bem. Comecei a trabalhar furiosamente, revendo aquela conversa o tempo todo, fundindo o que eu tinha dito com o que queria ter dito. Logo antes da nossa pausa eu tinha enchido um balde d'água para limpar a carpintaria em volta das janelas. Decidi que ia limpar os rodapés antes. E se ia ficar me ajoelhando no chão, ia precisar passar o aspirador no carpete. Para fazer isso direito eu levei alguns móveis para o corredor — um criado-mudo em formato de baú e duas cadeiras de madeira que estavam ao lado da cama. A única tomada do quarto ficava bem baixa na parede sob a cama e uma luminária de leitura já estava conectada. Tive que deitar de lado no chão e me esticar toda. Ninguém limpava ali fazia tempo. Havia bolas de poeira, uns lenços de papel usados e uma meia branca suja. Como a tomada estava justa eu precisei fazer força para puxar e arrancar ela dali. Eu ainda estava pensando em Shirley e no que diria a ela depois. Sou covarde em confrontos importantes. Estava com a suspeita de que nós duas íamos escolher a solução inglesa e fingir que a conversa nunca tinha acontecido. Isso me deixou ainda mais irritada.

Aí o meu pulso roçou num pedaço de papel escondido atrás de um dos pés da cama. Era triangular, com uma hipotenusa de não mais de oito centímetros, rasgado do canto direito superior do *Times*. De um lado havia as letras de sempre, dizendo — "Jogos Olímpicos: programa completo, página cinco". No verso, algo meio desbotado escrito a lápis sob um dos cantos retos. Retrocedi e sentei na cama para ver direito. Fiquei olhando e não entendi nada até perceber que estava segurando o papel de cabeça para baixo. O que vi primeiro foram duas letras minúsculas, "tc". A linha do rasgo fatiava bem a palavra que estava embaixo dessa. O texto estava claro, como se quase não tivessem pressionado o lápis, mas as letras estavam bem formadas: "umlinge". Logo antes do *u* havia um risco que só podia ser o pé de uma letra *k*. Eu virei o papel de novo, esperando que as letras fizessem outra coisa para mim, demonstrassem que eu estava simplesmente projetando coisas. Mas não havia ambiguidade. As iniciais dele, a ilha dele. Mas não a letra dele. Em questão de segundos o meu estado de espírito tinha mudado de uma intensa irritação para uma mistura mais complexa — de pasmo com uma angústia desorientada.

Naturalmente, uma das primeiras coisas que pensei foi em Max. Ele era a única pessoa que eu conhecia que sabia o nome da ilha. O obituário não tinha mencionado o nome e Jeremy Mott provavelmente não sabia. Mas Tony tinha muitos conhecidos antigos no Serviço, embora muito poucos ainda estivessem na ativa. Talvez um ou outro dos funcionários mais altos. Com certeza eles não sabiam de Kumlinge. Quanto a Max, eu senti que seria má ideia lhe pedir uma explicação. Eu estaria entregando alguma coisa que deveria guardar. Ele não me diria a verdade se não fosse do seu interesse. Se soubesse alguma coisa que valesse a pena contar, então ele já tinha me enganado ao se manter em silêncio. Pensei na nossa conversa no parque e nas suas perguntas insistentes. Olhei o pedaço de papel de novo. Parecia velho, meio amarelado. Se aquilo era um mistério significativo, eu não tinha informação suficiente para resolvê-lo. Nesse espaço vago entrou uma ideia irrelevante. O *k* na lateral do nosso furgão era a letra que faltava, disfarçada de dona de casa — exatamente como eu. Sim, tudo estava ligado. Agora que eu estava sendo bem estúpida, isso era quase um alívio.

Levantei. Fiquei tentada a virar o colchão só para olhar de novo o sangue. Estava bem embaixo do lugar onde eu tinha sentado. Será que era tão velho quanto o pedaço de papel? Eu não sabia como o sangue envelhecia. Mas era isso, ali estava a formulação mais direta do mistério e a raiz do meu desconforto: será que o nome da ilha e as iniciais do Tony tinham alguma coisa a ver com o sangue?

Pus o papel no bolso do avental e fui pelo corredor até o lavabo, torcendo para não encontrar Shirley. Tranquei a porta, me ajoelhei ao lado da pilha de jornais e comecei a verificar. Nem todos os dias estavam ali — a casa deve ter ficado vazia por períodos mais ou menos longos. Então os exemplares cobriam vários meses. Os jogos de Munique tinham sido no verão passado, dez meses antes. Quem é que podia esquecer, onze atletas israelenses mortos por guerrilheiros palestinos? Achei o exemplar com o canto rasgado já bem perto do fim da pilha e o tirei dali. Aqui estava a primeira metade da palavra "programa". Vinte e cinco de agosto de 1972. "Desemprego atinge nível mais alto para o mês de agosto desde 1939". Eu lembrava vagamente da história, não por causa da manchete do desemprego, mas pelo artigo sobre o meu herói Soljenítsin no alto da página. O seu discurso na cerimônia de entrega do prêmio Nobel tinha acabado de aparecer na imprensa. Ele atacava as Nações Unidas por não tornarem a aceitação da declaração dos direitos humanos uma condição definitiva para o pertencimento à organização. Achava que ele estava certo, Tony achou que eu era ingênua. Eu fiquei comovida com as frases sobre "as sombras dos que caíram" e "a visão de arte que surgiu da dor e da solidão do deserto siberiano". E gostei especialmente da frase "Ai da nação cuja literatura é perturbada pela intervenção do poder".

Sim, nós tínhamos passado algum tempo conversando sobre o discurso, e discordando. E isso devia ter sido não muito antes da nossa ceninha de despedida no recuo. Será que ele podia ter passado aqui depois, quando os seus planos de aposentadoria já estavam formados? Mas por quê? E sangue de quem? Eu não tinha resolvido nada, mas me sentia esperta fazendo progressos. E me sentir esperta, eu sempre pensei, ficava a um passinho de distância de me sentir animada. Eu ouvi a Shirley chegando e rapidamente organizei a pilha, dei descarga, lavei as mãos e abri a porta.

Eu disse, "A gente não pode esquecer de pôr papel higiênico na lista".

Ela estava de pé bem no fundo do corredor e acho que não me ouviu. Estava parecendo arrependida e eu me senti repentinamente tomada de carinho por ela.

"Eu sinto muito o que aconteceu agora há pouco, Serena. Eu não sei por que é que eu faço isso. Troço mais idiota. Eu exagero só pra dizer o que eu quero." E aí ela acrescentou, como uma relativização jocosa, "É só porque eu gosto de você!".

Eu percebi que ela deliberadamente pronunciou todas as consoantes, o que já era um discreto pedido de desculpas.

Eu disse, "Não foi nada", e fui sincera. O que tinha acontecido entre nós duas não era nada em comparação com o que eu tinha acabado de achar. Eu já tinha decidido não discutir o assunto. Eu nunca tinha dito muita coisa sobre o Tony para ela. Tinha guardado tudo para o Max. Eu posso até ter entendido tudo errado, mas não ganhava nada confiando nela agora. O pedacinho de papel estava bem enfiado no meu bolso. Nós conversamos do nosso jeito tranquilo de sempre por um tempo e aí voltamos ao trabalho. Foi um dia comprido e nós só terminamos tudo, limpeza e compras, às seis horas. Saí de lá com o exemplar de agosto do *Times* para o caso de ainda poder tirar alguma coisa dali. Quando deixamos o furgão em Mayfair naquela noite e nos despedimos, achei que eu e Shirley éramos de novo melhores amigas.

7.

Na manhã seguinte recebi um convite para estar às onze horas no escritório de Harry Tapp. Eu ainda estava esperando um puxão de orelha por causa da indiscrição de Shirley na palestra. Às dez para as onze fui ao toalete para verificar a minha aparência e enquanto estava penteando o cabelo eu me imaginei pegando o trem de volta para casa depois de ter sido demitida, e preparando uma história para a minha mãe. Será que o Bispo ia sequer perceber que eu tinha ficado longe de casa um tempo? Subi dois andares até uma parte do prédio que era nova para mim. Era só um pouquinho menos craquenta — os corredores eram acarpetados, a tinta creme e verde das paredes não estava descascando. Eu bati timidamente na porta. Um homem saiu — parecia ainda mais novo que eu — e me disse de uma maneira nervosa e simpática que era para eu esperar. Ele me apontou uma das cadeiras de plástico injetado de um laranja forte que então começavam a invadir os escritórios. Passaram-se quinze minutos até ele aparecer de novo e segurar a porta para mim.

De uma certa forma, foi aqui que a história começou, no

momento em que entrei no escritório e me explicaram a missão. Tapp estava atrás da mesa e me cumprimentou inexpressivamente com a cabeça. Havia mais três na sala além do sujeito que tinha me feito entrar. Um, de longe o mais velho, com cabelo grisalho penteado para trás, se esparramava numa poltrona de couro gasto, os outros estavam em cadeiras duras de escritório. O Max estava lá e apertou bem a boca. Eu não fiquei surpresa ao vê-lo e simplesmente sorri. Havia um grande cofre de combinação num canto. O ar parecia pesado de tanta fumaça e úmido por causa da respiração deles. Eles estavam reunidos havia algum tempo. Não houve apresentações.

Me levaram a uma das cadeiras duras e nós ficamos dispostos como que em ferradura diante da mesa.

Tapp disse, "Então, Serena. Como é que você está se ajeitando por aqui?".

Eu disse que achava que tinha me ajeitado bem e que estava satisfeita com o trabalho. Tinha consciência de que Max sabia que isso não era verdade, mas não dei a mínima. E acrescentei, "O motivo de eu estar aqui é que o senhor acha que eu não estou à altura?".

Tapp disse, "Nós não íamos precisar estar em cinco para dizer isso a você".

Houve risos baixos em toda a sala, e eu tratei de me juntar à risada. "À altura" era uma expressão que eu nunca tinha usado antes.

Seguiu-se uma sessão de conversa fiada. Alguém me perguntou sobre a minha moradia, outro sobre o trajeto de metrô. Houve uma discussão sobre as irregularidades da linha norte. Riram um pouco da comida do refeitório. Quanto mais isso se alongava, mais eu ficava nervosa. O homem da poltrona não abriu a boca, mas estava me observando por cima da cúpula que tinha formado com os dedos, polegares metidos embaixo do queixo.

Tentei não olhar na direção dele. Guiada por Tapp, a conversa mudou para os acontecimentos daqueles dias. Inevitavelmente, chegamos ao primeiro-ministro e os mineiros. Eu disse que sindicatos livres eram instituições importantes. Mas o objetivo deles deveria ser o salário e as condições dos seus membros. Eles não deviam ser politizados e não tinham nada que tentar derrubar governos democraticamente eleitos. Era a resposta certa. Me pediram para falar da recente entrada da Inglaterra no Mercado Comum. Eu disse que era a favor, que seria bom para os negócios, mitigaria a nossa insularidade, melhoraria a nossa comida. Eu não sabia bem o que pensar, mas decidi que era melhor soar peremptória. Dessa vez eu soube que tinha perdido o apoio da sala. Nós passamos para o túnel do Canal. Uma diretiva havia sido publicada, e Heath tinha assinado um acordo preliminar com Pompidou. Eu era totalmente a favor — imagine pegar o expresso Londres-Paris! Eu me surpreendi com o meu surto de entusiasmo. Novamente, eu era a única. O homem da poltrona fez uma careta e desviou o olhar. Imaginei que na juventude ele tinha estado pronto a dar a vida para defender o Reino Unido contra as paixões políticas do Continente. Um túnel era uma ameaça em termos de segurança.

Então nós continuamos. Eu estava sendo entrevistada, mas não tinha ideia da finalidade. Automaticamente me esforcei para agradar, ainda mais nas ocasiões em que senti que não estava conseguindo. Imaginei que tudo aquilo estava sendo conduzido para que o grisalho visse. Fora aquele olhar isolado de desprazer, ele não comunicava nada. As mãos dele continuavam naquela posição de oração, com as pontas dos dedos tocando de leve o nariz. Era um esforço consciente não olhar para ele. Eu me irritei comigo mesma por estar querendo a aprovação dele. Fosse o que fosse que ele tivesse em mente para mim, eu queria também. Queria que ele me quisesse. Não podia olhar para ele, mas quando o meu olhar cruzou a sala para encontrar o de outra pessoa, eu o vi só de relance, e não descobri nada.

Nós chegamos a uma pausa na conversa. Tapp mostrou uma caixa laqueada sobre a mesa e ofereceu cigarros. Eu esperava que fossem me mandar sair da sala como antes. Mas algum sinal silencioso deve ter emanado do cavalheiro grisalho, porque Tapp limpou a garganta e começou do zero e disse, "Pois então, Serena. Nós ficamos sabendo pelo Max aqui que além da matemática você é bem versada em literatura moderna, romances, esse tipo de coisa, muito atualizada em, como é que se chama?".

"Literatura contemporânea", Max complementou.

"Isso, tremendamente lida e bem atualizadinha com o cenário todo."

Eu hesitei, e disse, "Eu gosto de ler nas horas vagas, senhor".

"Não precisa me chamar de 'senhor'. E você está atualizadinha nessas coisas contemporâneas que estão saindo agora..."

"Eu leio romances em edições baratas usadas, normalmente, uns anos depois que eles saíram em capa dura. Os de capa dura ficam meio além do meu orçamento."

Essa distinção pernóstica pareceu pasmar ou irritar Tapp. Ele se reclinou na cadeira, fechou os olhos por vários segundos e esperou que a confusão se dispersasse. Ele só abriu os olhos quando já estava no meio da próxima frase. "Então se eu te dissesse os nomes de Kingsley Amis ou David Storey ou...", ele espiou uma folha de papel, "William Golding, você ia saber exatamente do que eu estava falando."

"Eu li esses autores."

"E você sabe como falar sobre eles."

"Acho que sim."

"Como você os escalonaria?"

"Escalonar?"

"Isso, sabe como? Do melhor para o pior."

"Eles são escritores de tipos muito diferentes... O Amis é um romancista cômico, um observador brilhante com um toque bem impiedoso no seu humor. O Storey é um cronista da vida operária, maravilhoso lá à sua maneira e, hã, o Golding é mais difícil de definir, provavelmente um gênio..."

"E então?"

"Por ordem de mero prazer de leitura, eu colocaria o Amis em primeiro, depois o Golding porque eu tenho certeza que ele é profundo, e o Storey em terceiro."

Tapp verificou as notas e depois ergueu os olhos com um sorriso perfunctório. "Exatamente o que eu tenho aqui."

A minha precisão gerou um murmúrio de aprovação. Aquilo não me parecia grandes coisas. Afinal, só havia seis jeitos de organizar uma lista como aquela.

"E você conhece pessoalmente algum desses autores?"

"Não."

"Você conhece algum escritor, ou algum editor, ou alguém que esteja ligado ao ramo?"

"Não."

"Você já chegou a encontrar um escritor, ou estar na mesma sala em que ele estava?"

"Não, nunca."

"Ou a escrever para um escritor, digamos, como fã?"

"Não."

"Algum amigo de Cambridge determinado a virar escritor?"

Eu pensei cuidadosamente. Entre o pessoal da Lit. Ingl. no Newnham tinha havido bastante desejo nessa direção, mas pelo que eu sabia as minhas conhecidas tinham se acomodado com várias combinações de empregos respeitáveis, casamento, gravidez, desaparecimento no exterior ou recolhimento entre os restos da contracultura, numa nuvem de fumaça de maconha.

"Não."

Tapp ergueu os olhos ansioso. "Peter?"

Enfim o homem da poltrona baixou as mãos e falou. "Aliás, meu nome é Peter Nutting. Senhorita Frome, a senhorita já ouviu falar de uma revista chamada *Encounter*?"

O nariz de Nutting revelou ter forma de bico. A voz dele era um tenor ligeiro — algo surpreendente. Eu achava que tinha ouvido falar de um jornalzinho de classificados sentimentais nudista com aquele nome, mas não tinha certeza. Antes de eu poder responder ele continuou, "Não importa se a senhorita não conhecer. É uma revista mensal, assuntos intelectuais, política, literatura, questões de cultura geral. Bem interessante, respeitada, ou era, por um espectro bem amplo de leitores. Digamos que de centro-esquerda a centro-direita, e basicamente este último. Mas a questão é a seguinte. Ao contrário da maioria dos periódicos de intelectuais, essa revista tem se mantido cética ou abertamente hostil no que se refere ao comunismo, especialmente do tipo soviético. Ela antes se manifestava em defesa das causas que estavam na moda — liberdade de expressão, democracia, e assim por diante. A bem da verdade, ainda se manifesta. E pega bem leve quanto à política internacional americana. Isso lhe diz alguma coisa? Não? Cinco ou seis anos atrás apareceu, numa obscura revista americana e depois acho que no *New York Times*, que a *Encounter* foi fundada pela CIA. Foi uma barulheira, uma gritaria e um escândalo, vários escritores se encolheram bem quietinhos. O nome Melvin Lasky quer dizer alguma coisa para a senhorita? Não haveria por quê. A CIA está financiando a sua própria noção intelectualizada de cultura desde o fim dos anos 1940. Eles em geral trabalham através de intermediários e usam várias fundações. A ideia é tentar afastar os intelectuais europeus da esquerda do espectro político e tornar intelectualmente respeitável a ideia de defender o Mundo Livre. Os nossos amigos jogaram bastante dinheiro nisso, através de várias fachadas. A senhorita já ouviu falar do Congresso da Liberdade Cultural? Não faz mal.

"Então tem sido esse o *modus operandi* americano e basicamente, desde a questão em torno da *Encounter*, vem sendo um barco furado. Quando um senhor fulano de alguma fundação gigante aparece oferecendo uma soma de centenas de milhares, todo mundo sai correndo. Mas, ainda assim, é uma guerra cultural, não só uma questão política e militar, e o esforço é válido. Os soviéticos sabem disso e gastam dinheiro em esquemas de intercâmbio, visitas, conferências, o Balé Bolshoi. Isso além do dinheiro que eles injetam no fundo de greve do Sindicato Nacional de Mineradores através de..."

"Peter", Tapp murmurou. "Vamos evitar cair nessa discussão de novo."

"Tudo bem. Obrigado. Agora que a poeira está baixando, nós decidimos montar o nosso próprio esquema. Orçamento modesto, nada de festivais internacionais, de voos de primeira classe, nada de turnês orquestrais com vinte ônibus, nada de festanças anuais. Nós não temos dinheiro para isso e não queremos ter. O que nós queremos é pontual, de longo prazo e barato. E é por isso que a senhorita está aqui. Alguma pergunta até agora?"

"Não."

"A senhorita deve conhecer o Departamento de Pesquisa e Informação lá no Escritório do Exterior."

Eu não conhecia, mas fiz que sim com a cabeça.

"Então a senhorita há de saber que esse tipo de coisa é bem antigo. O DPI vem trabalhando conosco e com o MI6 há anos, cultivando relações com escritores, jornais, editores. George Orwell, no leito de morte, deu uma lista de trinta e oito camaradas comunistas para o DPI. E o DPI ajudou *A revolução dos bichos* a chegar a dezoito línguas e trabalhou bastante por *1984*. E alguns eventos editoriais maravilhosos com o passar dos anos.

Já ouviu falar da Background Books? — era uma empresa do DPI, paga com dinheiro do Serviço Secreto. Umas coisas incríveis. Bertrand Russell, Guy Wint, Vic Feather. Mas naquele tempo..."

Ele suspirou e olhou em volta da sala. Eu senti um rancor em todos eles.

"O DPI se perdeu. Muitas ideias bobas, muita proximidade com o 6 — a bem da verdade um deles está no comando lá. Sabe, a Carlton House Terrace está cheia de moças boas e trabalhadoras como a senhorita, e quando o pessoal do 6 faz uma visita, algum coitado tem que ir na frente passando pelos escritórios e gritando 'Todo mundo virado para a parede!'. A senhorita consegue imaginar uma coisa dessas? Dá para apostar que aquelas moças espiam pelo meio dos dedos, não é?"

Ele olhou em volta como quem espera uma reação. Vieram as risadinhas de praxe.

"Então nós queremos começar do zero. A nossa ideia é concentrar os esforços em jovens escritores adequados, basicamente acadêmicos e jornalistas, gente no começo da carreira, quando ainda precisa de apoio financeiro. Normalmente eles têm um livro que querem escrever e precisam de um tempo de folga de um emprego puxado. E nós achamos que podia ser interessante ter um romancista no quadro de empregados..."

Harry Tapp interrompeu, incomumente empolgado. "Fica tudo um pouquinho mais leve, mais, sabe, uma diversãozinha ligeira. Frescor. Alguém que interesse os jornais."

Nutting continuou. "Como a senhorita gosta desse tipo de coisa, nós achamos que podia haver um interesse de sua parte. Nós não estamos pensando no declínio do Ocidente, ou abaixo o progresso ou qualquer outro tipo de pessimismo moderninho. A senhorita está me entendendo?"

Eu fiz que sim. Eu achava que estava.

"A sua parte vai ser um pouquinho mais complicada que a

dos outros. A senhorita sabe tão bem quanto eu que não é fácil deduzir a partir dos romances as opiniões de um autor. É por isso que nós estamos procurando um romancista que também escreva para a imprensa. Nós estamos atrás do tipo que pode até dar uma mãozinha para os seus amigos apertados no bloco do Leste, que viaja para lá, talvez, para dar apoio, ou manda livros, assina petições para denunciar perseguições a escritores, enfrenta os seus colegas mendazes do marxismo britânico, não tem medo de falar em público sobre escritores presos na Cuba de Fidel. Alguém que em geral nada contra a corrente ortodoxa. Precisa ter coragem, senhorita Frome."

"É verdade, senhor. Quer dizer, é verdade."

"Especialmente quando se é jovem."

"É verdade."

"Liberdade de expressão, liberdade de assembleia, direitos legais, um processo democrático — coisas que vários intelectuais não andam valorizando muito hoje em dia."

"Não."

"Nós precisamos encorajar as pessoas certas."

"Precisamos mesmo."

Caiu um silêncio sobre a sala. Tapp ofereceu a sua cigarreira a todos, primeiro a mim, depois aos outros. Nós todos fumamos e esperamos por Nutting. Eu estava consciente do olhar do Max em mim. Quando olhei para ele, inclinou levissimamente a cabeça, como quem diz "continue assim".

Com alguma dificuldade inicial, Nutting se alavancou da poltrona, foi até a mesa de Tapp e pegou as notas. Ele virou as páginas até encontrar o que queria.

"As pessoas que nós estamos procurando vão ser da sua geração. Elas vão nos custar menos, não há dúvida quanto a isso. O tipo de estipêndio que nós vamos oferecer pela nossa organização de fachada vai ser o bastante para deixar um sujeito sem precisar trabalhar por um ou dois anos, até três. Nós sabemos que não podemos ter pressa e que não vamos ver os resultados na semana que vem. Nós estamos contando ter dez indivíduos, mas a senhorita só precisa pensar neste único escritor. E numa única proposta..."

Ele olhava para baixo através de óculos em meia-lua que lhe pendiam do pescoço por um cordão.

"O nome dele é Thomas Haley, ou T.H. Haley, como ele prefere ver publicado. Formado em letras pela Universidade de Sussex, com louvor e distinção, ainda está lá, fez um mestrado em relações internacionais sob orientação de Peter Calvocoressi, e agora está fazendo um doutorado em literatura. Nós demos uma olhada no histórico médico de Haley. Nada de mais. Ele publicou uns contos e uns textos em jornais. Está procurando editor. Mas também precisa achar um emprego de verdade para quando os estudos acabarem. Calvocoressi o tem em altíssima consideração, o que há de bastar para qualquer um. O Benjamin aqui montou uma ficha dele e nós queríamos a sua opinião. Se a senhorita estiver de acordo, nós queríamos colocá-la no trem para Brighton, para dar uma olhada nele. Se a senhorita disser que sim, nós vamos acolhê-lo. Se não, vamos procurar em outro lugar. Vai depender da senhorita. A sua visita, claro, será precedida por uma carta de apresentação."

Estavam todos olhando para mim. Tapp, com os cotovelos apoiados na mesa, tinha feito a sua própria cúpula de dedos. Aí, sem separar as mãos, ele começou a bater as pontas dos dedos umas nas outras sem fazer barulho.

Eu me senti obrigada a fazer algum tipo de objeção inteligente. "Mas eu não vou ser como o senhor fulano, que aparece com um talão de cheques? Ele pode sair correndo quando me vir."

"Quando vir a senhorita? Eu duvido muito, meu bem."

De novo os risinhos baixos pela sala. Enrubesci e fiquei irritada. Nutting estava sorrindo para mim e eu me obriguei a devolver o sorriso.

Ele disse, "As somas serão atraentes. Nós vamos deslocar fundos através de um intermediário, uma fundação que já existe. Não é uma empresa muito grande ou muito conhecida, mas é um lugar em que nós contamos com contatos de confiança. Se Haley ou qualquer outra pessoa decidir verificar, tudo vai se confirmar direitinho. Eu vou passar o nome para a senhorita assim que estiver tudo certo. Obviamente, a senhorita será a representante dessa fundação. Eles vão nos informar quando chegarem cartas no seu nome. E nós vamos lhe providenciar papel timbrado".

"Não seria possível simplesmente fazer umas recomendações amigáveis ao, sabe, ao departamento do governo que dá dinheiro aos artistas?"

"O Concílio das Artes?" Nutting soltou uma risada amarga caricatural. Todos estavam com um sorriso amarelo. "Meu bem. Eu invejo a sua inocência. Mas você tem razão. Devia ser possível! Quem está encarregado da Seção de Literatura é um romancista, Angus Wilson. Já ouviu falar dele? Em teoria, bem o tipo que podia nos ser útil. Membro do Clube Athenaeum, adido naval durante a guerra, trabalhou com coisas secretas na famosa Cabana Oito na, hã, naquela, enfim, eu não tenho autorização para dizer. Eu levei ele para almoçar, aí fui vê-lo no seu escritório uma semana depois. Comecei a explicar o que eu queria. Sabe, senhorita Frome, ele praticamente me jogou de uma janela de terceiro andar."

Ele já tinha contado essa história e se deliciava ao contar de novo, enfeitada.

"Num minuto ele estava atrás da mesa, um belo terno de linho branco, gravata azul-clarinha, umas piadas inteligentes, no outro o rosto dele estava bordô e ele estava me segurando pelas lapelas e me empurrando para fora do escritório. O que ele disse eu não posso repetir diante de uma senhora. E mais transviadinho que o Bambi. Sabe Deus como é que deixaram ele passar perto daqueles códigos navais em 42."

"E é isso", o Tapp disse. "Quando é a gente que faz é propaganda suja, e o Albert Hall esgotou os ingressos para o Coro do Exército Vermelho."

"O Max aqui até preferia que Wilson *tivesse* me defenestrado", Nutting disse, e para minha surpresa piscou um olho para mim. "Não é verdade, Max?"

"Eu já dei a minha opinião", Max disse. "Agora eu estou a bordo."

"Que bom." Nutting fez um sinal para Benjamin, o rapaz que tinha me feito entrar. Ele abriu a pasta que tinha no colo.

"Tenho certeza que isso aqui é tudo que ele já publicou. Aqui tem textos difíceis de encontrar. Sugiro que você veja os dos jornais primeiro. Eu diria que é melhor se concentrar num artigo que ele escreveu para o *Listener*, lamentando o costume dos jornais de romantizar os bandidos. É basicamente sobre o Grande Assalto ao Trem Postal — ele não gosta do uso de 'grande' — mas há um vigoroso aparte a respeito de Burgess e Maclean e do número de mortes pelo qual eles foram responsáveis. Você vai ver que ele é membro do Conselho Educacional de Escritores e Leitores, uma organização que apoia dissidentes na Europa Oriental. Escreveu um artigo para o jornal do conselho no ano passado. Seria bom dar uma olhada num artigo maiorzinho que ele escreveu para a *History Today* sobre o Levante da Alemanha Oriental em 53. Tem um texto até bonzinho sobre o Muro de Berlim na *Encounter*. Em geral, os textos de imprensa são bons. Mas é falando dos contos que você vai escrever para ele, e é deles que ele gosta mais. Cinco ao todo, como Peter disse. Na verdade, um na *Encounter*, e aí umas coisas que você nunca viu na vida — a *Paris Review*, a *New American Review*, a *Kenyon Review* e a *Transatlantic Review*."

"São uns gênios para dar títulos, esse pessoal criativo", Tapp disse.

"Vale notar que essas quatro são americanas", Benjamin continuou. "Um atlanticista, no fundo. Nós fizemos umas perguntas e as pessoas disseram que ele é promissor. Embora um entendido na área tenha nos dito que essa é a descrição-padrão de qualquer escritor jovem. Ele foi recusado três vezes por uma coleção de contos da Penguin. Também foi recusado pela *New Yorker*, pela *London Magazine* e pela *Esquire*."

Tapp disse, "Só por curiosidade, como foi que você encontrou isso tudo?".

"É uma longa história. Primeiro eu encontrei um ex-..."

"Vamos em frente", Nutting disse. "Eu tenho que estar lá em cima às onze e meia. E por falar nisso... Calvocoressi disse a um amigo que o Haley é um sujeito boa-praça, bem decente. Então, um bom modelo para os jovens. Perdão, Benjamin. Continue."

"Uma editora bem conhecida disse que gostou dos contos mas que não vai publicar um livro de contos enquanto ele não escrever um romance. Conto não vende. Os editores normalmente fazem esses volumes como um favor para os seus autores estabelecidos. Ele precisa escrever alguma coisa maior. Isso é importante a gente saber, porque um romance consome tempo e é difícil fazer quando você está com um emprego em período integral. E ele está com vontade de escrever um romance, diz que tem uma ideia e tudo mais, aparentemente. Outra coisa, ele não tem agente e está procurando."

"*Agente?*"

"Nada a ver, Harry. Vende as obras, prepara contratos, leva uma percentagem."

Benjamin me passou a pasta. "E é isso. Obviamente, não deixe isso largado por aí."

O homem que ainda não tinha falado, um sujeito meio cinzento e de cara afundada com um cabelo oleoso repartido no meio, disse, "Nós estamos com esperança de ter no mínimo alguma influência no que esse pessoal vai escrever?".

Nutting disse, "Nunca ia dar certo. Nós temos que confiar nas nossas escolhas e torcer para que Haley e o resto se deem bem e se tornem, sabe, importantes. Isso é coisa em fogo baixo. O nosso objetivo é mostrar aos americanos como é que se faz. Mas não há motivo para nós não darmos uma mãozinha para eles no caminho. Vocês sabem, gente que nos deve um favor ou três. No caso de Haley, bom, mais cedo ou mais tarde um dos nossos vai acabar sendo presidente do comitê desse prêmio Booker que inventaram. E nós podemos dar uma olhada nessa coisa do agente. Mas quanto ao material propriamente dito, eles têm que se sentir livres".

Ele estava de pé e olhava para o relógio. Aí olhou para mim. "Mais alguma pergunta geral, fale com o Benjamin. Operacionalmente, é com Max. O codinome é *Tentação*. Certo, então? Isso é tudo."

Eu estava me arriscando, mas tinha começado a me sentir indispensável. Excesso de confiança, talvez. Mas quem mais naquela sala, além de mim, tinha lido, na vida adulta, um conto nas horas vagas? Eu não consegui me segurar. Estava ansiosa e faminta. Eu disse, "Isso é meio constrangedor para mim, e sem querer ofender Max, mas se eu vou trabalhar diretamente para ele, eu fico aqui pensando se não podia ser útil se pudessem me explicitar direitinho o meu *status*".

Peter Nutting sentou de novo. "Meu bem. O que é que você pode estar querendo dizer?"

Fiquei de pé na frente dele humildemente, como fazia com

o meu pai no escritório dele. "É um grande desafio e eu estou empolgadíssima com o convite. O caso Haley é fascinante, e também é delicado. Vocês estão me pedindo, na verdade, para administrar o Haley. Estou honrada. Mas no que se refere à questão funcional... bom, eu queria saber direitinho em que ponto eu estou."

Seguiu-se um silêncio constrangido como só uma mulher consegue impor a uma sala cheia de homens. Então Nutting resmungou, "Bom, sim, é...".

Desesperado, ele voltou-se para Tapp. "Harry?"

Tapp meteu a cigarreira de ouro no bolso interno do paletó enquanto se levantava. "Simples, Peter. Eu e você vamos dar uma descida depois do almoço e conversar com o Departamento de Pessoal. Eu não prevejo grandes objeções. A Serena pode ser promovida a funcionária burocrática assistente. Já estava na hora."

"Pois muito bem, senhorita Frome."

"Obrigada."

Nós todos ficamos de pé. Max estava me olhando com o que eu achei que era um novo tipo de respeito. Ouvi um som cantante nos meus ouvidos, como um coro polifônico. Eu estava no Serviço havia apenas nove meses e embora estivesse entre as últimas das minhas colegas a serem promovidas, tinha chegado ao ápice possível da carreira, para uma mulher. Tony teria ficado com tanto orgulho de mim. Ele teria me levado a um jantar de comemoração no clube dele. Não era o mesmo de Nutting? O mínimo que eu podia fazer, eu estava pensando enquanto nós saíamos em fila indiana do escritório de Tapp, era ligar para a minha mãe para avisar e contar para ela como eu estava indo bem no Departamento de Saúde e Segurança Social.

8.

Eu me acomodei na poltrona, inclinei a luminária nova e peguei o meu marcador de estimação. Estava com um lápis pronto, como quem se prepara para uma aula. O meu sonho tinha virado realidade — eu estava estudando letras, e não matemática. Estava livre das ambições que a minha mãe tinha para mim. A pasta estava no meu colo, pardacenta, selo oficial, fechada com laços de barbante. Que transgressão, e que privilégio o meu, ter uma pasta dessas em casa. Tinham martelado isso na nossa cabeça desde o começo do treinamento — os documentos eram sagrados. Nada devia ser retirado de uma pasta, nenhuma pasta deveria ser retirada do prédio. Benjamin tinha me acompanhado até a porta da frente, e foi obrigado a abrir a pasta para provar que não era uma Pasta Pessoal do Registro, embora fosse da mesma cor. Como ele explicou para o oficial de serviço no balcão do Dep. de Pessoal, era só informação geral. Mas naquela noite me deu algum prazer pensar que aquilo era o Dossiê Haley.

Considero aquelas primeiras horas com a literatura dele como alguns dos momentos mais felizes que passei no 5. Todas as minhas necessidades para além do registro sexual foram atendidas e se fundiram: eu estava lendo, estava lendo para um objetivo mais elevado que me dava orgulho profissional, e logo iria conhecer o autor. Se eu tinha dúvidas ou problemas de consciência em relação ao projeto? Não naquele estágio. Estava satisfeita por ter sido escolhida. Achava que podia cumprir bem aquela tarefa. Achava que podia merecer elogios dos andares mais altos do prédio — eu era uma menina que gostava de elogios. Se alguém tivesse perguntado, eu teria dito que nós não éramos nada mais que um Concílio das Artes clandestino. As oportunidades que nós oferecíamos eram tão boas quanto quaisquer outras.

O conto tinha sido publicado na *Kenyon Review* no inverno de 1970 e o número todo da revista estava ali, com um tíquete de caixa de uma livraria especializada em Longacre, Covent Garden, se projetando dentre as páginas. O tema era um sujeito com o nome pavoroso de Edmund Alfredus, um professor acadêmico de história social medieval que com quarenta e poucos anos é eleito para o Parlamento pelo Partido Trabalhista, representando uma região barra-pesada do leste de Londres, depois de ter trabalhado por mais de dez anos no Legislativo local. Ele está bem à esquerda do seu partido e *é meio encrenqueiro, um dândi intelectual, um adúltero serial e um brilhante orador* com boas ligações pessoais com membros poderosos do Sindicato dos Maquinistas do Metrô. Ele por acaso tem um gêmeo idêntico, Giles, uma figura mais tranquila, um vigário anglicano com uma vida agradável no interior de West Sussex a pouca distância de bicicleta da propriedade de Petworth, onde Turner um dia pintou. A sua pequena congregação envelhecida se reúne numa *igreja pré-normanda cujas paredes irregulares de estuque portavam palimpsestos de murais saxões que retratavam os sofrimentos de Cristo, cobertos por uma voluta de anjos volantes, cuja graça ascendente e cuja simplicidade apontava, para Giles, mistérios além do alcance de uma era industrial e científica.*

Esses mistérios também escapam ao alcance de Edmund, estritamente ateu, que se mantém caladamente desdenhoso da vida confortável e das crenças improváveis de Giles. De sua parte, o vigário se sente constrangido ao ver que Edmund não tinha superado as opiniões bolcheviques da adolescência. Mas os irmãos são próximos e normalmente conseguem evitar discussões religiosas ou políticas. Eles perderam a mãe, vítima de um câncer de mama, quando tinham oito anos de idade, e foram enviados por um pai emocionalmente gélido para um internato onde se agarravam um ao outro para conseguir consolo, e assim ficaram ligados por toda a vida.

Os dois se casaram antes dos trinta e têm filhos. Mas um ano depois que Edmund assume o seu mandato na Casa dos Comuns, a paciência da sua esposa, Molly, chega ao fim por conta de um último caso amoroso e ela o expulsa de casa. Procurando abrigo da borrasca da catástrofe doméstica, dos trâmites do divórcio e de um recente interesse da imprensa por aquela história, Edmund se dirige ao vicariato de Sussex para um fim de semana prolongado, e é aqui que a história propriamente dita começa. O seu irmão Giles está com problemas. Naquele domingo ele terá que fazer um sermão em presença do bispo de Ch-, conhecido por ser um sujeito irritadiço e intolerante. (Naturalmente, eu vi o meu pai nesse papel.) Sua Graça não vai ficar satisfeita se lhe disserem que o vigário, cujo desempenho ele pretende inspecionar, está de cama com uma gripe pesada complicada por uma laringite.

Ao chegar, Edmund é levado pela esposa do vigário, a cunhada dele, direto para o velho infantário no último andar, onde Giles está de quarentena. Mesmo tendo passado dos quarenta anos e apesar de todas as suas diferenças, os gêmeos Alfredus têm em comum um certo gosto por travessuras. Com Giles suando e com a voz fraca e roufenha, eles conversam durante meia hora e tomam uma decisão. Para Edmund é uma bem-vinda distração dos problemas em casa, passar o dia seguinte, um sábado, aprendendo a liturgia e a ordem do serviço e pensando no sermão. O tema, anunciado previamente pelo bispo, é de 1 Coríntios, 13, os famosos versículos que na tradução King James declaram que, entre a fé, a esperança e a caridade, "a maior destas é a caridade". Giles insistiu que, seguindo as leituras mais modernas, Edmund deve trocar "caridade" por "amor". Nenhuma discordância até aqui. Como medievalista, Edmund conhece bem a Bíblia, e admira a Versão Autorizada. E, sim, ele não se incomoda de falar de amor. No domingo pela manhã ele põe a sobrepeliz do irmão e, depois de pentear o cabelo imitando o penteado bem-feito de Giles, repartido do lado, escapole da casa e segue pelo cemitério até a igreja.

A notícia da visita do bispo *inflacionara a congregação, que chegou a quase quarenta pessoas.* As orações e os hinos seguem na sua ordem de sempre. Tudo corre tranquilamente. Um cônego velhíssimo, *com os olhos entortados para o chão por causa da osteoporose,* assiste eficientemente o serviço sem perceber que Giles é Edmund. No momento correto Edmund sobe no púlpito entalhado na pedra. Mesmo os frequentadores mais fiéis, e mais velhos, percebem que o seu vigário de fala mansa parece particularmente confiante, e até incisivo, sem dúvida para impressionar o importante visitante. Edmund começa repetindo trechos escolhidos da epístola aos Coríntios, que tinha sido lida, dizendo as palavras com uma grandiloquência dramática que é quase, teriam pensado alguns se tivessem ido ao teatro uma vez na vida (acrescenta Haley num aparte), uma paródia de Olivier. As palavras de Edmund ressoam na igreja quase vazia, e enchendo a boca ele se delicia com o tom antiquado do texto. *O amor é sofredor, é benigno; o amor não é invejoso; o amor não trata com leviandade, não se ensoberbece. Não se porta com indecência, não busca os seus interesses, não se irrita, não suspeita mal; não folga com a injustiça, mas folga com a verdade...*

Aí ele começa uma apaixonada disquisição sobre o amor, parcialmente motivada pela vergonha que sente das suas traições recentes e pela saudade da esposa e dos dois filhos que deixou para trás, e pelas lembranças doces de todas as boas mulheres que conheceu, e pelo simples prazer da atuação que um bom orador sempre sente. A acústica generosa e a sua posição elevada no púlpito também lhe concedem novos gestos de extravagância retórica. Empregando as mesmíssimas competências discursivas que tinham ajudado a levar os maquinistas de metrô a entrar em três greves-relâmpago no mesmo número de semanas, ele defende que o amor como nós o conhecemos e celebramos nos dias de hoje é uma invenção cristã. No duro mundo da idade de ferro do Antigo Testamento a ética era impiedosa, o seu Deus enciumado era implacável e os Seus valores mais preciosos eram a vingança, o domínio, a escravidão, o genocídio e o estupro. Aqui algumas pessoas perceberam o bispo engolindo em seco.

Contra esse pano de fundo, Edmund diz, nós hoje vemos como a nova religião foi radical ao colocar o amor no centro das suas ideias. De maneira única na história da humanidade, propunha-se um princípio totalmente diferente de organização social. Na verdade, estabelecia-se uma nova civilização. Por mais que possa haver falhas no cumprimento desses ideais, um novo direcionamento se estabelece. A ideia de Jesus é irresistível e irreversível. Até os descrentes devem viver nela. Pois o amor não se põe sozinho, nem pode, *mas rasga os céus como um cometa em chamas, trazendo consigo outros bens reluzentes — perdão, bondade, tolerância, equidade, camaradagem e amizade, todos presos ao amor que está no coração da mensagem de Jesus.*

Não é praxe, numa igreja anglicana de West Sussex, aplaudir um sermão. Mas quando Edmund termina, depois de citar de memória versos de Shakespeare, Herrick, Christina Rossetti, Wilfred Owen e Auden, o impulso celebratório é palpável na igreja. O vigário, em ressonantes tons descendentes que sopram sabedoria e tristeza pela nave, leva a congregação a orar. Quando o bispo senta reto, meio roxo por causa do esforço de se inclinar para a frente, ele está com um sorriso enorme e todos, os coronéis da reserva e os criadores de cavalos e o ex-capitão do time de polo e todas as esposas, sorriem largo também, e sorriem de novo quando passam um a um pela porta, onde apertam a mão de Edmund. O bispo na verdade não larga mais a mão dele, age como um bajulador e então, misericordiosamente, lamenta ter outro compromisso e não poder ficar para um café. O cônego sai arrastando os pés sem abrir a boca, e logo todos estão a caminho dos seus almoços de domingo, e Edmund, sentindo a leveza do triunfo nos passos, praticamente saltita pelo cemitério, de volta ao vicariato para contar tudo ao irmão.

Aqui, na página dezoito de trinta e nove, havia um espaço entre os parágrafos, adornado por um único asterisco. Eu fixei a vista nele para evitar que meu olhar escorregasse pela página e descobrisse o próximo lance do autor. Sentimentalmente, eu torcia para que a fala emocionada de Edmund sobre o amor o levasse de volta à mulher e aos filhos. O que não era lá muito provável num conto moderno. Ou ele podia se convencer a virar cristão. Ou Giles podia perder a fé quando ouvisse como a sua congregação se deixou comover pela retórica inteligente que viera da boca de um ateu. Fiquei com a esperança de que a narrativa seguisse o bispo até a sua casa para mostrá-lo naquela noite deitado na banheira, pensando vaporosamente no que tinha ouvido. Isso era porque eu não queria que o Bispo meu pai sumisse de cena. Na verdade, todos os aparatos eclesiásticos me encantavam — a igreja pré-normanda, os cheiros de polidor de metais, cera de lavanda, pedra antiga e pó que Haley evocava, as cordas pretas, brancas e vermelhas dos sinos atrás da fonte com a tampa bamba de carvalho sustentada por rebites e correntes de ferro por sobre uma fenda imensa, e acima de tudo o vicariato com a caótica salinha dos fundos depois da cozinha onde Edmund larga a sua sacola num linóleo de tabuleiro de xadrez, e o infantário no último andar, bem como o nosso. Eu estava me sentindo vagamente nostálgica. Se pelo menos o Haley tivesse ido, ou feito o Edmund ir, até o banheiro para ver os painéis de tábuas macho e fêmea até a altura da cintura, pintados de azul-bebê, e a banheira gigante, manchada por algas verde-azuladas embaixo das torneiras, imóvel sobre quatro pés de leão enferrujados. E ao lavabo, onde um patinho de banheira desbotado pendia da ponta da corrente da cisterna. Eu era a mais simples das leitoras. Só queria o meu mundo, comigo dentro, devolvido para mim de maneiras artísticas e de uma forma acessível.

O manso Giles me atraía pelas mesmas associações, mas era Edmund que eu queria. Queria? Para viajar comigo. Eu queria que Haley examinasse a mente de Edmund para mim, que ele a abrisse para a minha inspeção, e que me explicasse tudo dali, de homem para mulher. Edmund me lembrava Max, e Jeremy. E Tony acima de tudo. Aqueles homens inteligentes, amorais, inventivos, destrutivos, homens determinados, egoístas, gélidos, gelidamente atraentes. Acho que eu preferia esses homens ao amor de Jesus. Eles eram tão necessários, e não apenas para mim. Sem eles nós ainda estaríamos vivendo em cabanas de barro, esperando que alguém inventasse a roda. A rotação de culturas na agricultura nunca teria acontecido. Umas ideias tão proibidas na aurora da segunda onda do feminismo. Fiquei olhando para o asterisco. Haley tinha me incomodado mesmo, e fiquei imaginando se ele era um desses homens necessários. Eu me sentia violada por ele, e nostálgica e curiosa, tudo ao mesmo tempo. Até ali eu não tinha feito nenhuma marca a lápis. Não era justo que um merdinha como Edmund ganhasse um discurso cínico brilhante e fosse elogiado, mas era certo, parecia verdade. Aquela imagem dele dançando entre os túmulos enquanto voltava para contar ao irmão como tinha sido tudo um grande sucesso sugeria um orgulho trágico. Haley estava sugerindo que o castigo ou a queda deveriam estar por vir. Eu não queria que estivessem. Tony já tinha sido castigado e isso me bastava. Os escritores tinham para com os seus leitores uma dívida de cuidado, de misericórdia. O asterisco da *Kenyon Review* estava começando a girar sob o meu olhar fixo. Pisquei para ele parar e segui com a leitura.

Não tinha me ocorrido que, com metade do conto contado, Haley fosse introduzir outro personagem importante. Mas ela estava lá durante todo o culto, sentada no fim da terceira fila, bem junto da parede, perto dos hinários empilhados, sem que Edmund a percebesse. O nome dela é Jean Alise. Rapidamente fica estabelecido que ela tem trinta e cinco anos, vive no local, é viúva e algo rica, devota, mais ainda desde a morte do marido num acidente de moto, tem alguma doença psiquiátrica no seu passado e, lógico, é linda. O sermão de Edmund tem um efeito profundo, e até devastador, sobre ela. Ela adora aquela mensagem e compreende a sua verdade, ela adora a poesia e se sente vigorosamente atraída pelo homem que lhe dá voz. Fica acordada a noite inteira pensando no que fazer. Não é o que ela desejaria, mas está se apaixonando e está preparada para ir ao vicariato e contar tudo. Ela não pode evitar, está pronta a destruir o casamento do vigário.

Às nove horas da manhã seguinte ela toca a campainha do vicariato e é Giles, de roupão, que atende. Ele está começando a se recuperar, mas ainda está pálido e abatido. Para o meu alívio, Jean percebe imediatamente que aquele não é o homem que ela quer. Ela descobre que há um irmão e o segue até Londres, até o endereço que Giles inocentemente forneceu. É um apartamentinho mobiliado em Chalk Farm, onde Edmund está estabelecendo uma base temporária enquanto passa pelo divórcio.

São tempos tensos e ele não consegue resistir a uma linda mulher que parece desesperada para lhe dar tudo o que ele quiser. Ela fica duas semanas inteiras e Edmund faz amor apaixonadamente com ela — Haley descreve a intimidade deles em detalhes que eu acho difíceis. O clitóris dela é *monstruoso, do tamanho do pênis de um menino pré-púbere.* Ele nunca conheceu uma amante tão generosa. Jean logo decide que está atada a Edmund para o resto da vida. Quando fica sabendo que o seu homem é ateu, entende que a tarefa que lhe foi atribuída é levá-lo até a luz de Deus. Sabiamente, ela não menciona a sua missão e espera. Ela só precisa de alguns dias para perdoar a blasfêmia que foi o ato de ele se passar pelo irmão.

Edmund, enquanto isso, está lendo e relendo sozinho uma carta de Molly, que acena fortemente com a possibilidade de uma reconciliação. Ela o ama, e se ele somente pudesse parar com os seus casos poderia haver uma forma de eles serem novamente uma família. As crianças estão muito tristes sem ele. Vai ser difícil sair dessa, mas ele sabe o que tem que fazer. Felizmente, Jean vai até a sua casa com fosso em Sussex para cuidar dos cavalos e dos cachorros e de outros assuntos. Edmund chega na casa da família e passa uma hora com a esposa. Tudo corre bem, ela está muito bonita, ele faz promessas que tem certeza de que pode cumprir. As crianças chegam da escola e eles tomam chá juntos. Como nos velhos tempos.

Quando ele conta a Jean no dia seguinte, enquanto eles comem uma fritada no café da manhã num restaurantinho local, que vai voltar para a esposa, a notícia gera um episódio psiquiátrico assustador. Ele não tinha percebido até aquele momento o quanto era frágil a saúde mental dela. Depois de quebrar o prato em que estava comendo, ela sai correndo do café e vai para a rua. Ele decide não ir atrás dela. Em vez disso, corre até o apartamento e faz as malas, deixa o que acha que é um bilhete delicado para Jean e volta de novo para casa. O êxtase do reencontro dura três dias, até que Jean volta à vida dele com toda a força.

O pesadelo começa com ela aparecendo na casa deles e fazendo uma cena na frente de Molly e das crianças. Ela escreve cartas para Molly e para Edmund, aborda as crianças no caminho da escola, liga várias vezes todo dia e muitas vezes tarde da noite. Diariamente ela fica plantada na frente da casa, esperando para falar com qualquer membro da família que ouse sair. A polícia não faz nada porque eles dizem que Jean não está violando lei alguma. Ela segue Molly até o trabalho — ela é diretora de uma escola primária — e faz uma das suas cenas horrendas no parquinho.

Dois meses se passam. *Uma perseguição desse tipo pode tanto unir uma família com novos laços de solidariedade quanto destruí-la.* Mas, no casamento dos Alfredus, os laços ainda são fracos, o dano dos anos anteriores ainda não foi reparado. É esse sofrimento, Molly diz a Edmund na última conversa franca dos dois, o que ele causou à família deles. Ela tem que proteger as crianças bem como a sua sanidade e o seu emprego. Mais uma vez ela pede que ele vá embora. Ele reconhece que a situação é insustentável. Quando ele está saindo de casa com as suas malas, Jean está à sua espera na calçada. Ele chama um táxi. Depois de uma briga violenta, presenciada por Molly da janela de um quarto, Jean se enfia no carro ao lado do seu homem, cujo rosto ela arranhou inteiro. Ele chora pelo seu casamento durante todo o caminho até Chalk Farm, de volta ao apartamento que ela manteve como um santuário ao amor deles. Ele não percebe o braço dela que o abraça dando consolo nem a promessa dela de amá-lo e estar sempre com ele.

Agora que eles estão juntos, ela é sã, prática e amorosa. Por algum tempo é difícil imaginar que aqueles episódios terríveis aconteceram, e é fácil para ele, na sua angústia, submeter-se aos bondosos cuidados dela, voltar a ser o seu amante. Mas vez por outra *ela se deixava vagar na direção das nuvens negras onde se formavam aqueles tornados emocionais.* Nem mesmo a confirmação legal do divórcio dele consegue deixar Jean satisfeita. Ele teme os seus momentos explosivos e faz tudo que pode para evitá-los. O que detona essas situações? Quando ela suspeita que ele está pensando em outra, ou olhando para outra mulher, quando ele fica até tarde na Câmara para uma sessão noturna, quando sai para beber com os amigos esquerdistas, quando posterga mais uma vez o casamento civil. *Ele odiava confrontos e era um preguiçoso nato, portanto gradualmente as erupções do ciúme dela o domesticaram segundo o que ela desejava.* Acontece devagar. Ele vai achando mais fácil ficar longe de antigas amantes que viraram amigas, ou de colegas mulheres em geral, cada vez mais fácil ignorar o sino no Parlamento e as exigências da liderança do Partido e dos seus membros, e cada vez mais fácil na verdade casar do que enfrentar as consequências — aquelas tempestades horrendas — de continuar a procrastinar.

Na eleição de 1970, que leva Edward Heath ao poder, Edmund perde o mandato e é chamado pelo seu agente, que lhe diz que o Partido não vai apresentar a candidatura dele na próxima vez. Os recém-casados se mudam para a linda casinha dela em Sussex. Ele se tornou financeiramente dependente de Jean. Mal pensa hoje em dia no Sindicato dos Maquinistas do Metrô ou nos outros amigos que deixou para trás. Tanto melhor, porque aquele ambiente opulento o deixa constrangido. As visitas dos filhos dele parecem precipitar as cenas desagradáveis e então, gradualmente, ele se junta *àquela lastimável legião de homens passivos que abandonam os filhos para aplacar a segunda esposa*. Mais fácil também assistir aos cultos semanais na igreja do que enfrentar mais gritaria. À medida que se aproxima dos sessenta anos ele começa a se interessar pelas rosas do jardim murado da propriedade e se torna um especialista nas carpas do fosso. Ele aprende a andar a cavalo, embora jamais consiga se livrar da sensação de que fica ridículo montando. No entanto, a sua relação com o irmão nunca esteve melhor. Quanto a Jean, na igreja enquanto vê com olhos furtivamente entreabertos Edmund se ajoelhar ao seu lado durante a bênção que se segue ao sermão do reverendo Alfredus, ela sabe que *por mais que tenha sido difícil o caminho, e que seus esforços lhe tenham causado dor, ela estava levando seu marido cada vez mais para perto de Jesus, e isso, sua realização mais importante na vida, só havia sido possível graças ao poder redentor e resistente do amor.*

E era isso. Foi só quando cheguei ao fim que eu percebi que tinha deixado de pensar direito no título. "Eis o amor". Ele parecia vivido demais, sabido demais, esse sujeito de vinte e sete anos de idade que seria o meu alvo inocente. O que eu via ali era um homem que sabia o que era amar uma mulher destrutiva atormentada por tempestades internas, um homem que tinha prestado atenção na tampa de uma fonte antiga, que sabia que os ricos enchiam os fossos de carpas e os oprimidos guardavam as suas coisas em carrinhos de supermercado — tanto os supermercados quanto os carrinhos eram adições recentes à vida na Inglaterra. Se a genitália mutante de Jean não era uma invenção mas sim uma lembrança, então eu já estava me sentindo diminuída ou desclassificada. Será que eu estava com um tantinho de ciúme do caso dele?

Eu estava guardando a pasta, cansada demais para ler mais um conto. Tinha passado por uma forma peculiar de sadismo narrativo voluntário. Alfredus pode ter feito por merecer o estreitamento da sua vida, mas foi Haley quem o jogou no chão. A misantropia ou o desprezo por si próprio — será que eram coisas completamente diferentes? — devia fazer parte dele. Eu estava descobrindo que a experiência da leitura fica enviesada quando você conhece, ou está prestes a conhecer, o autor. Eu tinha entrado na mente de um estranho. Uma curiosidade vulgar tinha me feito ficar imaginando se cada frase confirmava ou negava ou mascarava uma intenção secreta. Eu estava me sentindo mais perto de Tom Haley do que estaria se ele tivesse sido meu colega no Registro pelos últimos nove meses. Mas se sentia certa intimidade, era difícil dizer exatamente o que eu sabia. Precisava de um instrumento, de algum aparelho de medição, do equivalente narrativo de uma rosa dos ventos móvel que me permitisse avaliar a distância entre Haley e Edmund Alfredus. O autor podia ter mantido os seus próprios demônios longe do texto. Talvez Alfredus — um homem sem importância, acima de tudo — representasse o tipo de pessoa que Haley tinha medo de virar. Ou ele pode ter castigado Alfredus num espírito de correção moral, por adultério, e presumindo encarnar um homem pio. Haley podia ser um pedante, e até um pedante religioso, ou podia ser um homem com muitos medos. E pedantismo e medo podiam ser aspectos gêmeos de um defeito de personalidade ainda maior. Se eu não tivesse perdido três anos sendo ruim em matemática em Cambridge, podia ter feito letras e aprendido a ler. Mas será que eu teria sabido ler T.H. Haley?

9.

Na noite seguinte eu tinha marcado de encontrar Shirley no Hope and Anchor, em Islington, para assistir ao show do Bees Make Honey. Cheguei meia hora atrasada. Ela estava sentada sozinha no bar, fumando, debruçada sobre o seu caderninho, com uns três dedos de cerveja ainda no caneco. Estava quente lá fora, mas tinha chovido muito e o bar estava com um cheiro canino de jeans e cabelo molhados. As luzes dos amplificadores cintilavam num canto onde um *roadie* solitário estava preparando o equipamento. O público, que provavelmente incluía a banda e os amigos da banda, mal ultrapassava duas dúzias de pessoas. Naqueles tempos, pelo menos no meu círculo de conhecidos, nem as mulheres se abraçavam quando se viam. Eu subi no banquinho ao lado de Shirley e pedi bebidas. Ainda era alguma coisa, naquele tempo, duas meninas acharem que um *pub* era tão delas quanto de qualquer cara e ficarem bebendo no bar. No Hope and Anchor e num punhado de outros lugares em Londres ninguém dava bola. A revolução tinha chegado e você podia fazer dessas. Nós fingíamos que nem pensávamos no assunto, mas ainda era uma coisa bacana. Em outros pontos do país eles teriam nos tomado por putas, ou teriam nos tratado como se fôssemos.

No escritório nós almoçávamos juntas, mas ainda havia algo entre nós, um pedacinho de um resíduo sujo que restou daquela breve discussão. Se as ideias políticas dela eram tão infantis ou teimosas, o quanto ela podia ser minha amiga? Mas em outros momentos eu acreditava que o tempo resolveria aquilo e que, meramente por contágio no escritório, as opiniões políticas dela ficariam mais maduras. Às vezes *não* conversar é o melhor jeito de enfrentar uma dificuldade. Essa modinha de "verdade" pessoal, e de confrontar as coisas, estava causando muitos prejuízos, na minha opinião, e acabando com muitas amizades e casamentos.

Não muito antes desse nosso encontro, Shirley tinha desaparecido da mesa dela por quase um dia inteiro e parte do dia seguinte. Ela não estava doente. Alguém tinha visto ela entrar no elevador e tinha visto o botão que ela havia apertado. A fofoca era que ela tinha sido chamada no quinto andar, as místicas alturas onde os nossos mestres conduziam os seus negócios misteriosos. Diziam as más-línguas também que como ela era mais inteligente que nós, estava a fim de um tipo incomum de promoção. Na grande facção das debutantes da sociedade isso provocou um esnobismo amistoso do tipo "Ah, se *eu* tivesse nascido na classe operária". Eu verifiquei o que eu estava sentindo. Eu ia ficar com ciúme de ter sido deixada para trás pela minha melhor amiga? Eu achava que sim.

Quando voltou ao grupo, ela ignorou todas as perguntas e não disse nada, nem se deu o trabalho de mentir, o que quase todo mundo considerou um sinal do nível superior a que ela tinha chegado. Eu não tinha tanta certeza assim. Aquele rosto cheio dela às vezes dificultava a leitura das suas expressões, sendo aquela gordura subcutânea a máscara por trás da qual ela vivia. O que teria feito esse tipo de trabalho ser uma boa pedida para ela, desde que as mulheres tivessem missões diferentes daquela de limpar casas. Mas eu achava que a conhecia bem. Nenhum triunfo nisso. Será que estava me sentindo só um pouquinho aliviada? Achava que sim. Aquele era o nosso primeiro encontro fora do escritório depois daquilo. Eu estava determinada a não fazer perguntas sobre o quinto andar. Teria parecido baixo. Além disso, eu agora tinha a minha própria missão e a minha promoção, mesmo que elas emanassem de dois andares abaixo do dela.

Ela mudou para um gim com laranja, dos grandes, e eu tomei a mesma coisa. Falando baixo nós trocamos fofocas do escritório pelos primeiros quinze minutos. Agora que não éramos mais novatas, nós nos sentíamos livres para ignorar certas regras. Havia um novo assunto de peso. Uma das nossas colegas, a Lisa — Oxford High, St. Anne's, brilhante e um doce de pessoa —, tinha acabado de anunciar o seu noivado com um funcionário burocrático chamado Andrew — Eton, King's College, infantil e intelectual. Era a quarta aliança desse tipo em nove meses. Se a Polônia tivesse entrado para a OTAN não teria causado mais rebuliço entre os empregados do que essas negociações bilaterais. Parte do interesse era especular sobre quem seriam os próximos. "Quem com quem?", como algum palhaço leninista declarou. Antes disso, eu já tinha sido vista no banquinho da Berkeley Square com Max. Sentia um arrepio na barriga cada vez que ouvia os nossos nomes citados nessas conversas, mas ultimamente nós tínhamos sido trocados por apostas mais tangíveis. Então Shirley e eu discutimos Lisa e o consenso geral de que a data do casamento dela era muito distante, e aí mencionamos as chances de Wendy com uma figura que talvez fosse demais para ela — o seu Oliver era assistente do chefe da seção. Mas achei que havia algo insípido ou monótono na nossa conversa. Senti que Shirley estava como que se contendo, erguendo o copo com uma frequência exagerada, como quem quer ganhar coragem.

E, de fato, ela pediu outro gim, deu um gole, hesitou, e aí disse, "Eu tenho que te dizer uma coisa. Mas primeiro você precisa fazer um negócio pra mim".

"Diga."

"Sorria, como você estava agora há pouco."

"Como?"

"Só faça o que eu disse. Nós estamos sendo vigiadas. Finja que está sorrindo. A gente está no meio de uma conversa feliz. Tudo bem?"

Eu estiquei os lábios.

"Você consegue fazer melhor que isso. Não fique congelada."

Eu me esforcei mais, balancei a cabeça e dei de ombros, tentando fazer cara de animada.

Shirley disse, "Eu fui demitida".

"Não pode ser!"

"Hoje."

"Shirley!"

"Não pare de sorrir. Você não pode contar pra ninguém."

"Tudo bem, mas por quê?"

"Eu não posso te contar tudo."

"Você não pode ter sido demitida. Não faz sentido. Você é melhor que todo mundo ali."

"Eu podia ter te contado em algum lugar privado. Mas os nossos quartos não são seguros. E eu quero que eles me vejam conversando com você."

O guitarrista principal tinha colocado a guitarra no ombro. Ele e o baterista estavam, com o *roadie* agora, os três debruçados sobre algum equipamento que estava no chão. Houve um uivo de microfonia, logo contido. Fiquei encarando o público, grupos de pessoas de costas para nós, quase todos homens, ali parados com os seus canecos esperando que a banda começasse. Será que um ou dois deles podiam ser do A4, os Vigilantes? Eu achava difícil.

Eu disse, "Você acha mesmo que estão te seguindo".

"Não, não eu. *Você*."

O meu riso foi sincero. "Isso é ridículo."

"Sério. Os Vigilantes. Desde que você entrou pro Serviço. Eles provavelmente já entraram no seu quarto. Colocaram microfone. Serena, não pare de sorrir."

Eu me virei de novo para o público. O cabelo comprido era minoritário entre os homens naquela época, e os terríveis bigodes e costeletas gigantes ainda estavam alguns anos no futuro. Então, montes de figuras ambíguas, montes de candidatos. Achei que podia ver meia dúzia. Aí, de repente, todo mundo ali parecia uma possibilidade.

"Mas, Shirley. Por quê?"

"Achei que você é que podia me dizer."

"Não existe nada disso. Você inventou tudo."

"Olha, eu tenho que te contar uma coisa. Fiz um negócio estúpido e estou com muita vergonha. Não sei como dizer. Eu ia dizer ontem, aí a minha coragem sumiu. Mas tenho que ser honesta. Eu fodi com tudo."

Ela respirou fundo e pegou mais um cigarro. As mãos dela estavam tremendo. Nós demos uma olhada na direção da banda. O baterista estava sentando, regulando o chimbau, se exibindo com as baquetas.

Shirley disse finalmente, "Antes de a gente ir limpar aquela casa, eles me chamaram. O Peter Nutting, o Tapp, aquele sujeitinho medonho, Benjamin não sei das quantas".

"Jesus. Por quê?"

"Eles mandaram ver. Disseram que eu estava indo bem,

chances de promoção, assim meio que me amaciando. Aí disseram que sabiam que a gente era chegada. O Nutting me perguntou se você já tinha dito alguma coisa esquisita ou suspeita. Eu disse que não. Eles perguntaram do que a gente falava."

"Meu Deus. O que foi que você disse?"

"Eu devia ter mandado eles irem pastar. Não tive coragem. Não tinha nada pra esconder, aí eu disse a verdade. Eu disse que a gente falava de música, dos amigos, da família, do passado, conversa fiada, nada de mais mesmo." Ela me olhou com um leve toque de acusação. "Você ia ter feito a mesma coisa."

"Não sei não."

"Se eu não tivesse dito nada eles iam ficar mais desconfiados ainda."

"Certo. E daí?"

"O Tapp me perguntou se a gente chegava a falar de política e eu disse que não. Ele disse que achava difícil acreditar, eu disse que era verdade. A gente ficou andando em círculos um tempinho. Aí eles disseram tudo bem, que agora eles iam me pedir uma coisa mais delicada. Mas era muito importante e eles iam ficar muito agradecidos se eu tivesse como ajudar, e coisa e tal e tal e coisa, você sabe como eles são ensebados quando eles falam assim."

"Acho que sei."

"Eles queriam que eu começasse uma conversa política com você, e que eu soasse que nem uma esquerdistinha enrustida de verdade, pra te provocar e ver qual era a tua e..."

"Avisar para eles."

"Pois é. Eu estou com vergonha. Mas não fique brava. Eu estou tentando ser franca com você. E não esquece de sorrir."

Fiquei olhando para ela, aquele rosto gordo com o seu punhado de sardas. Estava tentando odiar a Shirley. Quase consegui. Eu disse, "Sorria *você*. Fingir é a sua área".

"Desculpa."

"Então aquela conversa toda... você estava trabalhando."

"Escuta, Serena, eu votei no *Heath*. Então tudo bem que eu estava trabalhando, e eu me odeio por causa disso."

"Aquele paraíso operário perto de Leipzig era tudo mentira?"

"Não, foi uma viagem de verdade da escola. Chata à beça. E eu fiquei com saudade, chorando que nem neném. Mas escuta, você foi superbem, você disse tudo que tinha que dizer."

"E você relatou tudinho!"

Ela estava olhando para mim cheia de arrependimento, balançando a cabeça. "Aí é que está. Eu não relatei. Eu fui falar com eles naquela noite e disse que não conseguia, que não ia brincar mais daquilo. Nem disse que a gente tinha conversado que nem eles queriam. Eu disse que não ia ficar de informante com a minha amiga."

Desviei os olhos. Agora estava confusa mesmo, porque até queria que ela tivesse contado o que eu tinha dito. Mas eu não podia dizer isso para a Shirley. Nós ficamos tomando o nosso gim em silêncio por meio minuto. O baixista já estava no palco e o treco no chão, algum tipo de caixa de conexão, ainda estava dando encrenca. Eu olhei em volta. Ninguém ali no *pub* estava olhando na nossa direção.

Eu disse, "Se eles sabem que nós somos amigas eles devem ter imaginado que você ia me contar o que eles pediram para você fazer".

"Exatamente. Eles estão te dando um recado. Talvez eles estejam te avisando pra você se cuidar com alguma coisa. Eu me abri com você. Agora me conta. Por que eles estão interessados em você?"

Claro que eu nem tinha ideia. Mas estava brava com ela. Não queria ficar com cara de ignorante — não, mais que isso, queria que ela achasse que havia questões que eu preferia não discutir. E eu não sabia bem se acreditava no que ela estava me dizendo.

Devolvi a pergunta. "Então eles te demitiram porque você não quis trabalhar de informante com uma colega? Isso não está me parecendo muito plausível."

Ela demorou bastante para pegar os cigarros, oferecer um, acender. Nós pedimos mais bebidas. Eu não queria outro gim, mas a minha cabeça estava uma bagunça e eu não conseguia pensar em outra coisa para beber. Então nós tomamos mais uma rodada. Eu estava quase sem dinheiro.

"Bom", ela disse. "Eu não quero falar desse assunto. Mas é isso. Essa carreira aqui está acabada. Eu nunca achei que ia durar mesmo. Vou voltar pra casa e cuidar do meu pai. Ele anda meio desorientado ultimamente. Vou dar uma mão na loja. E posso até escrever alguma coisinha. Mas olha só. Eu queria que você me contasse o que anda acontecendo."

E aí, num repentino gesto de afeto, que evocava os velhos tempos da nossa amizade, ela agarrou a lapela do meu casaco de algodão e sacudiu. Me fazendo tomar juízo. "Você se meteu em alguma coisa. É um negócio de louco, Serena. Eles andam e falam como se fossem só uns engomadinhos, e *são*, mas eles podem ser malvados. É nisso que eles são bons. Eles são *maus*."

Eu disse, "Veremos".

Eu estava angustiada e completamente desorientada, mas queria castigar Shirley, fazer ela ficar preocupada comigo. Eu quase estava conseguindo me convencer de que eu tinha mesmo um segredo.

"Serena. Você pode me contar."

"É complicado demais. E por que é que eu ia te contar alguma coisa? Afinal você nem pode fazer algo a respeito, não é? Você é pé-rapado que nem eu. Ou era."

"Você anda falando com o outro lado?"

Era uma pergunta chocante. Naquele momento embriagado e imprudente eu quis realmente ter um controlador russo e uma vida dupla, e entregas de documentos em Hampstead Heath ou, melhor ainda, quis ser uma agente dupla, fornecendo verdades inúteis e mentiras destrutivas a um sistema estrangeiro. Pelo menos eu tinha T.H. Haley. E por que eles me dariam esse encargo se eu estava sob suspeita?

"Shirley, *você* é o outro lado."

A resposta dela se afogou nos primeiros acordes de "Knee trembler", uma das nossas velhas favoritas, mas dessa vez nós não nos divertimos. Era o fim da nossa conversa. Beco sem saída. Ela não ia me dizer por que tinha sido demitida, eu não ia contar o segredo que não tinha. Um minuto depois, ela escorregou do banquinho e saiu sem dizer ou acenar um adeus. Eu não teria respondido mesmo. Fiquei ali sentada um tempo, tentando curtir a banda, tentando me acalmar e pensar direito. Quando tinha terminado o meu gim, tomei o resto do da Shirley. Não sabia o que me deixava mais transtornada, a minha amiga ou os meus chefes me espionando. A traição da Shirley era imperdoável, a dos meus chefes, amedrontadora. Se eu estava sob suspeita, devia ter sido um erro administrativo, mas isso não fazia Nutting e companhia limitada serem menos assustadores. Também não era um consolo ficar sabendo que eles tinham mandado os Vigilantes até o meu quarto, e que num momento de incompetência alguém tinha derrubado o meu marcador de página.

Sem pausa a banda entrou direto na segunda música, "My rockin' days". Se eles estavam mesmo aqui, entre os fregueses e os seus canecos, os Vigilantes estariam muito mais perto dos alto-falantes do que eu estava. Imaginei que aquilo não devia ser música para eles. Aqueles tipos fleumáticos do A4 seriam mais do gênero "boa música". Eles iam odiar essa batida violenta e estridente. Isso me dava algum conforto, mas só isso.

Decidi ir para casa e ler mais um conto.

Ninguém sabia como Neil Carder tinha ganhado o dinheiro que tinha ou o que ele estava fazendo sozinho numa mansão de oito dormitórios em Highgate. Quase nenhum dos vizinhos que passavam ocasionalmente por ele na rua sabia o seu nome. Ele era um sujeito de aparência normal, chegando aos quarenta anos, com um rosto estreito e pálido, muito tímido e com modos desajeitados, e sem talento algum para o tipo de conversa fiada que podia levá-lo a entabular relações locais. Mas não causava problemas, e mantinha a casa e o jardim bem cuidados. Se o nome dele surgia nas fofocas dali, o motivo geralmente era o grande Bentley 1959 branco que estava sempre estacionado na frente da casa. O que será que um sujeitinho bisonho como o Carder estava fazendo com um carrão exibido como aquele? Um outro tema de especulação era a empregada nigeriana jovem, animada e de roupas coloridas que vinha seis vezes por semana. Abeje fazia as compras, cuidava da roupa e cozinhava, ela era atraente e popular com as atentas donas de casa. Mas será que ela era também amante do sr. Carder? Parecia uma coisa tão improvável que as pessoas até se viam tentadas a pensar que era verdade. Esses homens calados e pálidos, nunca se sabe... Mas também, eles nunca eram vistos juntos, ela nunca estava no carro dele, sempre saía logo depois da hora do chá e esperava o ônibus de Willesden no alto da rua. Se Neil Carder tinha uma vida sexual, ela era limitada à casa e estritamente das nove às cinco.

As circunstâncias de um casamento curto, uma grande herança inesperada e um temperamento contido e nada aventureiro tinham se combinado para esvaziar a vida de Carder. Tinha sido um erro comprar uma casa tão grande numa parte desconhecida de Londres, mas ele não conseguia se motivar a ir procurar outra para comprar. E para quê? Os poucos amigos e colegas dele no funcionalismo tinham sido afastados por aquela imensa riqueza repentina. Talvez eles tivessem inveja. De um jeito ou de outro, as pessoas não estavam fazendo fila para ajudá-lo a gastar aquele dinheiro. Além da casa e do carro, ele não tinha grandes ambições materiais, nenhum interesse apaixonado que pudesse finalmente realizar, nenhum impulso filantrópico, e viagens ao exterior não o atraíam. Abeje era certamente um bônus, e ele tinha lá as suas fantasias a respeito dela, mas ela era casada e tinha dois filhos pequenos. O marido, que também era nigeriano, tinha sido goleiro da seleção nacional. Uma olhadinha numa foto dele bastava para que Carder soubesse que aquilo não era para ele, ele não era o tipo de Abeje.

Neil Carder era um camarada sem graça e a vida dele o estava deixando ainda mais sem graça. Ele dormia tarde, verificava a cotação das suas ações e falava com o corretor, lia um pouco, via TV, caminhava pelo Heath de vez em quando, às vezes frequentava bares e clubes, na esperança de conhecer alguém. Mas era tímido demais para tomar a iniciativa e nada acontecia. Ele sentia que estava em suspensão, à espera de que uma nova vida começasse, mas se sentia incapaz de dar o primeiro passo. E quando finalmente ela começou, foi de um jeito muito normal. Ele estava caminhando pela Oxford Street, na altura do Marble Arch, voltando do dentista na Wigmore Street, quando passou por uma loja de departamentos com imensas vitrines atrás das quais ficava uma vasta seleção de manequins em diversas posições, trajando roupas de festa. Ele se deteve um momento para olhar, sentiu vergonha, andou mais uns passos, hesitou, e voltou. Os bonecos — ele veio a odiar aquele termo — estavam dispostos de maneira a sugerir uma reunião de gente sofisticada na hora dos coquetéis. Uma mulher se inclinava para a frente, como quem divulga um segredo, outra erguia um rígido braço branco em divertida descrença, uma terceira, langorosamente entediada, olhava por sobre o ombro para um camarada misterioso de *smoking* que estava encostado na parede com o seu cigarro apagado.

Mas Neil não estava interessado em nada disso. Ele estava olhando para uma jovem que tinha se afastado de todo o grupo. Ela estava contemplando uma gravura — uma vista de Veneza — na parede. Mas não exatamente. Por causa de um erro de alinhamento que a pessoa que arrumou a vitrine tinha cometido, ou, como ele súbito se viu imaginando, *por um grau de obstinação da própria mulher, o olhar dela se desviava do quadro vários centímetros e estava dirigido diretamente para o canto. Ela estava seguindo uma ideia, um pensamento, e pouco ligava para a impressão que causasse.* Ela não queria estar ali. Estava usando um vestido laranja de seda com pregas simples e, ao contrário de todos os outros, estava descalça. Os sapatos dela — tinham de ser os sapatos dela — estavam caídos de lado perto da porta, abandonados quando ela entrou. Ela adorava a liberdade. Numa mão ela segurava *uma bolsinha de contas negras e laranja, enquanto a outra pendia a seu lado, pulso dobrado para longe do corpo no que ela se perdia na sua ideia. Ou talvez numa lembrança. A cabeça dela estava levemente abaixada para revelar a pura linha do pescoço. Os seus lábios estavam separados, mas só um pouco, como se estivesse formulando uma ideia, uma palavra, um nome...* Neil.

Ele se sacudiu para acordar. Sabia que era absurdo e seguiu adiante determinadamente, dando olhadelas no relógio para se convencer de que de fato tinha um objetivo. Mas não tinha. À espera dele estava apenas uma casa vazia em Highgate. Abeje já teria saído quando ele chegasse em casa. Ele não ia nem poder contar com o mais recente boletim a respeito dos filhinhos dela. Ele se forçou a seguir em frente, bem consciente de que uma forma de loucura estava à espreita, pois uma ideia se formava, e ganhava certa urgência. Foi um triunfo da sua força de vontade ele ter conseguido ir até Oxford Circus antes de voltar. Já o que não era tão bom era o fato de ele ter se apressado ao longo de todo o caminho até a loja. Dessa vez ele não se sentiu constrangido enquanto ficava olhando para ela, contemplando aquele seu momento íntimo. O que viu agora foi o rosto dela. Tão pensativo, tão triste, tão lindo. Ela estava tão distante dos outros, tão só. A conversa à sua volta era rasa, ela já tinha ouvido aquilo tudo, aquele não era o seu grupo, não era o seu meio. Como ela poderia se libertar? Era uma fantasia doce e agradável, e naquele estágio Carder não tinha dificuldades para reconhecer que *era* uma fantasia. Aquela mostra de sanidade lhe dava ainda mais liberdade para se deixar levar enquanto as multidões de compradores se desviavam dele na calçada.

Mais tarde, ele não conseguia lembrar de ter ponderado ou tomado uma decisão. Com o sentimento de um destino já formado, ele entrou na loja, falou com uma pessoa, foi encaminhado a outra, depois a uma terceira de nível mais alto que recusou terminantemente. Inconcebível. Fez-se menção a uma soma, sobrancelhas se ergueram, convocou-se um superior, a soma foi duplicada e a questão, resolvida. Até o fim da semana? Não, tinha que ser agora, e o vestido tinha que ir também, e ele queria comprar vários outros do tamanho certo. *Os vendedores e os gerentes ficaram em volta dele. Eles tinham nas mãos, não pela primeira vez, um excêntrico. Um homem apaixonado. Todos os presentes sabiam que uma venda considerável ia se realizar.* Pois aqueles vestidos não eram baratos, nem os vários pares de sapatos que combinavam com eles, e a lingerie de seda. E ainda — como era calmo e decidido aquele camarada — as joias. E, aliás, o perfume. Tudo fechado em duas horas e meia. Um furgão de entregas imediatamente estava livre, o endereço de Highgate foi anotado, o pagamento foi feito.

Naquela noite, ninguém a viu chegar nos braços do motorista.

Nesse momento eu levantei da minha poltrona de leitura e desci para fazer um chá. Ainda estava meio bêbada, ainda incomodada com a minha conversa com Shirley. Estava sentindo que ia começar a duvidar da minha própria sanidade se começasse a procurar um microfone escondido no meu quarto. Também estava me sentindo vulnerável à frágil noção de realidade de Neil Carder. Ela podia fragilizar a minha. E será que ele seria mais um personagem a ser pisoteado pela botina narrativa de Haley por ter entendido tudo errado? Com certa relutância, levei o chá para cima e sentei na beira da cama, criando a vontade de pegar mais algumas das páginas de Haley. Claramente a ideia era que o leitor não obtivesse nenhum alívio da loucura do milionário, ele não teria chance alguma de ficar do lado de fora e ver aquilo como era de verdade. Não havia a menor possibilidade de que essa história melosa terminasse bem.

Finalmente eu voltei para a poltrona e fiquei sabendo que o nome do manequim era Hermione, que por acaso era o nome da ex-esposa de Carder. Ela havia largado dele numa bela manhã, depois de menos de um ano. Naquela noite, enquanto Hermione ficava nua na cama, ele esvaziou um guarda-roupa para ela no closet e pendurou as roupas e guardou os sapatos dela. Ele tomou uma ducha, e aí eles se vestiram para o jantar. Ele desceu para arrumar em dois pratos a refeição que Abeje tinha preparado para ele. Era só esquentar. Aí voltou para o quarto para levá-la até a esplêndida sala de jantar. Eles comeram em silêncio. A bem da verdade, ela não tocou na comida e não olhava nos olhos dele. Ele entendeu o motivo. A tensão entre eles era quase insuportável — um dos motivos por que ele bebeu duas garrafas de vinho. *Ele estava tão bêbado que teve de carregá-la para o andar de cima.*

Que noitada! Ele era um daqueles homens para quem a

passividade da mulher era uma aguilhoada, um encorajamento agudo. Mesmo no êxtase ele via o tédio nos olhos dela, que o levava a novas alturas de deleite. Finalmente, não muito antes de nascer o sol, eles rolaram para os seus lados da cama, saciados, imobilizados por uma profunda exaustão. Horas depois, despertado pelo sol que entrava através das cortinas, ele conseguiu se virar de lado. Ficou profundamente tocado ao perceber que ela tinha passado a noite toda de costas. *Ele se encantava com a imobilidade dela. Aquela contenção era tão intensa que ele se enrodilhava em si próprio como que para se tornar o seu oposto, uma força que o dominava e o consumia e levava seu amor sempre adiante, a uma constante obsessão sensual.* O que tinha começado como uma fantasia à toa na frente de uma vitrine era agora um mundo interior intacto, uma realidade vertiginosa que ele preservava com o fervor de um fanático religioso. Ele não podia se permitir pensar nela como inanimada porque o seu prazer no amor dependia de uma compreensão masoquista de que *ela o estava ignorando, ela o desdenhava e achava que ele não merecia seus beijos, suas carícias, nem sequer suas palavras.*

Quando Abeje veio arrumar e limpar o quarto, ficou surpresa ao ver Hermione num canto, olhando pela janela, usando um vestido de seda rasgado. Mas a empregada ficou feliz ao descobrir num dos guarda-roupas uma fileira de belos vestidos. Era uma mulher inteligente e cosmopolita e tinha percebido o constante olhar morno do seu patrão, e tinha se sentido algo oprimida por ele, enquanto fazia o seu trabalho. Agora ele tinha uma amante. Que alívio. Se essa mulher tinha trazido um manequim para pendurar as roupas, isso era problema de quem? Como a extrema desordem da roupa de cama sugeria, e como transmitiu naquela noite no seu ioruba nativo ao seu musculoso marido, *Eles estão cantando de verdade.*

Mesmo nos casos amorosos mais ricamente comunicativos e recíprocos, é quase impossível sustentar aquele estado extático inicial por mais do que algumas semanas. Historicamente, algumas poucas almas imaginativas podem ter chegado a uns meses. Mas quando o terreno sexual é coberto por uma mente, sozinha, por uma única figura solitária que ara os extremos do deserto, a queda há de chegar em dias. O que alimentava o amor de Carder — o silêncio de Hermione — seria a sua destruição. Ela estava morando com ele havia menos de uma semana quando ele percebeu uma alteração no seu humor, uma recalibragem quase imperceptível do seu silêncio que continha a nota vaga mas constante, quase inaudível, da insatisfação. Levado por esse tinido de dúvida, ele se esforçou mais ainda para agradá-la. Naquela noite, quando estavam no andar de cima, uma suspeita lhe passou pela cabeça e ele sentiu um tremor — foi de fato um tremor — de horror. *Ela estava pensando em outro.* Ela estava com a mesma expressão que ele tinha observado pela vitrine da loja enquanto ficava separada dos convidados e mirava aquele canto. Ela queria estar em outro lugar. Quando fez amor com ela, a agonia dessa percepção não se separou do prazer, afiada como o bisturi de um cirurgião que parecia fatiar-lhe o coração. Mas era afinal apenas uma suspeita, pensou ele enquanto se recolhia ao seu lado da cama. Ele dormiu profundamente naquela noite.

O que fez as suas dúvidas renascerem na manhã seguinte foi uma alteração paralela na atitude de Abeje enquanto lhe servia o café da manhã (Hermione sempre ficava na cama até meio-dia). A arrumadeira dele foi tanto ríspida quanto evasiva. Ela não olhava nos olhos dele. O café estava frio e fraco e, quando ele reclamou, ele achou que ela estava ranzinza. Quando ela trouxe outro bule, quente e forte, disse ela quando o pôs na mesa, foi que lhe ocorreu. Era simples. A verdade era sempre simples. Elas eram amantes, Hermione e Abeje. Furtivas e efêmeras. Sempre que ele saía de casa. Pois quem mais Hermione tinha visto desde que chegou? Daí aquela aparência de desejo distante. Daí o comportamento rude de Abeje naquela manhã. Daí tudo. Ele era um bobo, um bobo inocente.

A revelação veio rapidamente. Naquela noite a faca do cirurgião estava mais afiada, cortou mais fundo, torcendo-se no corte. E ele soube que Hermione sabia. Ele viu no vazio do pânico dela. *O seu crime era o fato de ele tê-la dominado imprudentemente. Ele a atacou com toda a fúria de um amor desiludido, e seus dedos estavam em volta da garganta dela quando ela gozou, quando ambos gozaram. E quando ele tinha acabado, os braços, as pernas e a cabeça dela tinham se separado do torso, que ele arremessou contra a parede do quarto. Ela estava por toda parte, uma mulher destruída.* Dessa vez não houve sono consolador. De manhã ele escondeu as partes do corpo num saco plástico e levou-a com todos os seus pertences para as lixeiras. Atordoado, ele escreveu um bilhete (não estava em condições de encarar outros confrontos) para Abeje, informando-a da sua demissão "imediata" e deixou na mesa da cozinha o dinheiro que lhe devia até o fim do mês. Ele saiu para dar um longo passeio purificador pelo Heath. Naquela noite, Abeje abriu os sacos plásticos que tinha levado da lata de lixo e desfilou com os vestidos para o marido — as joias e os sapatos além dos vestidos de seda. Ela lhe disse hesitantemente no kanuri que era a língua nativa dele (eles eram de tribos diferentes), *Ela o abandonou e isso acabou com ele.*

Depois disso, Carder viveu só e "cuidou" de si próprio e se recolheu à meia-idade com um mínimo de dignidade. Nada lhe ficara de toda aquela experiência. Não havia lições para ele, não havia saldos, *pois, embora ele, um sujeito comum, tivesse descoberto por conta própria o poder assustador da imaginação, tentava não pensar no que tinha acontecido. Decidiu apagar completamente aquele caso, e a eficiência da mente compartimentalizada é tão grande que ele conseguiu. Esqueceu tudo. E jamais voltou a viver tão intensamente.*

10.

Max me disse que o seu novo escritório era menor que um armário de guardar vassouras, mas era um tiquinho maior. Mais de uma dúzia de vassouras caberiam verticalmente entre a mesa e a porta, e mais algumas entre a cadeira dele e as paredes. Contudo, não havia espaço para uma janela. A salinha formava um triângulo estreito, com Max espremido no ápice enquanto eu estava sentada de costas para a base. A porta não fechava direito, então não havia grande privacidade. Como ela abria para dentro, eu teria que ficar de pé e empurrar a minha cadeira para debaixo da mesa se alguém quisesse entrar. Em cima da mesa estava uma pilha de papel timbrado com o endereço da Fundação Liberdade Internacional na Upper Regent Street, e uma picassiana pomba ascendente que segurava no bico um livro aberto. Cada um de nós estava diante de uma cópia do folheto da Fundação, cuja capa trazia apenas a palavra "liberdade" inclinada em letras vermelhas irregulares que sugeriam um carimbo. A Liberdade Internacional, uma legítima instituição de caridade, promovia "a excelência e a liberdade de expressão nas artes por todo o mundo". Ela não era pouca porcaria. Tinha subsidiado ou apoiado através de traduções ou meios mais indiretos vários escritores na Iugoslávia, no Brasil, no Chile, em Cuba, na Síria, na Romênia e na Hungria, uma trupe de dançarinos no Paraguai, jornalistas na Espanha de Franco e no Portugal de Salazar e poetas na União Soviética. Tinha dado dinheiro a um coletivo de atores no Harlem, em Nova York, a uma orquestra barroca no Alabama, e tinha feito uma campanha bem-sucedida em favor da abolição do poder do Lord Chamberlain sobre o teatro inglês.

"É uma organização decente", disse o Max. "Espero que você concorde. Eles marcam posição em toda parte. Ninguém vai confundir esses caras com esses pelegos de sempre do DPI. Muito mais sutil."

Ele estava usando um terno azul-marinho. Bem melhor que o *blazer* mostarda que ele andou usando dia desses. E como estava deixando o cabelo crescer, as orelhas pareciam menos protuberantes. A única fonte de luz do cômodo, uma lâmpada solitária sob uma cúpula de latão, realçava as maçãs do rosto dele e o arco dos seus lábios. Ele parecia esguio e lindo e bem destoante naquela sala estreita, como um animal preso numa jaula muito pequena.

Eu disse, "Por que Shirley Shilling foi demitida?".

Ele nem piscou com a mudança de assunto. "Eu estava torcendo para você saber."

"Alguma coisa comigo?"

"Olha, o problema de trabalhar em lugares como esse aqui... você tem tudo quanto é colega, eles são simpáticos, boas-praças, têm históricos bons e tal. A não ser que você faça operações com eles, você não sabe o que eles estão armando, qual é o trabalho deles e se eles são bons no que fazem. Você não sabe se são uns totais imbecis ou uns gênios bonzinhos. De repente eles são promovidos ou demitidos e você não tem ideia do motivo. É assim mesmo."

Eu não acreditava que ele não soubesse. Houve um silêncio enquanto nós deixávamos o assunto morrer. Desde que o Max me disse no portão do Hyde Park que estava ficando muito ligado a mim, nós tínhamos passado muito pouco tempo juntos. Eu senti que ele estava subindo na hierarquia, para longe do meu nível.

Ele disse, "Eu fiquei com a impressão, naquela reunião do outro dia, que você não sabe muito sobre o DPI. O Departamento de Pesquisa e Informação. Oficialmente não existe. Foi montado em 48, como parte do Escritório do Exterior, funciona no Carlton Terrace, com a ideia de fornecer informações sobre a União Soviética para o domínio público através de jornalistas simpatizantes, agências de notícias, divulgação de informativos, réplicas, encorajamento de certas publicações. Então — coisas sobre os campos de prisioneiros, a falta de justiça, o baixíssimo nível de vida, a repressão aos dissidentes, o de sempre. Em geral é uma ajuda para a ENC, a esquerda não comunista, e qualquer coisa que esvazie as fantasias sobre a vida no Leste. Mas o DPI anda meio perdido. No ano passado eles estavam tentando convencer a esquerda de que nós precisamos nos juntar à Europa. Ridículo. E graças a Deus nós estamos arrancando a Irlanda do Norte deles. O departamento foi muito útil no seu tempo. Agora está inchado demais e é muito pouco refinado. E bem irrelevante mesmo. O que se diz é que logo vão acabar com eles. Mas o importante aqui neste prédio é que o DPI virou uma criatura do MI6, eles se deixaram envolver em propaganda negativa, uns golpes de desorientação que não enganaram ninguém. Os relatórios deles vêm de umas fontes pouco confiáveis. O DPI e a sua pretensa Divisão de Ação estão ajudando o 6 a ressuscitar a última guerra. O que eles querem é uma bobajada de escoteiros. É por isso que todo mundo no 5 gosta daquela história de 'virado para a parede' que o Peter Nutting contou".

Eu disse, "É verdade?".

"Duvido. Mas deixa o 6 com cara de idiota e metido, então cai bem aqui. Enfim, a ideia com a *Tentação* é atacar com os nossos meios, independente do 6 ou dos americanos. Ter um romancista foi uma ideia marginal, um capricho do Peter. Pessoalmente, eu acho que é um erro — imprevisível demais. Mas é o que nós vamos fazer. O escritor não precisa ser um fanático da Guerra Fria. Só ter um certo ceticismo quanto às utopias do Leste ou a uma catástrofe iminente no Ocidente — você sabe como."

"O que é que vai acontecer quando o escritor descobrir que nós estamos pagando o aluguel dele? Ele vai ficar furioso."

Max desviou os olhos. Eu achei que tinha feito uma pergunta imbecil. Mas, depois de um momento de silêncio, ele disse, "A ligação entre nós e a Liberdade Internacional é bem distante. Mesmo que você soubesse exatamente onde procurar, ia dar muito trabalho. A ideia é que se alguma coisa aparecer, os escritores vão preferir evitar o constrangimento. Eles vão ficar quietos. E se não ficarem, nós vamos explicar que há como provar que eles sempre souberam de onde o dinheiro vinha. E o dinheiro vai continuar correndo. Sabe que dá para um sujeito se acostumar com um certo modo de vida e ficar um pouco relutante quanto à ideia de perder isso tudo".

"Chantagem, então."

Ele deu de ombros. "Olha, o DPI no seu auge nunca disse o que o Orwell ou o Koestler deviam botar nos livros deles. Mas fez o que pôde para garantir que as ideias deles tivessem a melhor circulação no mundo inteiro. Nós estamos lidando com espíritos livres. Nós não dizemos o que eles têm que pensar. Nós lhes damos condições de fazer o seu trabalho. Lá os espíritos livres eram levados para os *gulags*. Agora a psiquiatria soviética é o novo terror estatal. Se opor ao sistema é ser criminalmente louco. Aqui nós temos algum Partido Trabalhista e gente dos sindicatos e professores e estudantes universitários e pretensos intelectuais que vão te dizer que os EUA são a mesma coisa —"

"Bombardeando o Vietnã."

"Bom, tudo bem. Mas em todo o Terceiro Mundo há populações inteiras que acham que a União Soviética tem algo a ensinar sobre a liberdade. A luta ainda não acabou. Nós queremos encorajar o que é certo e bom. Na visão do Peter, Serena, você adora literatura, você adora o seu país. Ele acha que isso é perfeito para você."

"Mas você não."

"Eu acho que nós devíamos nos limitar à não ficção."

Não conseguia entender aquele homem. Havia algo de impessoal no comportamento dele. Ele não gostava da *Tentação*, ou da minha participação na operação, mas tratava tudo com calma, sem nenhum envolvimento. Parecia um vendedor me encorajando a comprar um vestido que sabia que não me caía bem. Eu queria desequilibrá-lo, fazer ele chegar mais perto. Ele estava me mostrando os detalhes da operação. Era para eu usar o meu nome real. Eu iria até a Upper Regent Street e conheceria a equipe da Fundação. Pelo que eles soubessem, eu trabalhava para uma organização chamada Escrita sem Penas, que doava fundos para que a Liberdade Internacional distribuísse a escritores recomendados. Quando fosse de fato a Brighton eu devia prestar muita atenção para não levar comigo nada que me ligasse à Leconsfield House.

Fiquei pensando se Max achava que eu era idiota. Eu o interrompi e disse, "E se eu gostar do Haley?".

"Ótimo. Ele vai ser contratado."

"Não, gostar de verdade."

Ele ergueu olhos duros da lista de procedimentos. "Se você acha que prefere não fazer esse trabalho..." O tom dele estava frio e eu fiquei satisfeita.

"Max", eu disse. "Era brincadeira."

"Vamos falar da sua carta para ele. Eu vou precisar ver o rascunho."

Então nós discutimos essa e outras providências e percebi que no que se referia a ele nós não éramos mais amigos próximos. Eu não podia mais pedir para ele me beijar. Mas não estava pronta a aceitar uma coisa dessas. Peguei a minha bolsa no chão, abri, e tirei dela um pacote de lenços de papel. Fazia só um ano que eu tinha parado de usar lencinhos de algodão com bicos de bordado inglês e as minhas iniciais em cor-de-rosa no canto — presentes de Natal da minha mãe. Os lenços de papel estavam ficando ubíquos, como os carrinhos de supermercado. O mundo estava começando a virar algo seriamente descartável. Enxuguei o canto do olho, tentando tomar uma decisão. Amassado no fundo da minha bolsa estava o triângulo de papel com as marcas a lápis. Eu tinha mudado de opinião. Era a coisa mais certa, mostrar aquilo a Max. Ou era a coisa mais errada. Não havia meio de caminho.

"Tudo bem com você?"

"Um pouquinho de alergia."

Finalmente pensei o que tinha pensado várias vezes, que era melhor, ou pelo menos mais interessante, ter Max mentindo para mim do que continuar completamente ignorante. Peguei o pedacinho de jornal e passei pela mesa até ele. Ele deu uma espiada, virou o papel, virou de novo, largou na mesa e ficou olhando fixamente para mim.

"E daí?"

Eu disse, "Canning e a ilha cujo nome você adivinhou de um jeito tão inteligente".

"Onde foi que você achou isso?"

"Se eu te contar, você vai ser honesto comigo?"

Ele não abriu a boca, aí eu contei mesmo assim, sobre a casa segura em Fulham e a cama de solteiro com o colchão.

"Quem estava com você?"

Eu contei e ele disse "ah" baixinho dentro da concha das mãos. Aí ele falou, "Então eles demitiram a moça".

"Como assim?"

Ele separou as mãos num gesto de quem não tem o que fazer. Eu não tinha autorização para saber.

"Posso ficar com isso?"

"Claro que não." Arranquei o papel da mesa antes que ele pudesse mexer a mão e enfiei na bolsa.

Ele limpou a garganta sem fazer barulho. "Então é melhor nós seguirmos para o próximo item. Os contos. O que é que você vai dizer para ele?"

"Muito impressionada, um grande talento, um escopo extraordinário, uma linda prosa sinuosa, profundamente sensível, especialmente no que se refere às mulheres, parece conhecê-las e entendê-las por dentro, ao contrário da maioria dos homens, estou morrendo de vontade de conhecê-lo melhor e —"

"Serena, chega!"

"E claro que ele tem um grande futuro, com o qual a Fundação gostaria de colaborar. Especialmente se estiver pensando em escrever um romance. Dispostos a pagar — quanto?"

"Dois mil por ano."

"Por quantos —"

"Dois anos. Renováveis."

"Meu Deus. Como é que ele vai recusar?"

"Porque ele vai estar com uma completa desconhecida sentada no colo lambendo a cara dele. Seja mais fria. Faça ele vir até você. A Fundação está interessada, avaliando o caso dele, muitos outros candidatos, quais os seus planos futuros etc.?"

"Certo. Eu banco a difícil. E aí dou tudo."

Max se reclinou na cadeira, cruzou os braços, olhou para o teto e disse, "Serena, eu sinto muito que você esteja magoada. Eu realmente não sei por que a Shilling foi demitida, e não sei do seu papelzinho. É só. Mas olha, pelo menos é justo eu te contar alguma coisa sobre mim".

Ele ia me contar o que eu já suspeitava, que ele era homossexual. Agora eu estava com vergonha. Eu não tinha pretendido forçar uma confissão dele.

"Eu estou te contando porque nós temos sido bons amigos."

"Sim."

"Mas isso não pode sair desta sala."

"Não!"

"Eu estou noivo."

Eu suspeitei que na fração de segundo que levei para recompor o rosto, ele tenha entrevisto o coração da minha desorientação.

"Mas que notícia maravilhosa. Quem é a —"

"Ela não é do 5. Ruth é médica no Guy's Hospital. As nossas famílias sempre foram muito próximas."

As minhas palavras saíram antes de eu poder segurá-las. "Um casamento combinado!"

Mas Max só riu timidamente e pode ter havido uma insinuação de um rubor, difícil de detectar sob aquela luz amarelada. Então talvez eu estivesse certa, os pais que tinham escolhido a sua carreira, que não queriam deixar ele trabalhar com as mãos, tinham escolhido uma esposa para ele. Lembrando essa vulnerabilidade que havia nele eu senti o primeiro gelo da saudade. Eu tinha perdido a oportunidade. E havia também um pouco de pena de mim mesma. As pessoas me diziam que eu era bonita e eu acreditei. Eu devia ter seguido vida afora com as benesses que a beleza concede, descartando homens a três por dois. Em vez disso, eles me abandonavam, ou morriam. Ou casavam.

O Max disse, "Eu achei que devia te contar".

"Sim. Obrigada."

"Nós só vamos anunciar daqui a uns meses."

"Claro."

Max ajeitou rispidamente os cantos dos papéis que estavam

na mesa. As questões incômodas estavam resolvidas e nós podíamos prosseguir. Ele disse, "O que você achou dos contos? Aquele dos gêmeos".

"Eu achei muito bom."

"Eu achei horrível. Não consegui acreditar que um ateu fosse conhecer bem a Bíblia. Ou se vestir de vigário para fazer um sermão."

"Amor fraternal."

"Mas ele não é capaz de nenhum tipo de amor. Ele é um safado, e é fraco. Eu não consegui ver por que nós devíamos temer por ele ou pelo que acontece com ele."

A minha impressão era de que na verdade nós estávamos falando de Haley, e não de Edmund Alfredus. Havia algo tenso no tom de Max. Achei que tinha conseguido deixá-lo com ciúme. Eu disse, "Eu achei que ele era extremamente atraente. Inteligente, um orador brilhante, um senso de humor perverso, correndo riscos interessantes. Só que não dava conta da — como era o nome dela? — Jean".

"Eu não consegui acreditar nela de jeito nenhum. Essas mulheres destrutivas, devoradoras de homens, são só fantasias de um certo tipo de homem."

"Qual tipo de homem?"

"Ah, não sei. Masoquista. Culpado. Ou que se odeia. Talvez você possa me dizer quando voltar."

Ele levantou para indicar que a reunião tinha acabado. Eu não sabia dizer se ele estava bravo. Fiquei imaginando se de alguma maneira cruel ele achava que era culpa minha ele estar para se casar. Ou talvez estivesse com raiva de si próprio. Ou o meu comentário sobre casamentos combinados tinha sido ofensivo.

"Você acha mesmo que Haley não é o homem certo para nós?"

"Esse é o departamento do Nutting. O que é estranho é mandar você para Brighton. Normalmente nós não envolvemos os nossos funcionários desse jeito. O procedimento normal seria fazer a Fundação mandar alguém, fazer tudo de longe. Além disso, eu acho que essa situação toda é, bom, enfim, não é, hã..."

Ele estava inclinado para a frente, apoiado nas pontas dos dedos que estavam espalhados na mesa, e parecia estar mostrando a porta atrás de mim com uma leve inclinação da cabeça. Me pondo para fora com um mínimo de esforço. Mas eu não queria que a conversa terminasse ali.

"Tem mais uma coisa, Max. Você é a única pessoa para quem eu posso dizer isso. Eu acho que estou sendo seguida."

"Sério? Isso é uma bela façanha no seu nível."

Eu ignorei o sarcasmo. "Não estou falando do pessoal de Moscou. São os Vigilantes. Alguém entrou no meu quarto."

Desde a minha conversa com Shirley, eu estava olhando cuidadosamente em volta no caminho de casa, mas não tinha visto nada suspeito. Mas não sabia o que estava procurando. Isso não estava no nosso treinamento. Eu tinha umas vagas noções que vinham de filmes e tinha dado meia-volta na rua, e tinha ficado examinando centenas de rostos apressados. Tinha tentado entrar no metrô e sair pelo outro lado, e a única coisa que consegui foi demorar mais para chegar a Camden.

Mas agora consegui o que queria, pois o Max estava sentando e a conversa recomeçou. O rosto dele tinha ficado rígido, ele parecia mais velho.

"Como é que você sabe?"

"Ah, você sabe, umas coisas fora de lugar no quarto. Acho que os Vigilantes podem ser bem descuidados."

Ele me olhava firmemente. Eu já estava começando a me sentir uma boba.

"Serena, tome cuidado. Se você fingir que sabe mais do que

sabe, se você fingir que tem conhecimentos que mal batem com uns poucos meses no Registro, você vai causar a impressão errada. Depois dos Três de Cambridge e do George Blake, as pessoas ainda estão nervosas e um pouco desmoralizadas. Elas chegam rápido demais às conclusões erradas. Então pare de agir como se você soubesse mais do que sabe. Você acaba sendo seguida. Na verdade, acho que é esse o seu problema."

"Isso é palpite ou é alguma coisa que você sabe?"

"É um aviso de amigo."

"Então eu estou sendo seguida mesmo."

"Eu sou uma figura relativamente desimportante aqui. Ia ser o último a saber. As pessoas nos viram por aí juntos..."

"Não viram mais, Max. Talvez a nossa amizade estivesse prejudicando a sua carreira."

Isso era pouco. Eu não conseguia nem admitir para mim mesma o quanto estava contrariada com a notícia do noivado dele. O autocontrole dele estava me irritando. Eu queria provocar e castigar aquele homem e, vejam só, aconteceu o que eu queria, ele estava de pé, bem trêmulo.

"Será que as mulheres realmente são incapazes de manter a vida profissional separada da vida particular? Eu estou tentando te ajudar, Serena. Você não está ouvindo. Deixe eu dizer isso com outras palavras. Nesse trabalho aqui a linha entre o que as pessoas imaginam e o que é de fato verdade pode ficar bem borrada. Para falar bem sério essa linha é uma grande área cinza, onde você pode até se perder. Você imagina coisas — e pode fazer elas virarem realidade. Os fantasmas viram verdade. Isso está fazendo sentido?"

Eu achava que não. Eu me pus de pé com uma resposta inteligente prontinha, mas ele tinha cansado de mim. Antes de eu poder falar ele disse mais calmamente, "Melhor você ir agora. Só faça a lição de casa. Não complique as coisas".

Eu estava com a intenção de encenar uma saída tempestuosa. Mas tinha que meter a minha cadeira debaixo da mesa dele e me espremer pelo lado dela para sair, e quando já estava no corredor eu não pude bater a porta atrás de mim porque ela estava empenada.

11.

Nós estávamos numa burocracia e os atrasos eram como que de praxe. O rascunho da minha carta foi apresentado a Max, que fez alterações nele assim como na minha segunda tentativa, e, quando finalmente uma terceira foi apresentada a Peter Nutting e Benjamin Trescott, esperei quase três semanas para receber os comentários deles. Eles foram incorporados, Max deu uns retoques finais, e eu postei a quinta e última versão cinco semanas depois da primeira. Um mês passou e nós não tivemos resposta. Fizemos algumas perguntas discretas e acabamos descobrindo que Haley estava fora do país, pesquisando. Foi só no fim de setembro que recebemos a resposta dele, rabiscada numa letra inclinada numa folha pautada rasgada de um bloco de notas. Aquilo parecia deliberadamente indiferente. Ele escreveu que teria interesse em saber mais. Ele estava trabalhando como professor assistente para poder pagar as contas, o que significava que agora tinha um escritório no *campus*. Melhor marcar lá, ele disse, porque o apartamento dele era meio apertado.

Tive uma curta reunião final de instrução com Max.

Ele disse, "Que tal aquele conto da *Paris Review*, aquele do manequim de vitrine?".

"Achei interessante."

"Serena! Era completamente implausível. Uma pessoa com aquele grau de loucura estaria na ala de segurança máxima de uma instituição psiquiátrica."

"Como é que você sabe que ele não está?"

"Então Haley devia ter informado ao leitor."

Ele me disse quando eu estava saindo do escritório dele que três escritores da *Tentação* tinham aceitado a bolsa da Liberdade Internacional. Era para eu não decepcionar nem a ele nem a mim mesma deixando de assegurar o quarto.

"Achei que era para eu bancar a difícil."

"Nós ficamos para trás de todo mundo. Peter está ficando impaciente. Mesmo que ele não preste, só assine o contrato."

Foi uma agradável quebra de rotina viajar até Brighton numa manhã atipicamente quente de meados de outubro, atravessar a estação ferroviária cavernosa e sentir o cheiro do ar salgado e ouvir os gritos cadentes das gaivotas-prateadas. Eu lembrava desse nome graças a uma montagem de *Otelo* no gramado do King's College num verão. Uma gaivota. Um bicho bobo. Será que eu estava procurando um bicho bobo? Claro que não. Peguei o dilapidado trem de três vagões para Lewes e desci em Falmer para andar menos de meio quilômetro até o prédio de tijolos que era chamado de Universidade de Sussex, ou, como foi conhecido na imprensa durante um tempo, Balliol-no-Litoral. Eu estava de minissaia vermelha, com uma jaqueta preta de gola alta, saltos altos pretos e uma bolsa de couro branco com uma alça curta no ombro. Ignorando a dor nos pés, desfilei pela entrada pavimentada que levava ao portão principal em meio aos grupos de estudantes, desdenhando os meninos — eu os considerava meninos — vestidos de um jeito todo esfarrapado com roupas de lojas de material militar, e ainda mais as meninas com aqueles cabelões compridos repartidos no meio, sem maquiagem e com umas sainhas de algodãozinho. Alguns alunos estavam descalços, em solidariedade, eu imaginei, aos camponeses do mundo subdesenvolvido. A mera palavra *"campus"* me parecia um empréstimo frívolo dos EUA. Enquanto caminhava concentradamente na direção da criação de Sir Basil Spence no fundo dos Sussex Downs, fui me sentindo incapaz de levar a sério a ideia de uma nova universidade. Pela primeira vez na vida eu estava com orgulho da minha ligação com Cambridge e Newnham. Como é que uma universidade séria podia ser *nova*? E como é que alguém poderia resistir a mim embalada em vermelho, branco e preto, talhando intolerante o meu caminho até o balcão da portaria, onde pretendia pedir orientação?

Entrei no que era provavelmente uma referência arquitetônica aos gramados que ficam no centro dos prédios das universidades tradicionais. Flanqueado por dois depósitos rasos de água, lagos retangulares forrados de lisas pedras roladas. Mas a água tinha sido drenada para dar espaço a latinhas de cerveja e papéis de sanduíche. Da estrutura de tijolo, pedra e vidro na minha frente, vinham o pulsar e os uivos do rock. Reconheci a flauta rascante e suspirante do Jethro Tull. Pelas amplas janelas do primeiro andar eu podia ver figuras, jogadores e espectadores, debruçadas sobre mesas de pebolim. O diretório acadêmico, certamente. A mesma coisa em todo canto, esses lugares, reservados ao uso exclusivo de meninos tontos, basicamente matemáticos e químicos. As meninas e os estetas iam a outros lugares. Como portal para a universidade, causava uma impressão muito ruim. Acelerei o passo, desgostosa de como o meu ritmo se acomodava ao da bateria firme. Era como me aproximar de uma colônia de férias.

O caminho calçado passava por baixo do diretório acadêmico e aqui eu virei para atravessar uma porta de vidro que levava à recepção. Pelo menos os porteiros com os seus uniformes atrás de um balcão me eram familiares — aquela raça especial de homens com o seu ar de tolerância enfastiada, uma certeza ríspida de ser mais inteligente que qualquer pessoa inteligente de todos os tempos. Com a música morrendo atrás de mim, segui as orientações deles, atravessei uma grande área aberta, passei sob gigantescas traves de rúgbi de concreto para entrar no Bloco A das Artes e sair pelo outro lado para me aproximar do Bloco B das Artes. Será que eles não podiam dar nomes de artistas ou filósofos para esses prédios? Lá dentro, virei num corredor, percebendo os itens afixados na porta dos professores. Um cartão preso com tachinhas que dizia "O mundo é tudo que é o caso", um pôster dos Panteras Negras, algo de Hegel em alemão, algo de Merleau-Ponty em francês. Exibidos. Bem no fim do segundo corredor ficava a sala de Haley. Hesitei antes de bater.

Eu estava na parede que terminava o corredor, parada ao lado de uma janela alta e estreita que dava para um gramadinho quadrado. A luz estava de uma tal maneira que me dava um reflexo aguado de mim mesma, então peguei um pente e dei uma ajeitadinha rápida no cabelo e endireitei a gola. Se estava meio nervosa era porque nas últimas semanas eu tinha me tornado íntima da minha versão particular de Haley, tinha lido as suas ideias a respeito de sexo e ilusão, orgulho e fracasso. Nós já tínhamos um relacionamento e eu sabia que ele estava prestes a ser alterado ou destruído. Fosse ele como fosse na vida real, seria uma surpresa e provavelmente uma decepção. Assim que ele apertasse a minha mão a nossa proximidade entraria em marcha a ré. Eu tinha relido todos os artigos de jornal no caminho para Brighton. Ao contrário da ficção, eles eram de um tom sensato, cético e quase professoral, como se ele estivesse pensando que escrevia para tolos em termos ideológicos. O artigo sobre o Levante da Alemanha Oriental de 1953 começava com "Que ninguém imagine que o Estado dos Trabalhadores ama seus trabalhadores. Ele os odeia", e fazia pouco do poema de Brecht que falava de um governo que dissolvia o seu povo e elegia outro. O primeiro impulso de Brecht, na opinião de Haley, era o de "bajular" o Estado alemão dando apoio público à brutal opressão soviética dos grevistas. Os soldados russos tinham disparado diretamente contra as aglomerações. Sem saber muito a respeito dele, eu sempre tinha presumido que Brecht tinha ficado do lado dos anjos. Não sabia se Haley estava certo, nem como reconciliar o seu jornalismo direto com a laboriosa intimidade da ficção, e achava que quando o conhecesse saberia ainda menos.

Um artigo mais virulento fustigava os romancistas da Alemanha Ocidental, dizendo que eles eram uns covardes sem firmeza por ignorarem em sua ficção o Muro de Berlim. É claro que eles detestavam a existência do Muro, mas tinham medo de que dizer isso parecesse encaixá-los na política externa dos americanos. E no entanto era um tema brilhante e necessário, que unia a tragédia geopolítica à social. É claro que qualquer escritor britânico teria algo a dizer sobre um Muro de Londres. Será que Norman Mailer iria ignorar um muro que dividisse Washington? Será que Philip Roth ia preferir não ver se as casas de Newark fossem cortadas pela metade? Será que os personagens de John Updike não iriam aproveitar a oportunidade de um caso extraconjugal através de uma Nova Inglaterra dividida? Aquela cultura literária mimada e subsidiada, protegida da repressão soviética pela *pax americana*, preferia odiar a mão que a mantinha livre. Os escritores da Alemanha Ocidental fingiam que o Muro não existia e assim perdiam toda autoridade moral. O título do artigo, publicado na *Index on Censorship*, era "La trahison des clercs".

Com uma unha pintada de um rosa perolado eu bati de leve na porta e, ouvindo um murmúrio ou um resmungo indistinto, abri. Tinha razão de ter me preparado para uma decepção. Foi uma figura magra que levantou, levemente curvada, embora tenha feito força para endireitar as costas quando se ergueu. Ele era femininamente exíguo, com pulsos finos, e a mão dele, quando eu a apertei, parecia menor e mais macia que a minha. Pele muito pálida, olhos verde-escuros, cabelo castanho-escuro e comprido, e cortado de um jeito que era quase Chanel. Naqueles primeiros segundos eu fiquei imaginando se tinha deixado passar um elemento transexual nos contos. Mas ali estava ele, irmão gêmeo, vigário presunçoso, deputado trabalhista inteligente e com um grande futuro, milionário solitário apaixonado por um objeto inanimado. Ele estava com uma camisa sem colarinho feita de flanela branca pintalgada, calça jeans justa com um cinto largo e botas de couro gasto. Fiquei confusa com ele. A voz que saiu de um corpo tão delicado era profunda, sem sotaque regional, pura e inclassificável.

"Vou tirar essas coisas para a senhorita poder sentar."

Ele removeu alguns livros de uma cadeira estofada sem braços. Achei, com um toque de irritação, que ele estava deixando claro que não tinha se preparado especialmente para a minha chegada.

"A sua viagem até aqui foi tranquila? Quer um café?"

A viagem foi agradável, eu lhe disse, e eu não precisava de café.

Ele sentou à sua mesa e girou a cadeira para ficar de frente para mim, cruzou as pernas com o tornozelo sobre o joelho e com um sorrisinho mostrou as palmas das mãos de maneira interrogativa. "Então, senhorita Frome..."

"A pronúncia é Frum. Mas por favor me chame de Serena."

Ele pôs a cabeça de lado enquanto repetia o meu nome. Aí os olhos dele focaram delicadamente os meus e ele ficou esperando. Eu percebi os cílios longos. Tinha ensaiado aquele momento e era bem fácil expor tudo para ele. Sinceramente. O trabalho da Liberdade Internacional, o seu objetivo mais amplo, o seu alcance global, a sua mente aberta e a sua falta de ideologia. Ele ficou me ouvindo, com a cabeça ainda de lado, e com uma expressão divertida de ceticismo, com os lábios levemente trêmulos como se a qualquer momento estivesse pronto para dizer alguma coisa ou assumir a fala e se apropriar das minhas palavras, ou melhorar as minhas palavras. Ele estava com a expressão de um homem que está ouvindo uma piada comprida, esperando uma tirada final explosiva com um deleite contido, que lhe cerra os lábios projetados. Enquanto eu ia dando os nomes dos escritores e dos artistas que a Fundação tinha ajudado, fiquei fantasiando que ele já tinha entendido tudo e não tinha intenção alguma de me deixar perceber. Ele estava me forçando a expor a minha proposta para poder observar uma mentirosa assim tão de perto. Útil para alguma obra posterior. Horrorizada, afastei a ideia e esqueci aquilo tudo. Precisava me concentrar. Passei a tratar da fonte dos fundos da Fundação. Max achava que Haley devia ser informado sobre quanto a Liberdade Internacional era rica. O dinheiro vinha de uma doação feita pela viúva, amante das artes, de um imigrante búlgaro nos EUA que tinha feito fortuna comprando e explorando patentes nas décadas de 1920 e 1930. Nos anos que se seguiram à morte dele, a sua esposa comprou de uma Europa destruída depois da guerra várias pinturas impressionistas por preços do pré-guerra. No seu último ano de vida ela tinha se apaixonado por um político inclinado à cultura que estava montando a Fundação. Ela deixou a fortuna dela e do marido para o projeto dele.

Tudo que eu tinha dito até ali era o caso, e era fácil de verificar. Agora eu dei o meu primeiro passo inseguro na direção da mentira. "Eu vou ser bem franca com o senhor", eu disse. "Às vezes parece que a Liberdade Internacional não tem projetos suficientes para gastar o dinheiro que possui em caixa."

"Que coisa mais lisonjeira, então", Haley disse. Talvez ele tenha me visto corar, porque acrescentou, "Eu não quis ser grosseiro".

"O senhor está me entendendo mal, senhor Haley..."

"Tom."

"Tom. Perdão. Eu me expressei mal. O que eu queria dizer era o seguinte. Há uma quantidade significativa de artistas sendo presos ou oprimidos por governos repugnantes. Nós fazemos tudo que podemos para ajudar essas pessoas e tornar mais conhecido o trabalho delas. Mas é claro que ser censurado não significa que um escritor ou um escultor seja necessariamente bom. Por exemplo, nós nos vimos apoiando um dramaturgo horroroso na Polônia simplesmente porque a obra dele está proibida. E vamos continuar lhe dando apoio. E nós compramos todo tipo de bobagem de um impressionista abstrato preso na Hungria. Então o comitê de procedimentos decidiu acrescentar uma nova dimensão ao nosso elenco de projetos. Nós queremos encorajar a excelência onde quer que ela esteja, oprimida ou não. Estamos especialmente interessados em gente jovem no começo da carreira..."

"E que idade você tem, Serena?" Tom Haley se inclinou solícito, como quem pergunta a respeito de uma doença séria.

Eu disse. Ele estava me informando que não queria ser tratado com condescendência. E era verdade, no meu nervosismo eu tinha adotado um tom distante, oficial. Precisava relaxar, ser menos pomposa, precisava chamar ele de Tom. E percebi que não era muito boa naquilo. Ele me perguntou onde eu tinha feito universidade. Eu disse, e disse o nome da minha faculdade.

"E você estudava o quê?"

Eu hesitei, me atrapalhei. Não estava esperando que alguém perguntasse, e de repente matemática soava suspeito e sem saber o que eu estava fazendo eu disse, "Letras".

Ele sorriu satisfeito, parecendo contente por achar um território comum. "Imagino que você tenha se formado brilhantemente com louvor e distinção?"

"Só louvor, na verdade." Eu não sabia o que estava dizendo. Ter colado grau sem louvor soava vergonhoso, com louvor e distinção teria me colocado em terreno perigoso. Tinha contado duas mentiras desnecessárias. Feio. Pelo que eu podia imaginar, um mero telefonema para Newnham determinaria que não havia uma Serena Frome nas listas de graduados em letras. Eu não estava esperando um interrogatório. Um trabalho preparatório tão básico, e eu não tinha feito. Por que Max não tinha pensado em me ajudar com um histórico pessoal à prova de erros? Estava me sentindo afobada e suarenta e me imaginei levantando sem abrir a boca, catando a minha bolsa e correndo dali.

Tom estava me olhando daquele jeito dele, simultaneamente bondoso e irônico. "O meu palpite é que você estava esperando louvor e distinção. Mas olha só, louvor está muito bom."

"Fiquei decepcionada", eu disse, conseguindo me recuperar um pouco. "Havia uma, hã, expectativa, hã..."

"Uma expectativa muito pesada?"

Nossos olhos se encontraram por pouco mais de dois ou três segundos, e aí eu desviei o rosto. Depois de ler os contos dele, conhecendo bem demais um cantinho da sua mente, achava difícil olhar nos olhos dele por muito tempo. Deixei o meu olhar cair abaixo do queixo dele e percebi que ele tinha uma fina corrente de prata no pescoço.

"Então, você estava dizendo, escritores no começo da carreira." Ele estava conscientemente representando o papel do catedrático simpático, ajudando uma candidata nervosa durante a entrevista de admissão. Eu sabia que tinha que retomar o controle.

Eu disse, "Veja, senhor Haley...".

"Tom."

"Eu não quero que o senhor perca o seu tempo. Nós somos aconselhados por gente muito competente, especializada. Eles pensaram muito nesse assunto. Eles gostam dos seus artigos na imprensa, e adoraram os seus contos. Adoraram mesmo. A esperança é que..."

"E você. Você leu?"

"Claro."

"E o que você achou?"

"Eu sou só a mensageira. O que eu acho não é relevante."

"É relevante para mim. Qual é a sua opinião sobre os contos?"

Pareceu que a sala ficou escura. Desviei o olhar do rosto dele para a janela. Havia uma faixa de grama, e o canto de outro prédio. Eu podia ver o interior de uma sala como aquela em que nós estávamos, onde estava acontecendo uma sessão de orientação. Uma garota não muito mais nova que eu estava lendo em voz alta o seu ensaio. Ao lado dela estava um rapaz com uma jaqueta de aviador, queixo barbado apoiado na mão, aquiescendo como um sábio. A orientadora estava de costas para mim. Eu voltei os olhos para a nossa sala, imaginando se não estava exagerando naquela pausa significativa. Os nossos olhos se encontraram de novo e eu me forcei a sustentar a situação. Um verde-escuro tão estranho, uns cílios compridos tão infantis, e aquelas sobrancelhas pretas e grossas. Mas havia uma hesitação no olhar dele, ele estava prestes a desviar os olhos, e dessa vez o poder tinha passado para mim.

Eu disse muito tranquilamente, "Eu acho que eles são absolutamente brilhantes".

Ele se encolheu instintivamente como se tivesse sido cutucado no peito, no coração, e engasgou de leve, não era exatamente uma risada. Foi falar, mas ficou sem palavras. Ficou me encarando, esperando, querendo que eu continuasse, que lhe falasse mais dele mesmo e do seu talento, mas eu me contive. Achei que as minhas palavras teriam mais força por não estarem diluídas. E eu não sabia bem se podia confiar na minha capacidade de dizer alguma coisa profunda. Entre nós uma certa formalidade tinha sido removida para expor um segredo constrangedor. Eu tinha revelado a fome que ele sentia de afirmação, de elogio, de tudo que eu pudesse dar. E o meu palpite era que nada interessava mais a ele. Os contos dele naquelas revistas provavelmente passaram despercebidos, fora um agradecimento e um tapinha nas costas que o editor pode ter dado. Era bem provável que ninguém, ao menos nenhum desconhecido, jamais lhe tivesse dito que a sua ficção era brilhante. Agora ele estava ouvindo aquelas palavras e percebendo que sempre tinha suspeitado que isso fosse verdade. Eu tinha dado notícias estupendas. Como é que ele poderia saber se era bom até que alguém confirmasse? E agora ele sabia que era verdade e estava grato.

Assim que ele falou, o momento acabou e a sala retomou o seu tom normal. "Você gostou de algum em especial?"

Era uma perguntinha tão boba, tão morna que eu senti uma certa empatia pela vulnerabilidade dele. "Eles são todos muito impressionantes", eu disse. "Mas o que trata dos gêmeos, 'Eis o amor', é o mais ambicioso. Achei que ele tinha o impacto de um romance. Um romance sobre fé e emoção. E que personagem maravilhoso é a Jean, tão insegura, destrutiva e encantadora. É uma obra magnífica. O senhor por acaso já pensou em expandir o conto e fazer virar um romance, sabe, aumentar um pouco?"

Ele me olhou curiosamente. "Não, eu não pensei em aumentar um pouco." A reiteração inalterada das minhas palavras me deixou alarmada.

"Desculpa, foi uma bobagem..."

"Está do tamanho que eu queria. Coisa de quinze mil palavras. Mas eu fico feliz que a senhorita tenha gostado."

Sardônico e provocativo, ele sorriu e eu estava perdoada, mas a minha vantagem tinha sido diminuída. Eu nunca tinha ouvido ninguém quantificar ficção desse jeito técnico. A minha ignorância parecia um peso em cima da língua.

Eu disse, "E 'Amantes', o homem com o manequim, era tão estranho e tão completamente convincente, esse ganhou todo mundo". Agora era libertador estar contando mentiras descaradas. "Nós contamos com dois catedráticos e dois resenhistas bem conhecidos no nosso comitê. Eles examinam muitos autores novos. Mas você devia ter ouvido o entusiasmo na última reunião. É sério, Tom, eles não conseguiam parar de falar dos seus contos. Pela primeira vez a votação foi unânime."

O sorrisinho tinha desaparecido. Os olhos dele estavam com uma expressão vidrada, como se eu o estivesse hipnotizando. Aquilo estava calando fundo.

"Bom", ele disse, balançando a cabeça para escapar do transe em que estava. "Isso tudo é muito agradável. O que mais eu posso dizer?" Aí ele acrescentou, "Quem são os dois críticos?".

"Infelizmente nós temos que respeitar o anonimato deles."

"Sei."

Ele desviou os olhos de mim por um momento e parecia estar perdido em alguma ideia particular. Aí ele disse, "Então, qual é a sua oferta e o que vocês querem de mim?".

"Eu posso responder fazendo uma pergunta? O que você vai fazer quando acabar o doutorado?"

"Eu vou me inscrever para vários cargos de professor, inclusive aqui."

"Em tempo integral?"

"Sim."

"Nós gostaríamos de possibilitar que você ficasse sem emprego. Em compensação você ia se concentrar na sua literatura, inclusive no jornalismo se você quiser."

Ele me perguntou quanto dinheiro estava na mesa e eu lhe disse. Ele perguntou por quanto tempo e eu disse, "Digamos dois ou três anos".

"E se eu não produzir nada?"

"Nós ficaríamos decepcionados e seguiríamos em frente. Nós não vamos pedir o dinheiro de volta."

Ele assimilou isso e aí disse, "E vocês querem os direitos do que eu escrever?".

"Não. E nós não pedimos para ver os textos. Você não precisa nem agradecer. A Fundação acha que você tem um talento único e extraordinário. Se a sua ficção e o seu jornalismo forem escritos, publicados e lidos, nós vamos ficar satisfeitos. Quando a sua carreira estiver embalada e você puder se sustentar sozinho nós vamos gradualmente sumir da sua vida. Nós vamos ter atingido os nossos objetivos."

Ele levantou e foi para o lado de lá da mesa e ficou na frente da janela de costas para mim. Passou a mão pelo cabelo e resmungou alguma coisa sibilante bem baixinho que podia ser "Ridículo" ou talvez "Chega disso". Ele estava olhando para aquela mesma sala do outro lado do gramado. Agora o menino barbado estava lendo o ensaio dele enquanto a sua colega olhava para a frente inexpressivamente. Estranhamente, a orientadora estava no telefone.

Tom voltou para a cadeira e cruzou os braços. O olhar dele estava apontado para algum lugar acima do meu ombro e os seus lábios estavam bem cerrados. Senti que ele estava prestes a levantar alguma objeção séria.

Eu disse, "Pense no assunto por um ou dois dias, converse com alguém... pense bem".

Ele disse, "A questão é que...", e deixou a frase morrer. Ele ficou olhando para o colo e continuou. "É o seguinte. Todo dia eu penso nisso. Eu não tenho nada maior com que me preocupar. Fico sem dormir por causa disso. Sempre os mesmos quatro passos. Um, eu quero escrever um romance. Dois, eu estou duro. Três, eu tenho que arrumar um emprego. Quatro, o emprego vai matar a literatura. Eu não consigo ver um jeito de evitar isso. Não existe jeito. Aí uma moça simpática bate na minha porta e me oferece uma pensão considerável por nada. É bom demais para ser verdade. Eu estou desconfiado."

"Tom, você está fazendo tudo soar mais simples do que é. Você não é passivo nessa história. O primeiro passo foi dado por você. Foi você quem escreveu esses contos brilhantes. As pessoas estão começando a falar de você em Londres. Como é que você acha que nós te encontramos? Foi você quem construiu a sua sorte com talento e trabalho duro."

O sorriso irônico, a cabeça de lado — progresso.

Ele disse, "Eu gosto quando você diz brilhante".

"Que bom. Brilhante, brilhante, brilhante." Eu pus a mão na bolsa que estava no chão e tirei o folheto da Fundação. "Esse é o nosso trabalho. Você pode aparecer no escritório na Upper Regent Street e conversar com o pessoal. Você vai gostar deles."

"Você vai estar lá também?"

"O meu empregador direto é a Escrita sem Penas. Nós colaboramos estreitamente com a Liberdade Internacional e estamos pondo dinheiro nos projetos deles. Eles nos ajudam a encontrar os artistas. Eu viajo muito ou trabalho em casa. Mas se você escrever para o escritório da Fundação eles encaminham as mensagens para mim."

Ele deu uma olhada no relógio e levantou, então eu levantei também. Eu era uma moça aplicada, determinada a conseguir fazer o que esperavam de mim. Queria que Haley concordasse agora, antes do almoço, em ser pago por nós. Eu daria a notícia por telefone para Max à tarde e amanhã de manhã eu tinha esperança de ter um bilhete-padrão de parabéns de Peter Nutting, nada enfático, sem assinatura, datilografado por outra pessoa, mas importante para mim.

"Não estou pedindo para você se comprometer agora", eu disse, torcendo para não soar como alguém que está implorando. "Você não tem obrigação nenhuma. É só me dar carta branca e eu combino os pagamentos mensais. Só preciso dos seus dados bancários."

Carta branca? Eu nunca tinha falado assim. Ele piscou, concordando, mas não tanto com o dinheiro quanto com a minha fala. Nós estávamos separados por menos de dois metros. A cintura dele era fina e graças a um certo desalinho da sua camisa eu pude entrever embaixo dela um trecho de pele e pelos sedosos em cima do umbigo.

"Obrigado", ele disse. "Eu vou pensar com muito cuidado. Tenho que ir a Londres na sexta-feira. Posso dar uma passada no escritório de vocês."

"Muito bem", eu disse, e estendi a mão. Ele pegou a minha mão, mas não foi um aperto de mão. Ele segurou os meus dedos e fez um carinho neles com o polegar, só um gesto lento. Exatamente isso, um gesto, e estava olhando fixamente para mim. Quando tirei a mão, eu deixei o meu polegar roçar por todo o indicador dele. Acho que ele pode ter estado prestes a se aproximar mais quando veio uma batida animada e ridiculamente forte na porta. Ele deu um passo para trás, para longe de mim, enquanto dizia "entre". A porta se abriu e lá estavam duas meninas, cabelo louro repartido no meio, bronzeados desbotando, sandálias e unhas dos pés pintadas, braços nus, doces sorrisos ansiosos, insuportavelmente lindas. Os livros e os papéis debaixo dos braços delas nem me pareciam plausíveis.

"Arrá", o Tom disse. "A nossa discussão sobre a *Faerie Queene*."

Eu estava discretamente seguindo para a porta. "Esse eu não li", eu disse.

Ele riu, e as duas meninas se juntaram a ele, como se eu tivesse contado uma piada maravilhosa. Provavelmente eles não acreditaram em mim.

12.

Eu era a única passageira no meu vagão do primeiro trem da tarde, de volta para Londres. Quando nós saímos de South Downs e começamos a ganhar velocidade pelo Sussex Weald, tentei gastar a minha agitação caminhando de um lado para outro pelo corredor. Fiquei uns minutos sentada, e logo estava de novo em pé. Eu me culpava pela minha falta de persistência. Devia ter ficado esperando a hora que ele levaria para acabar a discussão com as alunas, forçado ele a almoçar comigo, revisto todos os dados, conseguido a aquiescência dele. Mas no fundo não era isso. Eu tinha saído de lá sem o endereço dele. Também não era isso. Alguma coisa podia ou não ter começado entre nós, mas era só um toque — um quase nada. Eu devia ter ficado e alimentado aquilo, saído de lá com algo a mais, uma ponte para o nosso próximo encontro. Um beijo longo naquela boca que queria falar por mim. Estava incomodada com a lembrança da pele entre os botões da camisa, os pelos claros em redemoinho em volta da beira do umbigo, e o corpo leve, exíguo e infantil. Peguei um dos contos dele para reler, mas a minha concentração logo se desmanchou. Pensei em descer em Hayward's Heath e voltar. Será que eu estaria tão perturbada se ele não tivesse acariciado os meus dedos? Eu achava que sim. Será que o toque do polegar dele podia ter sido um acidente? Impossível. Ele fez de propósito, ele estava me dizendo. *Fique.* Mas quando o trem parou eu não saí de onde estava, não confiei nos meus impulsos. Olha só o que foi acontecer, eu pensei, quando eu me ofereci ao Max.

Sebastian Morel é professor de francês numa grande escola perto de Tufnell Park, no norte de Londres. Ele é casado com Monica e eles têm dois filhos, uma menina e um menino de sete e quatro anos de idade, e moram numa casa geminada com várias outras perto de Finsbury Park. O trabalho de Sebastian é *pesado, inútil e mal pago*, os alunos são insolentes e indisciplinados. Às vezes ele passa o dia todo tentando manter a classe quieta e distribuindo castigos em que não acredita. Ele se espanta com o quanto um conhecimento rudimentar de francês é irrelevante nas vidas desses meninos. *Queria gostar deles, mas sentia repulsa da ignorância e da agressividade deles e de como eles ridicularizavam e provocavam qualquer colega que ousasse demonstrar interesse pelas aulas. E assim eles ficavam escondidos.* Quase todos eles vão sair da escola logo que puderem e arranjar empregos não qualificados ou engravidar e se virar com o auxílio-desemprego. Ele quer ajudar. Às vezes tem pena deles, às vezes luta para conter o seu desprezo.

Ele está com trinta e poucos anos, *um homem seco, de uma força excepcional.* Na universidade em Manchester, Sebastian era um ávido montanhista e liderou expedições para a Noruega, o Chile e a Áustria. Mas hoje em dia ele não vai mais às alturas porque a vida dele é limitada demais, ele nunca tem dinheiro nem tempo, e vive desanimado. *Seu equipamento de escalada estava guardado em bolsas de lona num armário embaixo da escada, bem atrás do aspirador e dos esfregões e baldes.* Dinheiro é sempre um problema. Monica tem formação de professora de escola primária. Agora ela não está trabalhando fora, para cuidar das crianças e da casa. Ela é boa nisso, é uma mãe amorosa, as crianças são um encanto, mas ela sofre de crises de inquietude e de frustração que correspondem às de Sebastian. O aluguel que eles pagam é indecoroso para uma casa tão pequena numa rua tão suja e o seu casamento de nove anos é tedioso, achatado por preocupações e excesso de trabalho, atrapalhado por uma ou outra briga — normalmente por causa de dinheiro.

Num fim de tarde escuro de dezembro, três dias antes do fim do semestre, ele é assaltado na rua. Monica pediu para ele passar no banco na hora do almoço e sacar setenta libras da conta conjunta deles para ela poder comprar presentes de Natal. É praticamente tudo que eles têm guardado. Ele entrou na rua deles, que é estreita e mal iluminada, e estava a cem metros da porta de casa quando ouviu passos atrás de si e sentiu uma mão no ombro. Ele se vira e *diante dele estava um menino de cerca de dezesseis anos de idade, caribenho, com uma faca de cozinha, grande e serrilhada. Por alguns segundos os dois ficaram próximos, separados por menos de um metro, e se encarando em silêncio.* O que incomoda Sebastian é a agitação do rapaz, o jeito de a faca tremer nas mãos dele, o terror naquele rosto. As coisas podiam ficar descontroladas de uma hora para outra. Com uma voz baixa e trêmula o menino pede a carteira dele. Sebastian ergue a mão lentamente até o bolso interno do casaco. Está prestes a entregar o Natal dos seus filhos. Ele sabe que é mais forte que o menino e calcula que quando estender a carteira pode bater nele, com força, no nariz, e lhe arrancar aquela faca.

Mas é mais que a agitação do rapaz o que contém Sebastian. *Havia uma opinião generalizada, defendida vigorosamente na sala dos professores, de que a criminalidade, especialmente os roubos e assaltos, era causada pela injustiça social.* Os ladrões são pobres, nunca tiveram as devidas chances na vida e mal podem ser culpados por pegar o que não lhes pertence. Essa também é a opinião de Sebastian, ainda que ele nunca tenha pensado direito no assunto. A bem da verdade, nem é uma opinião, é uma atmosfera geral de tolerância que cerca as pessoas decentes e educadas. Gente que reclama da criminalidade provavelmente vai reclamar também das pichações e da sujeira nas ruas e há de ter todo um conjunto de opiniões desagradáveis sobre a imigração e os sindicatos, impostos, guerra e pena de morte. *Era importante, portanto, em nome do respeito próprio, você não se importar muito com um assalto.*

Então ele entrega a carteira e o ladrão sai correndo. Em vez de ir direto para casa Sebastian volta para a High Street e vai até a delegacia de polícia para relatar a ocorrência. Enquanto fala com o sargento de plantão, ele se sente meio canalha, ou alcagueta, pois a polícia claramente faz parte do sistema que força as pessoas a roubarem. O desconforto dele cresce diante da grande preocupação do sargento, e da maneira como ele fica fazendo perguntas sobre a faca, o comprimento da lâmina, e se Sebastian conseguiu ver alguma coisa do cabo. É claro que assalto à mão armada é um delito muito grave. Aquele menino podia pegar anos de cadeia. Nem quando o sargento lhe diz que houve um esfaqueamento com morte ainda no mês anterior, de uma velha senhora que tinha tentado segurar a bolsa, o incômodo que Sebastian sente se desintegra. Ele não devia ter mencionado a faca. Enquanto volta caminhando pela rua ele se arrepende do seu impulso automático de delatar a ocorrência. Está ficando velho e burguês. Devia ter assumido a responsabilidade pela sua própria vida. Ele não é mais o tipo de sujeito que deixa a vida em espera e escala paredes de granito, confiando na sua agilidade, na sua força e na sua competência.

Como ele está começando a sentir uma fraqueza e um tremor nas pernas, ele entra num *pub* e com as moedas que tem no bolso consegue o suficiente para pagar um uísque grande. Engole tudo de uma vez, e aí vai para casa.

O assalto marca o declínio do seu casamento. Embora Monica nunca diga isso com todas as palavras, fica claro que ela não acredita nele. É aquela velha história. Ele chega em casa fedendo a álcool, dizendo que alguém levou o dinheiro das festas. O Natal acabou. Eles têm que pedir dinheiro emprestado ao irmão arrogante dela. A desconfiança dela alimenta o ressentimento dele, eles ficam distantes e têm que fingir animação no dia do Natal por causa das crianças, e isso parece aumentar o peso que cai sobre eles e os imobiliza em silêncio. *A ideia de que ela achava que ele era um mentiroso era como um veneno no coração dele.* Ele trabalha duro, é franco e fiel e não tem segredos. Como ela ousa duvidar dele! Uma noite, quando Naomi e Jake estão deitados, ele a desafia a dizer que acredita nele sobre o assalto. Ela fica imediatamente brava, e se recusa a dizer se acredita ou não. Em vez disso, muda de assunto, uma manobra, ele pensa amargamente, em que ela é supremamente boa e que ele mesmo devia aprender. Ela está de saco cheio daquela vida, ela lhe diz, de saco cheio de depender financeiramente dele, de ficar o dia todo trancada em casa enquanto ele está lá fora progredindo na carreira. Por que eles nunca pensaram na possibilidade de ele cuidar da casa e das crianças enquanto ela retoma a sua carreira?

Antes mesmo de ela terminar de falar ele já está pensando como isso pode ser interessante. Ele podia se afastar daqueles meninos odiosos, que nunca ficam quietos nem param nas cadeiras durante a aula. Podia parar de fingir que fazia diferença para ele se eles falavam uma palavrinha de francês. E ele gosta de ficar com os filhos. Ia levar os dois para a escola e para brincar com os amiguinhos, e aí tirar umas horas para si próprio, talvez realizar uma antiga ambição e escrever alguma coisa antes de ir pegar Jake e dar almoço para ele. Aí, uma tarde cuidando das crianças e de tarefas leves na casa. Felicidade. Ela que seja a escrava do salário. Mas eles estão brigando e ele não está com vontade de fazer ofertas conciliatórias. Rispidamente ele faz Monica voltar ao assunto do assalto. Ele a desafia novamente a chamá-lo de mentiroso, diz para ela ir à delegacia e ler o seu depoimento. Como resposta, ela sai da sala, batendo a porta com força.

Uma paz azeda se estabelece, as festas acabam e ele volta ao trabalho. A escola está pior do que nunca. Os meninos estão absorvendo da cultura dominante um espírito pretensioso de rebelião. *Maconha, álcool e cigarro eram a moeda no parquinho*, e os professores, inclusive o diretor, estão desorientados, acreditando parcialmente que essa atmosfera de insurreição é exatamente uma amostra da liberdade e da criatividade que eles deveriam estar alimentando, e meio conscientes de que a escola não está ensinando nada e está indo para as cucuias. Os "anos 1960", seja lá o que eles tenham sido, penetraram nesta década com uma nova máscara sinistra. *As mesmas drogas que diziam que tinham trazido paz e iluminação aos estudantes da classe média agora estavam acabando com as oportunidades dos pobres sofridos das cidades*. Meninos de quinze anos chegavam às aulas de Sebastian chapados ou bêbados, ou ambos. Meninos mais novos que eles usaram LSD no recreio e foram mandados para casa. Ex-alunos vendem drogas na frente da escola, parados ali abertamente com a sua mercadoria ao lado das mamães com os seus carrinhos de bebê. O diretor está receoso, estão todos receosos.

No fim do dia Sebastian muitas vezes está rouco por ter levantado a voz em classe. A caminhada de volta para casa é o seu único conforto, quando pode pensar tranquilo enquanto vai de um cenário pesado para outro. É um alívio Monica estar fazendo umas aulas noturnas quatro vezes por semana — ioga, alemão, angelologia. Fora isso, eles ficam se evitando em casa, conversando só para cuidar das tarefas. Ele dorme no quarto de hóspedes, depois de ter explicado às crianças que a mamãe não consegue dormir com ele roncando. Está pronto a desistir do emprego para ela poder assumir de volta o dela. Mas não consegue esquecer que ela acha que ele é o tipo de homem capaz de beber o Natal das crianças. E de mentir, ainda por cima. Nitidamente há um problema muito mais grave. A confiança que eles tinham um no outro sumiu e o casamento deles está em crise. Trocar de papéis com ela seria meramente uma questão de aparência. A ideia do divórcio o enche de horror. *Quantas discussões e quanta estupidez viriam depois! Como eles poderiam infligir uma dor e uma tristeza dessas a Naomi e Jake?* É responsabilidade dele e de Monica resolver essa questão. Mas ele não sabe por onde começar. Sempre que pensa naquele menino com a faca de cozinha na mão, a velha raiva retorna. A recusa de Monica de acreditar no que ele disse, de acreditar nele, rompeu um laço vital e lhe parece uma traição monstruosa.

E aí tem o dinheiro: eles nunca têm dinheiro. Em janeiro o carro deles, de doze anos de idade, precisa de uma embreagem nova. Isso por sua vez atrasa o pagamento do irmão de Monica — a dívida só é paga no começo de março. É uma semana depois disso, enquanto Sebastian está na sala dos professores na hora do almoço, que ele é abordado pela secretária da escola. A sua esposa está no telefone e precisa falar com ele urgentemente. *Ele correu para o gabinete nauseado de tanto medo. Ela nunca tinha ligado para o trabalho dele antes, e só podia ser alguma notícia muito ruim, talvez alguma coisa a ver com Naomi ou Jake.* Então é com certo alívio que ele a ouve dizer que alguém entrou na casa deles naquela manhã. Depois de deixar as crianças na escola, ela foi para a sua consulta médica, e depois fazer compras. Quando chegou em casa a porta da frente estava entreaberta. O ladrão tinha entrado pelo quintal, quebrado uma janela nos fundos da casa, levantado uma tranca e entrado pela janela, recolhido tudo e saído pela frente. Tudo o quê? *Ela listou os itens apaticamente.* A preciosa Rolleiflex dos anos 1930, que ele tinha comprado anos antes com o dinheiro de um concurso de francês que ganhou em Manchester. Aí, o rádio transistorizado da família e os binóculos Leica dele, e o secador de cabelos dela. Ela se detém, e aí lhe diz, com a mesma voz inabalada, que todo o seu equipamento de alpinismo também foi levado.

Naquele momento ele sente necessidade de sentar. A secretária, que ficou por ali, delicadamente sai do gabinete e fecha a porta. *Tanto material de qualidade cuidadosamente acumulado durante anos, e tanta coisa com valor sentimental, inclusive uma corda que ele uma vez usou para salvar a vida de um amigo durante uma descida em meio a uma tempestade nos Andes.* Mesmo que o seguro cubra tudo, algo de que Sebastian duvida, ele sabe que nunca vai repor o seu equipamento de montanhismo. Era muita coisa, há muitas outras prioridades. A sua juventude foi roubada. *Com sua tolerância de homem justo e de bom coração indo embora, ele imaginou que estava com as mãos em volta da garganta do ladrão.* Aí ele sacode a cabeça para se livrar dessa fantasia. Monica está lhe dizendo que a polícia já veio. Tem sangue na janela quebrada. Mas parece que o ladrão usou luvas, já que não há digitais. Ele lhe diz que devem ter sido no mínimo dois ladrões, para esvaziar todas as coisas dele do armário e levar tudo embora. *É, ela concordou com sua voz inexpressiva que deveriam ter sido dois.*

Em casa naquela noite ele não conseguiu resistir à tentação de se fazer sofrer abrindo o armário embaixo da escada e olhando para o lugar onde o seu equipamento ficava. *Ele recolocou os bal-*

des, esfregões e vassouras em suas posições verticais e então subiu para olhar na gaveta de meias, onde guardava sua câmera. Os ladrões sabiam o que levar, embora o secador faça menos falta porque eles têm dois. Esse mais recente infortúnio, esse ataque à privacidade doméstica dos dois, não ajuda em nada na aproximação de Sebastian e Monica. Depois de uma breve discussão eles concordam que não vão contar para as crianças sobre a invasão e ela sai para a sua aula. Nos dias que se seguem ele fica tão deprimido que mal consegue ir protocolar o processo na seguradora. O folheto coloridíssimo se gaba de oferecer "proteção sólida", mas as letras pequenas do texto são mesquinhas e punitivas. Só uma fração do valor da câmera está na cobertura, e o equipamento de montanhismo nem é coberto, porque ele tinha esquecido de arrolar aqueles itens.

A melancólica coexistência dos dois foi retomada. Um mês depois do roubo, a mesma secretária procura Sebastian para lhe dizer que um cavalheiro está no gabinete querendo falar com ele. Na verdade ele está esperando por Sebastian no corredor, com uma capa de chuva pendurada no braço. Ele se apresenta como inspetor-detetive Barnes e quer discutir uma questão. Será que o sr. Morel se incomodaria de dar uma passadinha na delegacia depois do trabalho?

Algumas horas depois ele está de volta ao balcão de recepção onde denunciou o assalto antes do Natal. É obrigado a esperar meia hora até Barnes ficar livre. O ID pede desculpas enquanto o faz subir três lances de escada de concreto e o conduz a uma pequena sala escura. *Havia uma tela desmontável numa parede e um projetor de filme no centro da sala, equilibrado no que parecia ser um banco de bar. Barnes pediu para Sebastian sentar e começou a relatar uma operação bem-sucedida.* Um ano antes a polícia tinha alugado uma loja dilapidada numa ruela lateral e posto alguns policiais à paisana como empregados. A loja comprava mercadoria de segunda mão, sendo que a ideia era filmar os ladrões quando eles aparecessem com mercadoria roubada. Com vários processos já em andamento, o disfarce tinha sido descoberto e a loja estava fechada. Mas ficaram um ou dois pontos sem nó. Ele diminui a luz.

Uma câmera oculta está posicionada atrás do "balconista" e dá uma visão da porta da rua e, no primeiro plano, do balcão. Sebastian já imagina que está prestes a ver entrando na loja o rapaz que o assaltou. Com uma identificação bem-sucedida, ele vai ser condenado por assalto à mão armada, e isso será ótimo. Mas o palpite de Sebastian está completamente equivocado. A pessoa que entra com uma bolsa grande e larga um rádio, uma câmera e um secador no balcão é a sua mulher. Lá está ela, com o casaco que ele lhe deu alguns aniversários antes. Por acaso ela se vira e olha para a câmera, como se tivesse visto Sebastian e estivesse dizendo, Olha só! Silenciosamente, ela troca algumas palavras com o vendedor e juntos eles saem e voltam alguns momentos depois arrastando três pesadas sacolas de lona. O carro deve estar estacionado bem em frente. O balconista dá uma olhada dentro de cada uma das sacolas e aí vai para trás do balcão, examina os itens. Então se segue o que deve ser uma negociação referente aos preços. *O rosto de Monica estava iluminado por uma lâmpada fluorescente. Ela parecia empolgada, até extasiada de um jeito meio nervoso. Sorria muito e num dado momento até riu de uma piada que o paisano fez.* Eles concordam com um preço, contam-se as notas, e Monica se vira para ir embora. *Na porta ela parou para fazer um último comentário, algo mais elaborado que um adeus, e aí saiu e a tela ficou escura.*

O ID desliga o projetor e acende a luz. Ele está sem jeito. Eles podiam ter aberto um processo contra ela, ele diz. Perder tempo dos policiais, perverter os trâmites judiciários, esse tipo de coisa. Mas claramente se trata de uma delicada questão doméstica e Sebastian vai ter que decidir por conta própria o que fazer. Os dois descem a escada e saem da delegacia. Quando aperta a mão de Sebastian o ID diz que sente muitíssimo, que pode ver que é uma situação difícil e que lhe deseja o melhor possível. Aí, antes de voltar para dentro ele acrescenta *que na opinião da equipe de policiais que estava trabalhando na loja, que tinha acesso às gravações do que foi dito no balcão, "a sra. Morel provavelmente precisava de ajuda".*

Na volta para casa — será que algum dia ele andou mais devagar? — ele teria parado no mesmo *pub* para tomar outra bebida para ganhar forças, mas não tem nos bolsos nem o valor de meio caneco de cerveja. Talvez seja até melhor. Ele precisa estar com a cabeça limpa e o hálito bom. Leva uma hora para andar o quilômetro e meio até a sua casa.

Ela está cozinhando com as crianças quando ele entra. *Ele para na porta da cozinha olhando sua família fazer um bolo. Era terrivelmente triste, o jeito das cabecinhas lindas de Jake e Naomi balançarem tão ansiosas enquanto a mãe deles murmurava as instruções.* Ele sobe e vai deitar na cama no quarto de hóspedes, fitando o teto. Está se sentindo pesado e cansado e fica pensando se está em estado de choque. E no entanto, apesar da verdade terrível que lhe foi revelada naquele dia, ele está incomodado agora com algo novo e igualmente chocante. Chocante? Será a palavra certa?

Quando estava lá embaixo agorinha mesmo olhando Monica e as crianças, houve um momento em que ela voltou os olhos na direção dele, por cima do ombro. Os seus olhos se encontraram. Ele a conhece muito bem, viu aquele olhar muitas vezes e sempre o achou bem-vindo. Ele promete muito. É uma sugestão tácita de que quando for a hora certa, quando as crianças estiverem dormindo, eles devem aproveitar a oportunidade e obliterar todas as preocupações com as tarefas domésticas. Nas novas circunstâncias, com o que sabe agora, ele devia sentir repulsa. Mas fica empolgado com aquele olhar porque veio de uma desconhecida, de uma mulher de quem ele não sabe nada além do seu óbvio gosto pela destruição. *Ele tinha visto a mulher num filme mudo e percebeu que nunca tinha entendido sua esposa. Ele tinha entendido tudo errado. Ela não era mais uma figura familiar. Na cozinha ele a tinha visto com novos olhos e percebido, como que pela primeira vez, o quanto ela era linda. Linda e louca. Ali estava alguém que ele acabava de conhecer, numa festa, digamos, alguém que ele percebeu do outro lado de uma sala lotada, o tipo de mulher que, com um único olhar inequívoco, oferece um convite perigoso e estimulante.*

Ele foi absolutamente fiel durante todo o seu casamento. A sua fidelidade agora parece ser apenas mais um aspecto do fracasso e da limitação de toda a vida dele. O seu casamento acabou, não há volta, pois como ele poderia viver com ela agora? Como pode confiar numa mulher que roubou as suas coisas e mentiu para ele? Acabou. Mas aqui está a chance de um caso. Um caso com a loucura. Se ela precisa de ajuda, então é isso que ele pode oferecer.

À noite ele brinca com as crianças, limpa a gaiola do hamster com elas, veste os pijamas nos dois, e lê para eles três vezes seguidas, depois para Jake sozinho, depois para Naomi. É nesses momentos que a vida dele faz sentido. Como é tranquilizador o cheiro da roupa de cama limpa e o hálito mentolado de pasta de dentes, e a curiosidade dos seus filhos por ouvir as aventuras de criaturas imaginárias, e como é tocante ver os olhinhos deles ficarem pesados enquanto lutam para se agarrar aos inestimáveis minutos derradeiros de um dia, e finalmente fracassar. Durante tudo isso ele se mantém consciente da presença de Monica andando no andar de baixo, ouve o baque singular da porta do forno algumas vezes e fica excitado pela lógica simples e desorientadora: se vai haver comida, se eles vão comer juntos, então vai haver sexo.

Quando ele desce, a minúscula sala de estar foi arrumada, a bagunça de sempre sumiu da mesa de jantar e há luz de velas, Art Blakey no *hi-fi*, uma garrafa de vinho na mesa e um frango assado num prato de cerâmica. *Quando lembrou do filme da polícia — ele ficava voltando àquela lembrança —, sentiu ódio por ela. E quando ela veio da cozinha usando saia e blusa limpas, com duas taças de vinho na mão, sentiu desejo por ela.* O que está faltando é amor, ou a lembrança culpada do amor, ou a necessidade dele, e isso é uma liberação. Ela se tornou outra mulher, desleal, enganosa, dura e até cruel, e ele está prestes a fazer amor com ela.

Durante a refeição eles evitam falar do rancor que tinha sufocado o casamento deles por meses. Eles nem falam das crianças como sempre fazem. Em vez disso falam de férias felizes no passado, e das viagens de férias que vão fazer com as crianças quando Jake estiver um pouco mais velho. É tudo falso, nada disso vai acontecer. *E aí eles falaram de política, das greves e do estado de emergência e da sensação de ruína iminente no Parlamento, nas cidades, na própria noção que o país tem de si — falaram de toda a ruína exceto a deles.* Ele a observa cuidadosamente enquanto ela fala, e sabe que cada palavrinha é uma mentira. Será que ela não acha extraordinário, como ele acha, que depois de todo esse silêncio eles estejam agindo como se nada tivesse acontecido? Ela está contando com o sexo para resolver tudo. Ele a deseja ainda mais. E mais ainda quando ela pergunta de passagem sobre a seguradora e manifesta a sua preocupação. *Incrível. Que atriz. Era como se ela estivesse sozinha e ele assistisse por um olho mágico.* Ele não tem nenhuma intenção de confrontá-la. Se o fizesse, eles seguramente iam brigar, porque ela ia negar tudo. Ou ela ia lhe dizer que a dependência financeira que ela sentia tinha sido o motivo daquelas medidas desesperadas. E ele ia ter que lembrar que todas as contas deles são conjuntas e que ele tem tão pouco dinheiro quanto ela. Mas assim eles vão fazer amor e ele pelo menos vai saber que é pela última vez. *Ele ia fazer amor com uma ladra mentirosa, uma mulher a quem jamais iria conhecer. E ela por sua vez ia se convencer de que era ela que estava fazendo amor com um ladrão mentiroso. E fazendo isso num espírito de perdão.*

Na minha opinião, Tom Haley gastou muito tempo com esse frango de despedida, e aquilo me pareceu especialmente arrastado numa releitura. Não era necessário mencionar as verduras, ou nos dizer que o vinho era um Borgonha. O meu trem estava chegando perto da Clapham Junction enquanto eu virava as páginas para localizar o fim. Fiquei tentada a pular aquilo de uma vez. Eu não tinha pretensões de sofisticação — eu era um tipo de leitora simples, condenada pelo meu temperamento a considerar Sebastian como o duplo do Tom, o portador da sua habilidade sexual, o receptáculo das suas angústias sexuais. Eu ficava desconfortável toda vez que um dos personagens masculinos dele se aproximava de uma mulher, de *outra* mulher. Mas também estava curiosa, eu tinha que assistir. Se Monica além de falsa era doida (o que era aquela história de angelologia?), então havia algo obscuro e obtuso no Sebastian. A decisão dele de não confrontar a esposa sobre a traição dela pode ter sido um cruel exercício de poder com fins sexuais, ou uma simples questão de covardia, de uma preferência fundamentalmente inglesa por evitar uma cena. O que não dizia boa coisa do Tom.

Com o passar dos anos, a repetição marital tinha simplificado o processo e eles *logo estão nus abraçados na cama*. Eles estão casados há um tempo mais do que suficiente para conhecerem perfeitamente as necessidades do outro, e o fim de longas semanas de *froideur* e abstinência certamente foi um certo bônus, mas ele não pode explicar completamente a paixão que os toma agora. *Seus ritmos costumeiros e sociáveis foram violentamente descartados.* Eles estão vorazes, ferozes, extravagantes e estrondosos. Num dado momento a pequena Naomi no quarto ao lado *adormecida solta um grito, um puro uivo argênteo que sobe pelas trevas e que eles de início confundem com um gato.* O casal se imobiliza e espera que ela se tranquilize.

E aí vêm as últimas linhas de "Penhornografia", com os personagens incomodamente equilibrados no ápice do êxtase. A desolação ficava por vir, fora da página. O leitor era poupado do pior.

O som era tão gélido e lúgubre que ele imaginou que a filhinha tinha visto em seus sonhos o inevitável futuro, toda a dor e a confusão que estavam por vir, e se sentiu minguar aterrorizado. Mas o momento passou, e logo Sebastian e Monica novamente se afundaram, ou decolaram, pois não parecia haver dimensões físicas no espaço em que nadavam ou por onde caíam, apenas sensações, apenas um prazer tão concentrado, tão agudo que era um lembrete da dor.

13.

Max tinha tirado uma semana de férias em Taormina com a noiva, então não podia haver um relato imediato quando eu voltei ao escritório. Fiquei num estado de suspensão. Chegou a sexta-feira e nada de notícias de Tom Haley. Decidi que se ele tinha visitado o escritório da Upper Regent Street naquele dia, deve ter tomado uma firme decisão quanto a não me procurar. Na segunda eu peguei uma carta de uma caixa postal na Park Lane. Um secretário da Liberdade Internacional tinha datilografado um memorando que confirmava que o sr. Haley tinha passado por lá no fim da manhã de sexta-feira, ficado uma hora ali, feito muitas perguntas e que ele pareceu impressionado com o trabalho da Fundação. Eu devia ter me sentido encorajada, e acho que fiquei, de uma maneira meio distante. Mas basicamente estava me sentindo abandonada. A ação do polegar de Haley, eu decidi, era um reflexo, o tipo de coisa que ele tentava com qualquer mulher com quem achava que tinha uma chance. Fiquei montando esquemas mal-humorados, imaginando que quando ele finalmente me dissesse que ia se dignar a aceitar o dinheiro da Fundação, eu ia aniquilar as chances dele dizendo para Max que ele tinha negado e que a gente devia procurar outro.

No trabalho o único assunto era a guerra no Oriente Médio. Até a mais tontinha das ex-debutantes entre as secretárias tinha sido sugada pelo drama cotidiano. As pessoas andavam dizendo que com os americanos por trás de Israel e os soviéticos por trás da causa egípcia, síria e palestina, havia um potencial para o tipo de guerra via testas de ferro que podia nos deixar um passo mais perto de uma detonação nuclear. Uma nova Crise dos Mísseis cubanos! Instalaram um mapa na parede do nosso corredor com umas continhas plásticas adesivas que representavam as facções opostas e umas flechas para mostrar os seus movimentos recentes. Os israelenses, atordoados pelo ataque-surpresa no Yom Kippur, estavam começando a se reorganizar, os egípcios e os sírios tinham cometido alguns erros táticos, os Estados Unidos estavam mandando aviões com armas para o seu aliado, Moscou mandava avisos. Tudo isso devia ter me empolgado mais do que empolgou, a vida cotidiana devia ter sido mais viva. A civilização ameaçada por uma guerra nuclear, e eu aqui encucada com um desconhecido que fez carinho com o polegar na minha mão. Um solipsismo monstruoso.

Mas eu não estava só pensando em Tom. Também estava preocupada com Shirley. Seis semanas tinham se passado depois da nossa despedida no show do Bees Make Honey. Ela saiu do seu apartamento, abandonou a mesa no Registro no fim da semana de trabalho sem nem dizer adeus. Três dias depois uma recém-chegada estava no lugar dela. Algumas das meninas que tinham previsto, contrafeitas, que ela tinha sido promovida agora diziam que ela tinha sido forçada a sair porque *não era uma de nós*. Eu estava brava demais com a minha velha amiga para ir atrás dela. Naquela época eu fiquei aliviada por ela ter se mantido afastada sem criar problemas. Mas, com o passar das semanas, a sensação de ter sido traída diminuiu. Comecei a pensar que no lugar dela eu teria feito a mesma coisa. Talvez com mais disposição, dada a minha sede de aprovação. Eu suspeitei que ela tivesse se equivocado — eu não estava sendo seguida. Mas estava com saudade dela, daquela risada escandalosa, da mão pesada no meu pulso quando ela queria contar um segredo, daquele gosto despreocupado por *rock'n'roll*. Em comparação, nós todas, no escritório, éramos tímidas e certinhas, até quando estávamos fofocando ou provocando outra menina.

As minhas noites agora eram vazias. Eu chegava em casa, pegava as minhas coisas do "meu" canto da geladeira, fazia a janta, passava um tempo com as advogadinhas se elas por acaso estivessem por ali, e aí lia no quarto na minha poltroninha atarracada até as onze, a minha hora de dormir. Naquele mês de outubro eu estava encantada pelos contos de William Trevor. A vida fechada dos personagens dele me deixava imaginando como a minha própria existência pareceria nas suas mãos. A moça sozinha no quartinho, lavando o cabelo na pia, sonhando acordada com um homem de Brighton que não entrava em contato, com a melhor amiga que tinha desaparecido da sua vida, com outro homem por quem tinha se apaixonado e que devia encontrar amanhã, quando ficaria sabendo dos seus planos de casamento. Que coisa mais cinza e triste.

Uma semana depois da minha reunião com Haley eu fui de Camden até a Holloway Road com todo tipo de esperança boba e de desculpas preparadas. Mas Shirley tinha abandonado o quarto sem deixar um endereço. Eu não tinha o endereço dos pais dela em Ilford e no trabalho eles não quiseram me dar. Procurei a Mondo Cama nas Páginas Amarelas e falei com uma pessoa que não foi de grande ajuda. O sr. Shilling não podia atender o telefone, a filha dele não trabalhava ali e podia ou não estar fora da cidade. Se eu mandasse uma carta endereçada a ela aos cuidados da Mondo Cama, ela podia ou não receber. Eu escrevi um cartão-postal, anormalmente animado, fingindo que nada tinha acontecido entre nós. Pedi para ela entrar em contato. Eu não estava esperando resposta.

Eu tinha que encontrar Max no seu primeiro dia de volta ao trabalho. Naquela manhã eu sofri horrores para chegar ao escritório. Todo mundo sofreu. Estava frio e a chuva caía daquele jeito constante e implacável que ela tem de cair na cidade, dando a entender que podia ficar assim um mês. Houve uma denúncia de uma bomba na linha Victoria. O IRA tinha ligado para um jornal e dado um código especial. Então acabei andando mais de um quilômetro até o escritório, passando por filas em pontos de ônibus que estavam grandes demais para valer a pena. Parte do tecido da minha sombrinha tinha descosturado das varetas, o que me dava a aparência de um mendigo meio chapliniano. Os meus sapatos estavam com rachaduras no couro que absorviam a umidade. Nas bancas de revistas todas as primeiras páginas ostentavam a história da "alta do preço do petróleo" da OPEP. O Ocidente estava sendo punido pelo seu apoio a Israel com um aumento considerável. As exportações para os EUA foram boicotadas. Os líderes do Sindicato dos Mineradores iam fazer uma reunião especial para discutir como explorar melhor a situação. Nós estávamos perdidos. Os céus escureciam sobre os grupos de pessoas que atravessavam lentamente a Conduit Street, encolhidas dentro das capas de chuva, tentando manter os guarda-chuvas longe da cara dos outros. Nós estávamos apenas em outubro e pouco mais de quatro graus acima do ponto de congelamento — um gostinho do longo inverno que viria. Eu lembrei melancólica da palestra a que assisti com Shirley, e de como cada uma daquelas previsões cruéis estava se realizando. Lembrei daquelas cabeças viradas, daqueles olhares de acusação, da minha ficha suja, e a minha antiga raiva contra ela renasceu e o meu humor ficou ainda pior. A amizade dela tinha sido fingimento, eu era uma boba, o meu lugar não era naquele tipo de trabalho. Eu queria estar ainda na minha cama mole e afundada, com um travesseiro em cima da cabeça.

Eu já estava atrasada mas dei uma olhada na caixa postal antes de ir correndo até a Leconfield House, logo na esquina. Passei quinze minutos no banheiro, tentando secar o cabelo no toalheiro automático e esfregando as manchas de lama da minha meia. Max era uma causa perdida, mas eu tinha que defender a minha dignidade. Estava dez minutos atrasada quando me espremi no seu escritório triangular, consciente do quanto os meus pés estavam frios e úmidos. Fiquei olhando para ele do outro lado da mesa enquanto ele arrumava os documentos e ostentava o seu profissionalismo. Ele estava com uma aparência diferente depois de uma semana fazendo amor com a dra. Ruth em Taormina? Tinha cortado o cabelo antes de voltar ao trabalho e as suas orelhas tinham voltado ao modelo açucareiro. Não havia centelha de uma nova confiança nos olhos dele, ou manchas escuras por baixo deles. Além de uma nova camisa branca e de uma gravata de um azul mais escuro e um novo terno escuro, não vi nenhuma transformação. Será que era possível eles terem ficado em quartos separados para se guardarem para a noite do casamento? Não, pelo que eu sabia do pessoal da medicina e dos seus longos e loucos períodos de residência. Mesmo que o Max, obedecendo a alguma improvável instrução da mãe, tivesse feito uma tentativa pouco convincente de esperar, ele teria sido comido vivo pela dra. Ruth. O corpo, em toda a sua fragilidade, era a profissão dela. Bom, eu ainda queria Max, mas também queria Tom Haley e isso era um tipo de proteção, se eu ignorasse o fato de que ele não estava interessado em mim.

"Então", ele disse finalmente. Ele ergueu os olhos da pasta da *Operação Tentação* e ficou esperando.

"Como é que foi em Taormina?"

"Pois você acredita que choveu todo dia?"

Ele estava me dizendo que eles ficaram na cama o dia todo. Como que reconhecendo esse fato ele acrescentou rapidamente, "Então nós visitamos um monte de igrejas, museus, esse tipo de coisa".

"Deve ter sido legal", eu disse inexpressiva.

Ele ergueu os olhos prontamente, preparado para detectar ironia mas, acho, não conseguiu ver.

Ele disse, "Nós já tivemos notícia de Haley?".

"Ainda não. A reunião correu bem. Ele claramente precisa do dinheiro. Não está conseguindo acreditar na sorte que deu. Veio até a cidade na semana passada para dar uma olhada na Fundação. Acho que ele está só pensando."

Foi estranho o quanto, ao colocar as coisas nesses termos, eu me animei. É isso mesmo, eu pensei. Eu devia tentar ser mais razoável.

"Ele *é* como?"

"Muito acolhedor, sabe."

"Não, assim, como ele *é*?"

"Nada bobo. Muito bem-educado, motivadíssimo no que se refere à literatura, obviamente. Os alunos adoram o sujeito. Bonitinho de um jeito meio diferente."

"Eu vi a fotografia dele", Max disse. Me ocorreu que ele poderia estar se arrependendo do erro. Podia ter feito amor comigo e *daí* ter anunciado o noivado. Eu sentia que devia ao meu respeito próprio um certo flerte com Max, para fazer ele se sentir mal por ter me deixado de lado.

"Eu fiquei esperando um postal seu."

"Desculpa, Serena. Eu nunca mando postais — não é um costume meu, mesmo."

"Você estava feliz?"

A pergunta direta o pegou de surpresa. Eu fiquei satisfeita ao vê-lo desorientado. "Sim, sim, nós estávamos mesmo. Bem felizes. Mas tem uma..."

"Mas?"

"Tem uma outra coisinha..."

"Sim?"

"Nós podemos conversar sobre viagens e tudo isso mais tarde. Mas antes de eu te contar essas coisas, ainda no que se refere ao Haley, dê mais uma semana e aí tente escrever para ele e diga que nós precisamos ter notícia dele imediatamente, caso contrário a oferta será retirada."

"Certo."

Ele fechou a pasta. "O negócio é o seguinte. Lembra do Lyálin?"

"Você mencionou o nome dele."

"Eu não devia saber de nada disso. E você certamente não devia. Mas virou fofoca. Está correndo de boca em boca. Acho que você bem podia ficar sabendo de uma vez. Ele foi um grande golpe para nós. Queria vir para o nosso lado em 71, mas aparentemente nós o deixamos lotado aqui em Londres por mais uns meses. O 5 estava a ponto de combinar a deserção dele quando ele foi preso pela polícia de Westminster por dirigir alcoolizado. Nós chegamos a ele antes dos russos — eles certamente teriam matado o sujeito —, ele veio até nós, com a sua secretária e amante. Ele era um oficial da KGB ligado ao departamento de sabotagem deles. Um camaradinha bem baixo na hierarquia, uma espécie de capanga, aparentemente, mas inestimável. Ele confirmou o nosso pior pesadelo, de que havia dúzias, montes de oficiais da Inteligência soviética trabalhando aqui com imunidade diplomática. Quando nós expulsamos os cento e cinco — e, aliás, Heath ajudou demais naquilo tudo, por mais que fiquem falando mal dele agora —, aquilo pareceu pegar Moscou com as calças na mão. Nós nem contamos aos americanos, e isso causou um barulhão e a poeira ainda nem baixou direito. Mas o importante é que aquilo mostrou que nós não tínhamos mais gente infiltrada em nenhum nível hierárquico significativo. Nada desde George Blake. Um alívio imenso para todo mundo.

"Nós provavelmente vamos continuar conversando com o Lyálin enquanto ele estiver vivo. Sempre ficam umas pontas soltas, coisas do passado, histórias antigas com uma nova perspectiva, informações sobre o *modus operandi*, estruturas, hierarquias e assim por diante. Havia um misteriozinho em particular, um criptônimo que ninguém conseguiu decifrar porque as informações eram muito vagas. Era um inglês com o codinome de Volt, ativo bem no final dos anos 1940 e até o final dos anos 1950, que trabalhava para nós, não para o 6. O interesse era a bomba H. Não exatamente a nossa área. Nada espetacular como o Fuchs, nada técnico. Nem mesmo coisas de planejamento de longo prazo ou de logística. Lyálin viu o material referente a Volt quando ainda estava em Moscou. Não representava muita coisa, mas ele sabia que a fonte era o 5. Ele viu umas coisas meio especulativas, sabe, documentos do tipo 'e se', o que os americanos chamam de *scenarios*. O que nós chamamos de um fim de semana no interior. Palavrório. O que ia acontecer se os chineses construíssem a bomba, qual o custo de um ataque preventivo, qual o nível otimizado de estoques sem levar orçamentos em consideração e por favor me passe o vinho do Porto."

Foi nesse momento que eu imaginei o que estava por vir. Ou o meu corpo soube. O meu coração estava batendo um pouco mais forte.

"O nosso pessoal passou meses cuidando disso, mas nós tínhamos muito pouca informação sobre o Volt para poder cruzar com a folha de pagamento ou com a biografia de alguém. Aí no ano passado alguém desertou para o lado dos americanos em

Buenos Aires. Eu não sei o que os nossos amigos ficaram sabendo. Mas sei que eles demoraram para passar a informação, ainda bravinhos por causa das expulsões, eu imagino. Seja o que for que eles nos deram, foi o suficiente."

Ele se deteve. "Você sabe aonde isso está levando, não é?"

Eu queria dizer "sei", mas a minha língua não conseguiu se mexer a tempo. O que saiu foi um grunhido.

"Então isso é o que anda de boca em boca. Há vinte e tantos anos Canning estava passando documentos para um contato. A coisa durou um ano e três meses. Se houve material mais perigoso, nós não sabemos. Não sabemos por que ele parou. Talvez tenha sido uma decepção para todos os envolvidos."

Enquanto eu estava no meu carrinho de bebê azul-marinho com amortecedores, ainda filha única, sendo levada em todo o meu esplendor de touca e cueiros do presbitério para as lojas da cidade, Tony estava negociando com o seu contato, tentando soltar umas frases em russo daquele jeito exibido dele. Eu o vi num barzinho pé-sujo de uma rodoviária, tirando do bolso interno de um terno de jaquetão um envelope dobrado de papel pardo. Quem sabe um sorriso sem jeito e um dar de ombros porque o material não era de primeira — ele gostava de ser o melhor. Mas eu não conseguia ver o rosto dele direito. Nos últimos poucos meses, sempre que eu tentava evocá-lo, a imagem se dissolvia na minha mente. Talvez fosse por isso que eu andava menos atormentada. Ou, pelo contrário, talvez fosse o fim da minha dor que tivesse começado a apagar a fisionomia dele.

Mas não a voz. A memória auditiva é muito mais precisa. Eu podia tocar o som da voz do Tony dentro da minha cabeça como quem liga um rádio. Um jeito que ele tinha de resistir até o último momento ao contorno ascendente de uma pergunta, o leve *w* no lugar de um *r*, e certas expressões escrupulosas — "Se você está dizendo", "Eu não diria isso", "Bom, até certo ponto" e "Espera aí" — e a elegantíssima leveza acadêmica, o seu jeito de ter tanta certeza de que jamais diria ou pensaria alguma coisa estúpida ou radical. Somente o ponto de vista ponderado, equilibrado. E era por isso que era fácil evocar a sua explicação num café da manhã no chalé, com o sol de princípios de verão entrando pela porta aberta com os seus inexplicáveis rebites inumeráveis, por sobre as pedras do piso, para iluminar o gesso e as tábuas caiadas da parede mais distante da sala de jantar, onde estava a aquarela de Churchill. E, na mesa entre nós, um café bem escuro feito de um jeito especial, pelo "método do jarro", com uma pitada de sal, e umas torradas claras demais que pareciam pão amanhecido empilhadas num prato verde-claro com a vitrificação coberta de uma teia de rachaduras e uma marmelada amarga cortada em fatias grossas que a irmã da caseira fazia.

Eu ouvi perfeitamente a justificativa de Tony, que, como o seu tom sugeriria, só um tolo recusaria. Minha querida. Espero que você recorde a nossa primeira aula. Essas novas armas aterradoras só podem ser contidas por um equilíbrio de forças, pelo medo recíproco e pelo respeito recíproco. Mesmo que isso signifique entregar certos segredos a uma tirania, seria melhor que o domínio inequívoco da bazófia americana. Tenha a bondade de lembrar das vozes da direita americana depois de 1945 pedindo o extermínio nuclear da União Soviética enquanto eles ainda não tivessem como retaliar. Quem poderia ignorar uma lógica tão insidiosa? Se o Japão estivesse de posse de uma arma como essas, os horrores de Hiroshima não teriam acontecido. Somente um equilíbrio de forças pode manter a paz. Eu fiz o que tinha que fazer. Era a Guerra Fria. O mundo tinha se organizado em grupos opostos. Eu não fui o único a pensar dessa maneira. Por mais que os seus abusos sejam grotescos, deixemos a União Soviética se armar na mesma escala. Por mais que as mentes pequenas me acusem de comportamento antipatriótico, o homem racional age pela paz mundial e pelo prosseguimento da civilização.

"Bom", Max disse. "Você não tem alguma coisa a dizer?"

O tom dele sugeria que eu era cúmplice ou responsável de alguma maneira. Permiti que um silêncio curto neutralizasse a pergunta dele. Eu disse, "Ele chegou a ser acusado antes de morrer?".

"Não sei. Eu só tenho as fofocas que escapam do quinto andar. Eles certamente tiveram tempo — cerca de seis meses."

Eu estava lembrando do carro que veio com os dois homens de terno, e do passeio que eu fui obrigada a fazer pelo bosque, e da nossa volta repentina a Cambridge. Naqueles primeiros minutos depois da revelação que Max fez eu não senti muita coisa. Eu entendia a importância daquilo tudo, sabia que havia emoções à minha espera, mas teria que estar sozinha para enfrentá-las. Por enquanto eu me sentia protegida por uma hostilidade irracional para com Max, pelo meu impulso de culpar o mensageiro. Ele falava de Tom Haley com um tom condescendente em toda oportunidade e agora estava destruindo o meu antigo namorado, tentando arrancar os homens da minha vida. Ele podia ter guardado para si próprio a história de Canning. Era só um boato e, mesmo que fosse verdade, não havia nenhum motivo operacional para eu ficar sabendo. Era um caso raro de ciúme prospectivo e retrospectivo lado a lado. Se ele não podia ficar comigo, ninguém poderia, nem mesmo o passado.

Eu disse, "Tony não era comunista".

"Imagino que ele tenha flertado com a ideia nos anos 1930, como todo mundo."

"Ele era do Partido Trabalhista. Ele odiava os julgamentos encenados e os expurgos. Ele sempre disse que teria votado pelo rei e pela pátria naquele debate em Oxford."

Max deu de ombros. "Eu entendo que seja difícil."

Mas ele não entendia, nem eu naquele momento.

Eu saí da sala de Max e fui direto para a minha mesa, determinada a me narcotizar com as tarefas que estavam por cumprir. Era cedo demais para pensar nisso. Ou, melhor, eu não tinha coragem de pensar nisso. Estava em estado de choque e ia fazendo o meu trabalho como um autômato. Eu estava trabalhando com um funcionário burocrático chamado Chas Mount, uma figura simpática, ex-militar e antigo vendedor de computadores que estava muito satisfeito por me dar responsabilidades de verdade. Finalmente eu tinha sido promovida à Irlanda. Nós tínhamos dois agentes no IRA — pode ser que houvesse mais, mas eu não sabia. E esses dois não sabiam um do outro. Eles eram "dorminhocos", que deviam passar alguns anos subindo na hierarquia militar, mas quase imediatamente um deles tinha gerado um grande fluxo de informações a respeito de cadeias de fornecimento de armas. Nós precisávamos expandir e racionalizar os documentos criando subagrupamentos e abrindo novas fichas para os fornecedores e os intermediários, com referências cruzadas e um certo grau de material duplicado que pudesse levar qualquer pesquisa desorientada ao lugar certo. Nós não sabíamos nada desses agentes — para nós eles eram "Helium" e "Spade", mas eu vivia pensando neles, nos perigos que eles corriam e na segurança que eu tinha aqui no escritoriozinho encardido de que reclamava tanto. Eles certamente seriam católicos irlandeses, que se encontravam em minúsculas salinhas de estar no Bogside ou numa sala de reuniões em algum *pub*, sabendo que um escorregão, uma inconsistência óbvia podia lhes custar uma bala na nuca. E o corpo largado na rua para todo mundo poder ver o que acontecia com os informantes. Eles teriam que encarnar totalmente o papel para serem convincentes. Para proteger o seu disfarce, Spade já tinha ferido gravemente dois soldados ingleses numa emboscada e tinha se envolvido na morte de alguns membros do RUC e na tortura e assassinato de um informante da polícia.

Spade, Helium e agora Volt. Depois de algumas horas tentando bloquear o assunto Tony, eu fui para o banheiro, me tranquei num cubículo e fiquei um tempo ali sentada, e tentei assimilar a notícia. Eu queria chorar, mas a minha agitação tinha elementos secos de raiva e decepção. Estava tudo tão longe e ele estava morto, mas o ato me parecia tão fresco como se tivesse acontecido ontem. Eu achava que sabia quais seriam os argumentos dele, mas não conseguia aceitá-los. Você decepcionou os seus amigos e os seus colegas, eu me ouvi dizendo a ele no mesmo café da manhã ensolarado. É uma questão de desonra, e quando vazar, e não há como evitar, vai ser o único ato pelo qual vão lembrar de você. Tudo mais que você fez vai ser irrelevante. A sua reputação vai depender somente disso, porque no fim das contas a realidade é social, é entre outros que nós temos que viver e a opinião deles tem importância. Mesmo, ou especialmente, quando a gente morre. A sua existência inteira agora vai ficar reduzida na mente dos vivos a algo sujo e traiçoeiro. Ninguém vai duvidar que você queria causar mais dano do que conseguiu, que você teria entregado os planos completos se tivesse conseguido pôr as mãos neles. Se você achava que as suas ações eram tão nobres e racionais, por que não apresentá-las abertamente e defender o seu caso em público e enfrentar as consequências? Se Stálin podia assassinar e matar de fome vinte milhões de pessoas do seu próprio povo em nome da revolução, quem é que pode dizer que ele não poderia sacrificar mais gente pela mesma causa num combate nuclear? Se um ditador dá tão menos valor à vida que um presidente americano, onde é que fica o seu equilíbrio de forças?

Discutir com um defunto no banheiro é uma experiência claustrofóbica. Eu saí do cubículo, joguei uma água fria no rosto e me arrumei, e aí voltei ao trabalho. Na hora do almoço eu estava desesperada para sair do prédio. A chuva tinha parado e as calçadas reluziam imaculadas sob a surpreendente luz do sol.

Mas havia um vento cortante e não havia a menor possibilidade de andar à toa pelo parque. Segui num passo rápido pela Curzon Street, tomada por pensamentos irracionais. Estava com raiva de Max por ter me dado a notícia, com raiva de Tony por não ter conseguido ficar vivo, por me abandonar com o fardo dos seus erros. E como ele tinha me guiado para aquela carreira — eu agora pensava nela como algo além de um emprego — eu mesma me sentia contaminada pela deslealdade dele. Ele tinha posto o seu nome numa lista inglória — Nunn May, os Rosenberg, Fuchs —, mas ao contrário deles não tinha dado nada de importância. Ele era uma nota de rodapé na história da espionagem nuclear, e eu era uma nota de rodapé na sua traição. Eu tinha sido diminuída. Claramente era o que Max achava. Mais uma razão para eu estar brava com *ele*. E eu estava brava comigo por ter sido tão tola a respeito dele, por pensar que aquele imbecil empolado e orelhudo podia ter me feito feliz. Que sorte a minha ter sido imunizada por aquele noivado ridículo.

Passei pela Berkeley Square, onde nós tínhamos lembrado da música do rouxinol, e desci direto pela Berkeley Street na direção de Piccadilly. Na altura da estação Green Park vi as manchetes das edições vespertinas dos jornais. Racionamento de petróleo, crise de energia, Heath vai fazer um pronunciamento à nação. Eu não estava dando a mínima. Andei em direção ao Hyde Park Corner. Estava chateada demais para sentir fome e almoçar. E estava com uma estranha sensação de ardência na sola dos pés. Queria correr ou chutar alguma coisa. Queria uma partida de tênis com um adversário feroz, de quem eu pudesse ganhar. Eu queria gritar com alguém — era isso, eu queria uma briga gigantesca com Tony e aí abandoná-lo antes que ele tivesse a chance de me abandonar. O vento estava soprando mais forte, bem na minha cara, quando entrei na Park Lane. Nuvens de chuva estavam se acumulando sobre o Marble Arch, se preparando para me encharcar de novo. Eu andei mais rápido.

Estava passando pela agência do correio e então resolvi entrar, em parte para escapar da chuva. Eu tinha verificado só umas horas antes e não tinha grandes esperanças de encontrar uma carta, mas subitamente lá estava ela, na minha mão, com carimbo de Brighton e data de ontem. Eu me atrapalhei com a carta, rasguei o envelope como uma criança no dia do Natal. Que pelo menos uma coisa dê certo hoje, eu pensei enquanto fui me encostar na porta de vidro para ler. Cara Serena. E *deu* certo. Deu mais que certo. Ele pedia desculpas por demorar. Ele tinha gostado de me conhecer, tinha pensado cuidadosamente na minha oferta. Ele ia aceitar o dinheiro e ficava agradecido, era uma oportunidade incrível. E aí havia outro parágrafo. Eu levei a carta para mais perto do rosto. Ele tinha usado uma caneta-tinteiro, riscado uma palavra, feito um borrão. Ele queria impor uma condição.

Se não for incômodo para você, eu gostaria de manter um contato regular com você — por dois motivos. O primeiro é que eu preferia que essa generosa Fundação tivesse um rosto humano, para que o dinheiro que chega a mim mensalmente não fosse simplesmente uma questão impessoal e burocrática. O segundo é que os seus comentários elogiosos foram muito importantes para mim, mais do que eu posso dizer num texto tão curto. Eu ia gostar de poder te mostrar o meu trabalho de tempos em tempos. Juro que não vou ficar esperando constantes comentários favoráveis e encorajamentos. Eu gostaria da sua crítica honesta. Naturalmente gostaria de me sentir à vontade para ignorar quaisquer notas suas que não me parecessem corretas. Mas o principal é que contando ocasionalmente com a sua opinião eu não estaria escrevendo no vazio, e isso é importante se eu for começar um romance. Nada do tipo pedir grandes passeios de mãos dadas. Só um café de vez em quando. Estou nervoso com a ideia de escrever algo mais longo, ainda mais agora que há uma certa expectativa sobre mim. Quero ser merecedor desse investimento que vocês estão fazendo em mim. Eu queria que as pessoas da Fundação que me escolheram sentissem que tomaram uma decisão de que podem se orgulhar.

Vou a Londres no sábado de manhã. Poderia te encontrar na National Portrait Gallery às dez, na frente do retrato de Keats do Severn. Não se preocupe, se eu não tiver notícias de você e você não estiver lá, eu não vou ficar imaginando coisas.

Tudo de bom, Tom Haley

14.

Às cinco horas da tarde daquele sábado nós já éramos amantes. Não foi uma coisa tranquila, não houve explosões de alívio e deleite no encontro de corpos e almas. Não foi extasiante, como para Sebastian e Monica, a esposa ladra. Não de início. Foi consciente e desenxabido, teve um quê de teatro, como se estivéssemos cientes das expectativas de uma plateia invisível. E a plateia era real. Quando eu abri a porta do número 70 e fiz Tom entrar, as minhas três colegas advogadas estavam reunidas no pé da escada, canecas de chá na mão, nitidamente matando tempo antes de voltarem aos seus quartos e a uma noite de estudos jurídicos. Fechei a porta atrás de nós com uma pancada firme. As mulheres do norte ficaram encarando o meu novo amigo com um interesse indisfarçado, ali mesmo no capacho. Houve lá um certo grau de sorrisinhos significativos e de pés se arrastando no que eu relutante fiz as apresentações. Se tivesse chegado cinco minutos depois ninguém teria nos visto. Fazer o quê.

Em vez de conduzir Tom até o meu quarto sendo perseguida pelos olhares e piscadelas das três, eu o levei à cozinha e fiquei esperando que elas se dispersassem. Mas elas foram ficando. Enquanto fazia chá eu conseguia ouvir os murmúrios delas no corredor. Queria ignorá-las e começar a minha própria conversa, mas a minha cabeça estava vazia. Sensível ao meu desconforto, Tom preencheu o silêncio me falando da Camden Town do *Dombey and Son* de Dickens, da linha que segue rumo norte a partir da Euston Station, da gigantesca escavação feita por operários irlandeses que se infiltrou pelos bairros mais pobres. Ele até sabia um ou dois trechos de cor e aquelas palavras definiam a minha própria confusão. "Havia cem mil formas e substâncias de incompletude, loucamente misturadas longe de seus lugares, de cabeça para baixo, enfiando-se na terra, aspirando aquele ar, mofando na água, e tão incompreensíveis quanto os sonhos."

Finalmente as minhas colegas voltaram às suas escrivaninhas, e depois de alguns minutos nós subimos as escadas rangentes com as nossas próprias canecas de chá. O silêncio detrás da porta de cada uma delas quando nós passamos ao subir parecia intensamente alerta. Estava tentando lembrar se a minha cama também rangia e se as paredes do meu quarto eram grossas — ideias que mal podiam ser chamadas de sensuais. Quando Tom já estava instalado no meu quarto, na minha poltrona de leitura enquanto eu estava sentada na cama, continuar conversando pareceu uma ideia melhor.

Nisso pelo menos nós já estávamos bons. Tínhamos passado uma hora na Portrait Gallery apontando os nossos retratos favoritos. O meu era o desenho de Cassandra Austen que mostrava a sua irmã, enquanto o dele era o Hardy de William Strang. Ficar olhando quadros com um desconhecido é uma forma discreta de exploração mútua e leve sedução. Era um passo pequeno ir da estética à biografia — a do modelo, obviamente, mas também a do pintor, pelo menos os pedacinhos que nós conhecíamos. E Tom sabia muito mais que eu. Basicamente, nós ficamos fofocando. Havia um elemento de exibicionismo naquilo — é disso que eu gosto, é esse o tipo de pessoa que eu sou. Não era coisa assim tão séria dizer que o retrato que Branwell Brontë fez das irmãs não as deixava particularmente bonitas, ou que Hardy dizia que vivia sendo tomado por detetive. De alguma maneira, entre os quadros, nós ficamos de braço dado. Não ficou claro quem teve a iniciativa. Eu disse, "Os passeios de mãos dadas começaram", e ele riu. Foi provavelmente aí, enquanto os nossos dedos se tocavam, que nós entendemos que íamos acabar no meu quarto.

Ele era uma companhia fácil. Não tinha a compulsão que tantos homens têm num encontro (isso agora era um encontro) de querer fazer você rir a cada passo, ou de apontar as coisas e explicá-las de um jeito sério, ou de te constranger com uma enfiada de perguntas bem-educadas. Ele era curioso, ele ouvia, ele oferecia uma história, aceitava outra. Ele era relaxado no vaivém da conversa. Nós éramos como jogadores de tênis no aquecimento, cravados nas nossas linhas de base, mandando bolas rápidas mas fáceis pelo centro da quadra para o *forehand* do nosso oponente, orgulhosos da nossa compulsória precisão. Sim, eu estava pensando em tênis. Eu não jogava fazia quase um ano.

Nós fomos para o café da galeria comer um sanduíche e era ali que tudo podia ter desabado. A conversa tinha saído da pintura — o meu repertório era minúsculo — e ele tinha começado a falar de poesia. Isso não era bem-vindo. Eu tinha dito a ele que tinha um diploma de um bom curso de letras e agora não conseguia lembrar quando tinha lido um poema pela última vez. Ninguém que eu conhecia lia poesia. Até na escola eu tinha dado um jeito de evitar. Nós nunca "estudamos" poesia. Romances, claro, uma ou outra peça de Shakespeare. Eu ia concordando encorajadoramente com a cabeça enquanto ele me dizia o que andava relendo. Eu sabia o que estava por vir e estava tentando pensar numa resposta pronta, com a consequência de que não estava prestando atenção no que ele dizia. Se ele perguntasse, será que eu podia dizer Shakespeare? Naquele momento eu não conseguia lembrar nenhum poema dele. Sim, havia Keats, Byron, Shelley, mas o que foi que eles escreveram e que eu em teoria achava bom? Havia os poetas modernos, claro que eu sabia os nomes deles, mas o nervosismo estava apagando o meu cérebro. Eu estava numa tempestade de neve, enterrada em angústia. Será que eu conseguia defender que o conto era um tipo de poema? Mesmo que eu soltasse o nome de um poeta, eu ia ter que mencionar uma obra em particular. Ai, ai, ai. Nenhum poema no mundo cujo nome eu lembrasse. Não naquele momento. Ele tinha perguntado alguma coisa, estava me olhando, esperando. *O menino estava no convés em chamas.* Aí ele repetiu a pergunta.

"O que você acha dele?"

"Ele não é bem o meu tipo de..." Aí eu parei. Eu só tinha duas opções — ter a minha fraude revelada ou confessar. "Olha, eu tenho que confessar uma coisa. Eu ia te contar isso em algum momento. Tanto faz ser agora. Eu menti pra você. Eu não me formei em letras."

"Você começou a trabalhar direto depois da escola?" Ele disse isso encorajadoramente, e estava me olhando daquele jeito que eu lembrava da nossa entrevista, tanto delicado quanto provocador.

"Eu me formei em matemática."

"Em Cambridge? Meu Deus. Por que esconder uma coisa dessas?"

"Eu achei que a minha opinião sobre o seu trabalho ia ser menos importante para você. Foi bobagem, eu sei. Eu estava fingindo ser a pessoa que um dia eu quis ser."

"E quem era essa?"

Então eu lhe contei a história toda da minha compulsão por

leitura dinâmica de ficção, da minha mãe me convencendo a não fazer letras, da minha desgraça acadêmica em Cambridge, e de como eu continuei lendo, e ainda lia. Como eu esperava que ele fosse me perdoar. E como eu adorava mesmo o trabalho dele.

"Escuta, um diploma em matemática é muito mais duro. Você tem o resto da vida pra ler poesia. Nós podemos começar com o poeta de quem eu estava falando agora mesmo."

"Eu já esqueci o nome dele."

"Edward Thomas. E o poema — uma coisinha linda, antiquada. Longe de ser motivo de grandes revoluções poéticas. Mas é maravilhoso, um dos poemas mais conhecidos e mais amados da literatura inglesa. É sensacional você não conhecer. Você tem tanta coisa pela frente!"

Nós já tínhamos pagado o nosso almoço. Ele levantou abruptamente e me pegou pelo braço e me impulsionou para fora do prédio, subindo a Charing Cross Road. O que podia ter sido um desastre estava nos aproximando mais, apesar de agora isso querer dizer que ele estava me contando coisas daquela maneira tradicional. Nós ficamos num canto de um porão de uma loja de livros usados em St. Martin's Court, com um velho exemplar de capa dura dos poemas reunidos de Thomas que o Tom abriu para mim na página certa.

Obedientemente eu li, e ergui os olhos. "Muito bacana."

"Você não pode ter lido em três segundos. Vá devagar."

Não havia muito aonde ir naquele texto. Quatro estrofes de quatro versos curtos. Um trem faz uma parada imprevista numa estaçãozinha obscura, ninguém desce, alguém tosse, um pássaro canta, está quente, há árvores e flores, feno secando nos campos e um monte de passarinhos. E pronto.

Eu fechei o livro e disse, "Lindo".

A cabeça dele estava de lado e ele sorria pacientemente. "Você não sacou."

"Claro que saquei."

"Então me diga."

"Como assim?"

"Diga para mim tudo que você lembra do poema."

Aí eu disse tudo que eu sabia, quase verso a verso, e até lembrei dos fardos de feno, das nuvenzinhas, dos salgueiros e da rainha dos prados além de Oxfordshire e Gloucestershire. Ele pareceu impressionado e estava me olhando de um jeito esquisito, como se estivesse fazendo uma descoberta.

Ele disse, "A sua memória está perfeita. Agora tente lembrar dos sentimentos".

Nós éramos os únicos clientes no porão da loja e não havia janelas e só duas lâmpadas fracas, sem cúpulas. Havia um agradável aroma soporífico de poeira, como se os livros tivessem roubado quase todo o ar.

Eu disse, "Eu tenho certeza de que não há nenhuma menção a sentimentos".

"Qual é a primeira palavra do poema?"

"Sim."

"Bom."

"É 'Sim, eu me lembro de Adlestrop'."

Ele se aproximou mais de mim. "A lembrança de um nome e nada mais, a calma, a beleza, a arbitrariedade da parada, o canto dos pássaros que cobre dois condados, a sensação de pura existência, de estar suspenso no espaço e no tempo, num tempo anterior a uma guerra cataclísmica."

Eu inclinei a cabeça e os lábios dele roçaram nos meus. Eu disse muito baixo, "O poema nem menciona guerra".

Ele tirou o livro das minhas mãos enquanto nós nos beijávamos, e eu lembrei que, quando Neil Carder beijou a manequim pela primeira vez, os lábios dela *eram duros e frios depois de uma vida toda sem confiar em ninguém.*

Eu deixei os meus lábios amolecerem.

Depois nós demos meia-volta, atravessamos a Trafalgar Square, na direção de St. James' Park. Aqui, enquanto cruzávamos com criancinhas andando aos solavancos com as mãos cheias de pão para os patos, nós falamos sobre as nossas irmãs. A dele, Laura, que um dia foi uma mulher linda, era sete anos mais velha que ele, estudou direito, contou com um futuro brilhante e aí, gradualmente, com essa ou aquela dificuldade e um marido difícil, tornou-se alcoólatra e perdeu tudo. A decadência dela era complicada por algumas tentativas quase bem-sucedidas de se recuperar, heroicos retornos aos tribunais, até a bebida jogá-la de novo no fundo do poço. Houve vários dramas que esgotaram toda a paciência da família. E, finalmente, um acidente de carro em que uma das filhas mais novas dela, uma menininha de cinco anos, perdeu um pé. Eram três filhos, de dois pais diferentes. Laura tinha atravessado todas as redes de segurança que o moderno Estado liberal podia conceber. Agora estava morando num hotelzinho em Bristol, mas a gerência estava prestes a expulsá-la. Quem cuidava das crianças eram os pais delas e as madrastas. Havia uma irmã mais nova, Joan, casada com um vigário anglicano, que também cuidava deles, e duas ou três vezes por ano Tom levava as duas sobrinhas e o sobrinho para um passeio.

Os pais dele também eram maravilhosos com os netos. Mas o sr. e a sra. Haley tinham passado por vinte anos de sustos, falsas esperanças, constrangimentos e emergências noturnas. Eles viviam com medo do próximo telefonema e numa condição de constante tristeza e culpa. Por mais que amassem Laura, por mais que mantivessem viva no console da lareira a essência do que ela tinha sido em fotos emolduradas em prata do seu aniversário de dez anos e da formatura e do primeiro casamento dela, nem eles podiam negar que ela tinha virado uma pessoa terrível, terrível de se olhar, de se ouvir, de se cheirar. Terrível lembrar aquela calma inteligência, e aí ouvir as suas lamúrias, a pena que sentia de si própria e as suas mentiras e promessas ocas. A família tinha provado tudo, como tentar convencer, depois confrontá-la delicadamente, depois jogar as coisas na cara dela, e clínicas e terapias e novos medicamentos promissores. Os Haley tinham gastado quase tudo que tinham em lágrimas e tempo e dinheiro, e realmente não havia mais o que fazer além de concentrar o seu carinho e os seus recursos nas crianças e esperar que a mãe delas fosse permanentemente hospitalizada, e morresse.

Em comparação com uma desgraça como a de Laura, a minha irmã Lucy mal tinha graça. Ela tinha abandonado o curso de medicina e estava morando de novo perto dos nossos pais, apesar de ter descoberto em si, através de terapia, um amargo acúmulo de raiva da minha mãe por ela ter arranjado o aborto. Em toda cidade há um grupinho que se recusa ou que fracassa, às vezes muito satisfeito, em dar o passo seguinte, rumo ao lugar seguinte. Lucy encontrou uma comunidade aconchegante de antigos amigos de escola que tinham voltado cedo demais das suas incursões na vida *hippie*, ou na faculdade de arte ou em universidades, e estavam se acomodando a uma vida marginal na sua agradável cidade natal. Apesar das crises e dos estados de emergência, eram anos bons para ficar desempregado. Sem fazer muitas perguntas impertinentes, o Estado pagava o aluguel e concedia uma pensão mensal a artistas, atores, músicos, místicos e terapeutas desempregados, e a toda uma rede de cidadãos para quem fumar maconha e falar a respeito disso era uma profissão absorvente, e até mesmo uma vocação. A grana semanal era defendida com unhas e dentes como um direito conquistado a duras penas, embora todos, até Lucy, soubessem no fundo do coração que ele não tinha sido criado para manter a classe média num ócio tão divertido.

Agora que eu pagava impostos e tinha uma renda insignificante, o meu ceticismo quanto à minha irmã era profundo. Ela era inteligente, brilhante em biologia e química na escola, e era boa, tinha um toque humano. Eu queria que ela fosse médica. Queria que ela quisesse o que ela quis antes. Ela morava sem pagar aluguel com outra mulher, que dava aula de circo, numa casinha vitoriana geminada com outras, reformada pela prefeitura. Ela assinava os papéis, fumava baseado, e três horas por semana, nas manhãs de sábado, vendia velas com as cores do arco-íris numa banquinha na feira. Na última vez em que eu tinha ido visitar os nossos pais ela ficou falando do mundo "careta", neurótico e competitivo, que tinha deixado para trás. Quando eu sugeri que era esse mundo que sustentava a existência dela, sem trabalhar, ela riu e disse, "Serena, você é tão direitista!".

Enquanto estava fornecendo o histórico todo e contando essas coisas para Tom, eu estava plenamente consciente de que ele estava prestes a se tornar um pensionista estatal também, numa escala mais nobre, com dinheiro do Voto Secreto, aquela parte do orçamento do governo que o Parlamento nunca pode analisar. Mas T.H. Haley ia trabalhar duro e produzir grandes romances, e não velinhas de arco-íris ou camisetas de batique. Enquanto nós dávamos as nossas três ou quatro voltas no parque, era verdade que eu estava me sentindo meio incomodada por estar escondendo informações dele, mas lembrar que ele tinha visitado a nossa Fundação de fachada e tinha aprovado tudo me ajudava. Ninguém ia lhe dizer o que escrever ou o que pensar ou lhe dizer como ele devia viver. Eu havia ajudado a levar a liberdade a um legítimo artista. Talvez os grandes mecenas do Renascimento tenham se sentido como eu estava me sentindo. Generosa, acima das preocupações terrenas imediatas. Se isso parece querer demais, lembrem-se de que eu estava um pouco bêbada e toda acesa pelo que restava do calor do nosso longo beijo no porão do sebo. Nós dois estávamos. Falar das nossas irmãs menos afortunadas era a nossa forma não intencional de marcar a nossa própria felicidade, ou de manter os pés no chão. Não fosse por isso nós podíamos ter saído voando por cima da Horse Guards Parade, passando por Whitehall e por cima do rio, especialmente depois que paramos embaixo de um carvalho, que ainda guardava a sua carga de folhas secas ferruginosas, e ele me apertou contra o tronco da árvore e nós nos beijamos de novo.

Dessa vez eu pus os braços em volta dele e senti por baixo da rigidez daquela calça jeans afivelada a exiguidade firme da cintura dele e, mais abaixo, o músculo duro das suas nádegas. Eu estava me sentindo fraca e doente, estava com a garganta seca e fiquei pensando se não estava pegando uma gripe. Queria deitar com ele e ficar olhando aquele rosto. Nós decidimos ir para a minha casa, mas não podíamos encarar o transporte público e não tínhamos dinheiro para um táxi. Então fomos a pé. Tom levou os meus livros, o Edward Thomas e o seu outro presente, o *Oxford Book of English Verse*. Passando pelo palácio de Buckingham para ir ao Hyde Park Corner, seguindo pela Park Lane, passando pela rua onde eu trabalhava — o que deixei de comentar — e aí vinha uma bela caminhada pela Edgware Road, pelos novos restaurantes árabes, chegando finalmente a virar à direita na St. John's Wood Road, cruzando o campo de críquete Lord, pela extremidade do Regent's Park e entrando em Camden Town. Havia caminhos muito mais rápidos, mas nós não percebemos e não ligamos. Nós sabíamos o que nos esperava. Basicamente, não pensar no assunto deixava a caminhada mais tranquila.

Como é normal com os jovens enamorados, nós falamos sobre as nossas famílias, encaixando as nossas vidas no esquema geral das coisas, avaliando a nossa sorte em termos comparativos. Naquele momento Tom disse que não entendia como eu conseguia viver sem poesia.

Eu disse, "Bom, você pode me mostrar como ser incapaz de

viver sem poesia". Enquanto dizia isso eu já estava me lembrando que aquilo podia ser uma experiência que não ia se repetir e que eu devia ficar preparada.

Eu sabia os contornos gerais da história familiar dele pelo perfil que Max tinha me dado. A sorte de Tom não tinha sido das piores, ainda que com uma Laura aqui e uma mãe agorafóbica acolá. Nós dois tínhamos em comum a vida próspera e protegida dos filhos do pós-guerra. O pai dele era arquiteto e trabalhava no Departamento de Planejamento Urbano do condado de Kent e estava perto de se aposentar. Como eu, Tom era produto de uma boa escola regional. Sevenoaks. Ele escolheu Sussex em vez de Oxford e Cambridge porque gostou da cara das disciplinas ("monográficas e não panorâmicas"), e tinha chegado a um ponto da vida em que era interessante frustrar expectativas. Eu não consegui acreditar plenamente nele quando ele insistiu que não se arrependia de nada. A mãe dele era uma professora peripatética de piano até que um medo cada vez maior de pisar fora de casa a confinou a aulas domésticas. Um cantinho de céu ou de nuvem entrevistos já bastavam para levá-la às portas de um ataque de pânico. Ninguém sabia o que tinha causado a agorafobia. Os problemas de Laura vieram depois. Joan, antes de casar com o vigário, tinha sido figurinista — a fonte da manequim de vitrine assim como do reverendo Alfredus, eu pensei mas não disse.

O mestrado dele em relações internacionais tinha sido sobre a justiça nos Julgamentos de Nuremberg, e o doutorado era sobre *The Faerie Queene*. Ele adorava a poesia de Spenser, embora não soubesse bem se eu estava pronta para ela. Nós estávamos caminhando pela Prince Albert Road, já ouvindo o zoológico. Ele tinha terminado a tese no verão, tinha mandado encadernar especialmente em capa dura com o título gravado a ouro. Ela continha agradecimentos, resumo, notas de rodapé, bibliografia, índice e quatrocentas páginas de análise detida. Agora era um alívio contemplar a liberdade relativa da ficção. Eu falei sobre o meu passado pessoal e aí durante toda a Parkway e o alto da Camden Road nós caímos num silêncio amistoso, estranho entre duas pessoas que mal se conheciam.

Estava pensando na minha cama afundada e se ela ia aguentar nós dois. Mas eu não ligava muito. Ela que caísse bem em cima da mesa de Tricia, eu ia estar nela com Tom quando isso acontecesse. Estava num estado de espírito estranho. Um desejo intenso misturado a uma dor, e uma contida sensação de triunfo. A dor tinha sido despertada pelo fato de eu passar pelo trabalho, o que tinha gerado lembranças de Tony. Eu tinha ficado a semana inteira assombrada novamente pela morte dele, mas agora em novos termos. Será que ele ficou sozinho, cheio de ideias turbulentas de justificativas até o último momento? Será que ele sabia o que Lyálin tinha dito aos interrogadores? Talvez alguém do quinto andar tivesse ido a Kumlinge para lhe conceder um perdão em troca de tudo que ele sabia. Ou alguém do outro lado tivesse chegado sem avisar para colocar na lapela daquela jaquetinha velha dele a Ordem de Lênin. Eu tentava poupá-lo do meu sarcasmo, mas em geral não conseguia. Estava me sentindo duplamente traída. Ele podia ter me falado dos dois homens que apareceram no carro preto, podia ter me dito que estava doente. Eu podia ter ajudado, podia ter feito tudo que ele pedisse. Eu podia ter ido morar com ele numa ilha do Báltico.

O meu pequeno triunfo era Tom. Eu tinha recebido o que esperava mesmo, um bilhete datilografado de Peter Nutting lá do andar de cima, de apenas uma linha, me agradecendo pelo "quarto homem". Uma piadinha dele. Eu tinha fornecido o quarto escritor à *Tentação*. Eu lhe dei uma olhadela. Tão magro, ali do meu lado, mãos bem metidas nos bolsos, olhar desviado, de mim, talvez seguindo uma ideia. Eu já tinha orgulho dele, e só um pouquinho de mim também. Se não quisesse, ele nunca mais teria que pensar em Edmund Spenser. A fada madrinha da *Tentação* tinha libertado Tom da lida acadêmica.

E cá estávamos nós, finalmente entre quatro paredes, no meu quartinho de três e meio por três e meio, Tom na minha poltrona velha, eu empoleirada na beira da cama. Era melhor continuar falando um tempo. As minhas colegas iam ouvir o ruído das nossas vozes e logo iam perder o interesse. E havia muitos temas para nós porque espalhados pelo quarto, empilhados no chão e na cômoda, estavam duzentos e cinquenta assuntos sob a forma de romances em edições baratas. Agora finalmente ele podia ver que eu era uma leitora e não só uma menina de cabeça oca que não dava a mínima para poesia. Para relaxar, para abrir caminho até a cama onde eu estava sentada, nós falamos de livros de uma maneira leve e descontraída, mal nos dando o trabalho de defender uma opinião quando discordávamos, o que acontecia a cada passo. Ele não tinha tempo para o meu tipo de autora — a mão dele passou direto pela Byatt e a Drabble, pela Monica Dickens e a Elizabeth Bowen, aqueles romances em que eu tinha sido tão feliz. Ele achou e elogiou *The Driver's Seat*, de Muriel Spark. Eu disse que achava aquele livro muito esquemático e preferia *A primavera da srta. Jean Brodie*. Ele balançou a cabeça, mas não concordando, parecia, mais como um terapeuta que agora entendia o meu problema. Sem sair da cadeira ele se esticou e pegou *The Magus*, de John Fowles, e disse que admirava trechos daquele livro, assim como de *O colecionador* e de *A mulher do tenente francês*. Eu disse que não gostava de truques, eu gostava da vida que eu conhecia, recriada no papel. Ele disse que não era possível recriar a vida no papel sem truques. Ele levantou e foi até a cômoda pegar um B.S. Johnson, *Albert Angelo*, aquele com as páginas recortadas. Ele também admirava aquele, disse. Eu disse que tinha detestado. Ele ficou espantadíssimo ao ver um exemplar de *Celebrations* de Alan Burns — de longe o melhor autor experimental do país, foi o veredito. Eu disse que ainda não tinha começado. Ele viu um punhado de livros publicados por John Calder. O melhor catálogo das redondezas. Fui até onde ele estava. Eu disse que não tinha conseguido ler mais de dez páginas de nenhum daqueles livros. E uma impressão tão horrorosa! E que tal J.G. Ballard — ele viu que eu tinha três livros dele. Não consegui encarar, eu disse, apocalípticos demais. Ele adorava tudo que o Ballard fazia. Ele era um espírito corajoso e brilhante. Nós rimos. Tom prometeu me ler um poema de Kingsley Amis, "Idílio numa livraria", sobre os gostos divergentes de homens e mulheres. Ficava meio sentimentaloide no final, ele disse, mas era engraçado e verdadeiro. Eu disse que provavelmente ia detestar, a não ser o final. Ele me beijou, e com isso acabou-se a discussão literária. Fomos para a cama.

Foi estranho. Nós estávamos conversando havia horas, fingindo que não estávamos o tempo todo pensando naquele momento. Nós éramos como amigos por correspondência que trocam cartas informais e depois íntimas cada um na língua do outro, aí se encontram pela primeira vez e percebem que têm que começar de novo. Seu estilo era uma novidade para mim. Eu estava sentada mais uma vez na beirada da cama. Depois de apenas um beijo, e sem maiores carícias, ele se debruçou sobre mim e começou a tirar a minha roupa, e a fazer isso de maneira eficiente, rotineira, como se estivesse arrumando uma criancinha para ir dormir. Se ele estivesse cantarolando baixinho eu não teria ficado surpresa. Em circunstâncias diferentes, se nós fôssemos mais chegados, aquele podia ter sido um atraente momento delicado de teatro. Mas aquilo aconteceu em silêncio. Eu não sabia o que aquilo queria dizer e estava incomodada. Quando ele se esticou por cima dos meus ombros para soltar o sutiã, eu podia ter tocado nele, estive a ponto de, mas não toquei. Dando apoio para a minha cabeça, ele delicadamente me empurrou de novo para a cama e tirou a minha calcinha. Nada daquilo tinha o menor interesse para mim. A coisa estava ficando tensa demais. Eu tinha que intervir.

Eu levantei de um salto e disse, "Sua vez". Obedientemente ele sentou onde eu estava antes. Eu fiquei na frente, de modo que os meus seios ficaram perto do rosto dele, e desabotoei a camisa dele. Eu podia ver que ele estava duro. "Hora dos meninos crescidinhos irem para a cama." Quando ele pôs o meu mamilo na boca, eu achei que ia dar tudo certo. Eu quase tinha esquecido a sensação, quente e elétrica e aguda, que se espalhava em volta do fundo da minha garganta e descia até o períneo. Mas, quando nós afastamos as cobertas e deitamos, eu vi que ele agora estava mole e pensei que eu devia ter feito alguma coisa errada. Também fiquei surpresa ao entrever os pelos pubianos dele — tão ralos que quase inexistiam, e o que havia lá era reto e sedoso, quase como cabelo. Nós nos beijamos de novo — ele era bom nisso —, mas quando eu peguei o pau dele, ainda estava mole. Puxei a cabeça dele para os meus seios, já que isso tinha funcionado antes. Um parceiro novo. Era como aprender um novo jogo de cartas. Mas ele passou direto pelos seios, abaixou a cabeça e me fez gozar deliciosamente com a língua. Gozei em menos de um minuto glorioso com um gritinho que disfarcei com uma tosse abafada por causa das advogadas do andar de baixo. Quando dei por mim, fiquei aliviada ao ver como ele estava excitado. O meu prazer tinha liberado o dele. E então eu o puxei para mim e tudo começou.

Não foi uma experiência maravilhosa para nenhum de nós, mas nós fomos até o fim, não passamos vergonha. A limitação para mim era em parte, como eu já disse, a minha consciência da presença das outras três, que pareciam não ter nenhuma vida amorosa e que estariam se esforçando para ouvir um som humano por sobre o rangido das molas da cama. E em parte porque Tom estava tão calado. Ele não dizia nada carinhoso ou delicado ou apreciativo. Nem a respiração dele mudou. Eu não conseguia me livrar da ideia de que ele estava silenciosamente registrando o nosso sexo para usos futuros, que ele estava tomando notas mentalmente, criando e ajustando frases a seu bel-prazer, procurando aquele detalhezinho que escapava do comum. Eu pensei mais uma vez no conto do falso vigário, e em Jean com aquele clitóris "monstruoso", do tamanho do pênis de um menininho. O que será que o Tom achou do meu enquanto estava lá embaixo medindo o comprimento dele com a língua? Normal demais para valer a lembrança? Quando Edmund e Jean se reúnem no apartamento de Chalk Farm e fazem amor, ela chega ao orgasmo e solta uma série de *balidos agudos, tão puros e espaçados quanto o sinal que marca a hora certa na BBC*. O que dizer então dos meus sons educadamente encobertos? Essas perguntas levavam a outras ideias mórbidas. Neil Carder se deleita com a "imobilidade" do seu manequim, ele se excita com a possibilidade de que ela sentisse desprezo por ele e o estivesse ignorando. Será que era isso que Tom queria, passividade total da mulher, um recolhimento que *se dobrava sobre si próprio para se tornar seu contrário, uma força que o dominava e o controlava?* Será que eu devia ficar completamente imóvel e deixar os meus lábios se separarem enquanto fitava fixamente o teto? Eu achava que não, e não estava gostando dessas especulações.

Eu aumentava os meus tormentos com imagens dele tirando um caderninho e um lápis do paletó assim que nós chegássemos ao fim. Claro que eu teria botado ele para fora! Mas essas ideias autoinfligidas eram meramente sonhos ruins. Ele ficou deitado de costas, eu deitei no braço dele. Não estava frio, mas nós puxamos o lençol e o cobertor para cima de nós. Ficamos meio adormecidos por alguns minutos. Acordei quando a porta da frente bateu no térreo e eu ouvi as vozes das minhas colegas desaparecendo na rua. Estávamos sós em casa. Sem conseguir ver, eu senti Tom acordando. Ele ficou calado um tempo e aí propôs me levar a um bom restaurante. O dinheiro que ele receberia da Fundação ainda não tinha chegado, mas ele tinha certeza de que não ia demorar. Eu confirmei isso em silêncio. Max tinha liberado o pagamento dois dias antes.

Nós fomos a um restaurante chamado White Tower no extremo sul da Charlotte Street e comemos *kleftiko* com batata assada e tomamos três garrafas de Retsina. Nós dávamos conta. Como era exótico, estar jantando às custas do Voto Secreto e não poder dizer. Eu estava me sentindo tão adulta. Tom me contou que durante a guerra esse famoso restaurante servia spam à grega. Nós brincamos que logo aqueles dias estariam de volta. Ele foi me informando das associações literárias daquele lugar enquanto eu sorria levemente, sem ouvir direito o que ele dizia, porque, de novo, tinha uma música na minha cabeça, dessa vez uma sinfonia, um majestoso movimento lento na escala grandiosa de Mahler. Esse salão, o Tom estava dizendo, foi onde Ezra Pound e Wyndham Lewis fundaram a sua revista vorticista *Blast*. Os nomes não me diziam nada. Nós caminhamos de volta de Fitzrovia a Camden Town, de braço dado e bêbados, falando bobagem. Quando acordamos na manhã seguinte, o novo jogo de cartas foi fácil. Na verdade, foi uma delícia.

15.

O fim de outubro trouxe o ritual anual de atrasar os relógios, apertando mais a tampa de trevas que cobria as nossas tardes, deprimindo ainda mais o humor da nação. Novembro começou com outra frente fria, e chovia quase todo dia. Todo mundo
falava da "crise". A imprensa oficial estava fabricando cupons de
racionamento de gasolina. Nada assim tinha acontecido desde
a última guerra. A sensação generalizada era de que nós estávamos a caminho de alguma coisa terrível mas difícil de prever,
impossível de evitar. Havia uma suspeita de que "o tecido da
sociedade" estava prestes a se romper, embora ninguém soubesse
direito o que isso iria acarretar. Mas eu estava feliz e ocupada, eu
finalmente tinha um namorado, e estava tentando não pensar
demais em Tony. A minha raiva dele deu lugar à culpa por con-
dená-lo tão precipitadamente, ou ao menos se misturou com ela.
Era errado perder de vista o nosso idílio distante, o nosso verão
eduardiano em Suffolk. Agora que estava com Tom eu me sentia protegida, e podia me dar o direito de pensar nostalgicamente,
e não tragicamente, no tempo que nós passamos juntos. Tony podia ter traído o país, mas tinha me ajudado a começar na vida.

Retomei o meu hábito de ler jornais. Eram as páginas de opinião que me atraíam, as queixas e lamentos, conhecidos entre os profissionais da área, pelo que me disseram, como textos ai-jesus. Como ai-jesus por que os intelectuais das universidades comemoravam a carnificina causada pelo IRA e romantizavam a Angry Brigade e a Red Army Faction? O nosso império e a nossa vitória na Segunda Guerra nos assombravam e nos acusavam, mas ai-jesus por que nós tínhamos que ficar estagnados em meio às ruínas da nossa antiga grandeza? As taxas de criminalidade estavam disparando, a gentileza cotidiana desaparecia, as ruas estavam imundas, a nossa economia e o nosso moral estavam acabados, o nosso nível de vida estava abaixo do da Alemanha Oriental comunista, e nós estávamos divididos, truculentos e irrelevantes. Baderneiros insurgentes acabavam com as nossas tradições democráticas, a televisão popular era histericamente boba, os aparelhos em cores custavam muito caro, e todos concordavam que não havia esperança, o país estava acabado, o nosso momento histórico tinha passado. Ai-jesus!

Eu também seguia a dolorosa narrativa diária. Em meados daquele mês as importações de petróleo tinham caído vertiginosamente, a Secretaria do Carvão tinha oferecido dezesseis e meio por cento aos mineiros, mas, aproveitando a oportunidade que a OPEP lhes dava, eles insistiam em trinta e cinco por cento e davam início ao boicote das horas extras. As crianças eram mandadas para casa porque as escolas estavam sem aquecimento, a iluminação pública estava sendo desligada para economizar energia, havia boatos enlouquecidos de que todo mundo ia trabalhar três dias por semana por causa da diminuição do suprimento de eletricidade. O governo anunciou um quinto estado de emergência. Alguns diziam paguem os mineiros, outros diziam abaixo os covardes chantageadores. Eu ia seguindo isso tudo, descobri que gostava um pouco de economia. Eu conhecia as cifras e entendia a crise. Mas não dava bola. Estava envolvida com Spade e Helium, estava tentando esquecer Volt e o meu coração era da *Tentação*, da minha parte da operação. Isso significava viajar *ex officio* nos fins de semana para Brighton, onde Tom tinha um apartamentinho de dois cômodos no último andar de uma casinha branca perto da estação. A Clifton Street lembrava uma fileira de bolos de Natal confeitados, o ar era limpo, nós tínhamos privacidade, a cama era de pinho moderno, o colchão, silencioso e firme. Em poucas semanas eu já estava me sentindo em casa ali.

O quarto era quase nada maior que a cama. Não havia espaço suficiente para abrir a porta do guarda-roupa mais de vinte centímetros aproximadamente. Era preciso tatear para achar as roupas. Eu às vezes acordava de manhã cedo com o som da máquina de escrever de Tom do outro lado da parede. O cômodo onde ele trabalhava servia também de cozinha e sala de estar e dava a sensação de ser mais espaçoso. Ele tinha sido aberto até as vigas pelo ambicioso empreiteiro que era o senhorio do Tom. Aquele irregular estalido das teclas e o grasnar das gaivotas — eu acordava com esses sons e, sem abrir os olhos, me refestelava na transformação pela qual a minha vida tinha passado. Como eu tinha ficado sozinha em Camden, especialmente depois que a Shirley tinha ido embora! Que prazer era chegar às sete horas da sexta-feira depois de uma semana árdua e caminhar as poucas centenas de metros morro acima sob a luz dos postes, sentindo o cheiro do mar e sentindo que Brighton ficava tão distante de Londres quanto Nice ou Nápoles, sabendo que Tom estaria com uma garrafa de vinho branco na pequena geladeira e com as taças prontas na mesa da cozinha. Os nossos fins de semana eram simples. Nós fazíamos amor, líamos, caminhávamos pela beira da praia e às vezes pelas falésias, e comíamos em restaurantes — normalmente nas Lanes. E Tom escrevia.

Ele trabalhava numa Olivetti portátil numa mesa de baralho coberta de um feltro verde, empurrada contra um canto. Ele levantava de noite ou de madrugadinha e trabalhava até mais ou menos nove horas, quando voltava para a cama, nós fazíamos amor, e aí ele dormia até meio-dia enquanto eu saía para comprar café e um *croissant* perto do Open Market. Naquela época os *croissants* ainda eram novidade na Inglaterra e por isso deixavam o meu refúgio em Brighton ainda mais exótico. Eu lia o jornal de cabo a rabo, fora o esporte, e aí saía para comprar coisas para o nosso *brunch*.

O dinheiro que a Fundação mandava para o Tom estava chegando — se não fosse isso, como é que poderíamos bancar ficar comendo no Wheeler e enchendo a geladeira de Chablis? Durante aqueles meses de novembro e dezembro ele estava terminando as suas aulas e trabalhava em dois contos. Tinha conhecido um poeta e editor em Londres, Ian Hamilton, que estava começando uma revista literária, a *New Review*, e queria que Tom fornecesse um conto para um dos primeiros números. Ele tinha lido tudo que Tom tinha publicado e lhe disse, enquanto tomavam uns drinques no Soho, que os contos eram "bem bons" ou "nada maus" — o que vindo dele aparentemente era um grande elogio.

Como namorados recentes, daquele jeito autocelebratório, nós já tínhamos desenvolvido diversos hábitos cabotinos, bordões e fetiches, e o nosso padrão para a noite de sábado estava bem estabelecido. Nós frequentemente fazíamos amor no começo da noite — a nossa "refeição principal". O "chamego" de manhã cedo não contava. Num estado extasiado de clareza pós-coito nós nos vestíamos para uma noitada e antes de sair do apartamento entornávamos uma garrafa de Chablis quase inteira. Nós não bebíamos outra coisa em casa embora nenhum de nós entendesse nada de vinho. O Chablis era uma escolha jocosa porque, aparentemente, James Bond gostava. Tom colocava música no seu *hi-fi* novinho, normalmente *bebop*, que para mim era só um jorro arrítmico de notas aleatórias, mas soava sofisticado e glamourosamente urbano. Aí nós saíamos para a gélida brisa marinha e descíamos bem contentes a colina até a região conhecida como Lanes, normalmente para o restaurante de frutos do mar Wheeler. Num estado de semiembriaguez, Tom tinha dado gorjetas astronômicas tantas vezes para os garçons de lá que nós éramos famosos e eles nos conduziam com um floreio à "nossa" mesa, bem posicionada num canto para podermos observar os outros fregueses e rir deles. Acho que nós éramos insuportáveis. Nós fazíamos toda uma cena para dizer para os garçons nos trazerem o "de sempre" como entrada — duas taças de champanhe e uma dúzia de ostras. E não sei se a gente gostava mesmo das ostras, mas a ideia era legal, o arranjo oval de antiga vida enconchada entre salsinha e limões cortados e, reluzindo opulentos à luz das velas, o leito de gelo, o prato de prata, o galheteiro brilhante de molho chili.

Quando não estávamos falando de nós, o assunto era só política — a crise doméstica, o Oriente Médio, o Vietnã. Logicamente, nós devíamos ter sido mais ambivalentes no que se referia a uma guerra cujo objetivo era conter o comunismo, mas adotávamos o ponto de vista ortodoxo da nossa geração. A luta era ridiculamente cruel e claramente tinha dado errado. Nós também acompanhávamos aquela novela de poder e loucura desmesurados, Watergate, apesar de Tom, como quase todos os homens que eu conhecia, estar tão bem informado sobre os personagens, as datas, cada reviravolta histórica da narrativa e as mais mínimas consequências constitucionais que ficava chocado com o quanto era inútil discutir comigo. Nós também devíamos cobrir toda a literatura. Ele me mostrava os poemas que adorava, e tudo bem — eu adorava também. Mas ele não conseguia que eu me interessasse pelos romances de John Hawkes, Barry Hannah ou William Gaddis, e não se empolgava com as minhas heroínas, Margaret Drabble, Fay Weldon e, minha última paixão, Jennifer Johnston. Eu achava que os dele eram secos demais, ele achava que as minhas eram molhadas, embora estivesse disposto a reconsiderar Elizabeth Bowen. Durante esse tempo, nós só conseguimos concordar sobre um romance curto, do qual ele tinha as provas encadernadas, *Swimmer in the Secret Sea*, de William Kotzwinkle. Ele achava que a estrutura era perfeita, eu achava que era sábio e triste.

Como ele não gostava muito de falar do seu trabalho antes de terminar, senti que era razoável e atencioso dar uma espiada quando ele saiu numa tarde de sábado para fazer uma pesquisa na biblioteca. Deixei a porta aberta para poder ouvir quando ele subisse a escada. Um conto, terminado em primeira versão lá pelo fim de novembro, era narrado por um macaco falante dado a reflexões angustiadas sobre a sua amante, uma escritora que estava tendo dificuldades com o seu segundo romance. Ela tinha sido elogiada pelo primeiro. Será que ela consegue escrever outro tão bom quanto aquele? Ela está começando a ter dúvidas. O macaco indignado fica à toa atrás dela, magoado com o fato de ela esquecer dele em nome do trabalho. Só na última página é que eu fui descobrir que o conto que eu estava lendo era na verdade o conto que a mulher estava escrevendo. O macaco não existe, é um espectro, um ser criado pela sua imaginação irrequieta. *Não*. E não de novo. Isso não. Fora a coisa exagerada e bisonha do sexo interespécies, eu desconfiava instintivamente desse tipo de truquezinho ficcional. Eu queria um chão firme debaixo dos pés. Na minha opinião havia um contrato tácito com o leitor, que o escritor devia honrar. Nenhum elemento de um mundo imaginário e nenhum dos seus personagens deveria poder se dissolver por causa de um capricho do autor. O inventado tinha de ser tão sólido e consistente quanto o real. Era um contrato que se baseava numa confiança mútua.

Se o primeiro foi uma decepção, o segundo texto me espantou antes mesmo de eu começar a ler. Tinha mais de cento e quarenta páginas, com a data da semana anterior escrita embaixo da última frase. O primeiro rascunho de um romance curto, e ele tinha mantido aquilo em segredo. Eu estava prestes a começar a ler quando me assustei com a batida da porta que dava para o patamar, fechada por uma corrente de vento que penetrava pelas janelas mal isoladas. Levantei e calcei a porta com um rolo de corda suja de óleo que o Tom tinha usado para içar sozinho o guarda-roupa escada acima. Aí acendi a luz que pendia das vigas e me acomodei para a minha leitura dinâmica proibida.

Das planícies de Somerset descrevia a jornada de um homem com a filha de nove anos de idade, através de uma paisagem em ruínas, de cidades e vilarejos incendiados, onde ratos, cólera e peste bubônica são perigos constantes, onde a água é poluída e os vizinhos lutam até a morte por uma antiga lata de suco, onde os habitantes se consideram com sorte se são convidados a um jantar de comemoração em que um cachorro e alguns gatos esquálidos vão ser assados numa fogueira. A desolação é ainda maior quando pai e filha chegam a Londres. Entre arranha-céus decadentes e carros que enferrujam na rua e inabitáveis ruas cercadas de casas geminadas onde abundam ratos e cães selvagens, senhores tribais e seus capangas com o rosto pintado com faixas de cores primárias aterrorizam os cidadãos empobrecidos. A eletricidade é uma lembrança distante. A única coisa que funciona, ainda que precariamente, é o próprio governo. Um conjunto ministerial de torres se ergue sobre uma vasta planície de concreto rachado e cheia de ervas daninhas. A caminho de ir se postar numa fila na frente de um prédio do governo, pai e filha atravessam a planície ao nascer do sol, passando por cima de *vegetais, podres e pisados, caixas de papelão achatadas para virarem camas, restos de fogueiras e carcaças de pombos assados, latas enferrujadas, vômito, pneus velhos, poças químicas verdes, excrementos humanos e animais.* Um antigo sonho de linhas horizontais que convergiam para uma perpendicular de vigas de aço e de vidro e que agora mal se podia recordar.

Esse pátio, onde boa parte do trecho central do romance acontece, é um microcosmo gigante de um lamentável mundo novo. No meio fica um chafariz estragado, com o ar acima dele *cinza de moscas. Homens e meninos vão até ali diariamente para se agachar na larga lateral de concreto e defecar.* Essas figuras ficam *empoleiradas como pássaros sem asas.* Mais no fim do dia o lugar fervilha como um formigueiro, o ar fica grosso de fumaça, o ruído é ensurdecedor, as pessoas espalham seus patéticos bens sobre cobertores coloridos, o pai consegue em escambo uma barra usada de sabão, embora vá ser difícil encontrar água fresca. Tudo que está à venda na planície foi feito há muito tempo, por processos que já não são compreendidos. Mais tarde o homem (irritantemente, nós nunca ficamos sabendo o nome dele) encontra uma velha amiga que tem a sorte de ter um quarto. Ela é uma colecionadora. Na mesa há um telefone, *com o cabo cortado depois de dez centímetros e, além disso, encostado na parede, um tubo de raios catódicos. A caixa de madeira do televisor, a tela verde e os botões de controle tinham sido arrancados muito tempo antes e agora feixes de cabos coloridos se enroscavam contra o metal fosco.* Ela gosta desses objetos porque, ela lhes diz, são *produtos da inventividade e da engenhosidade humanas. E não se importar com os objetos está a apenas um passo de distância de não se importar com as pessoas.* Mas ele acha que esses impulsos de curadora são inúteis. *Sem um sistema telefônico, um telefone não vale nada.*

A civilização industrial e todos os seus sistemas e a sua cultura estão sumindo da memória. O homem está voltando no tempo, rumo a um passado brutal em que a competição constante por recursos exíguos permite pouca gentileza ou invenção. Os velhos tempos não vão voltar. *Tudo mudou tanto que eu mal consigo acreditar que éramos nós que estávamos aqui*, a mulher lhe diz a respeito do passado que um dia eles dividiram. *Esse sempre foi o nosso destino*, um personagem filosófico descalço diz ao pai. Fica claro num outro trecho que o colapso da civilização começou com as injustiças, os conflitos e as contradições do século xx.

O leitor não descobre aonde o homem e a menininha estão indo até as últimas páginas. Eles estavam procurando a esposa dele, a mãe da menina. Não há sistemas de comunicação ou uma burocracia que possa ajudá-los. A única fotografia que eles têm é uma imagem dela quando criança. Eles seguem o diz que diz que e, depois de muitas pistas falsas, estão condenados a fracassar, especialmente quando começam a sucumbir à peste bubônica. Pai e filha morrem um nos braços do outro no porão imundo da sede destruída de um banco um dia famoso.

Eu tinha levado uma hora e quinze para ler até o fim. Recoloquei as páginas ao lado da máquina de escrever, tomando cuidado para espalhá-las do mesmo jeito desorganizado, arrastei o rolo de corda e fechei a porta. Fiquei sentada à mesa da cozinha tentando pensar, apesar da minha desorientação. Eu facilmente podia prever as objeções de Peter Nutting e companhia. Lá estava a distopia condenada que nós não queríamos, o apocalipse moderninho que acusava e rejeitava tudo que nós tínhamos concebido ou construído ou amado, que apreciava a ideia de tudo aquilo cair por terra. Lá estavam o luxo e o privilégio do homem bem alimentado rindo de todas as esperanças de progresso para o resto da humanidade. T.H. Haley não devia nada a um mundo que tinha cuidado bem dele, que tinha garantido que ele recebesse uma educação liberal gratuita, um mundo no qual ele não foi mandado para a guerra, que o levou à vida adulta sem rituais assustadores ou fome ou medo de deuses vingativos, que lhe concedeu uma bolsa generosa quando ele ainda não tinha trinta anos e que não impunha limites à sua liberdade de expressão. Aquilo era um niilismo fácil que nunca duvidava que tudo que nós temos está podre, nunca pensava em propor alternativas, nunca via esperança na amizade, no amor, nos mercados livres, na indústria, na tecnologia, no comércio e em todas as artes e ciências.

A história dele (eu fiz o meu Nutting fantasma dizer em seguida) herdava de Samuel Beckett um quadro em que a condição humana era um homem sentado sozinho no fim das coisas, ligado apenas a si próprio, sem esperança, chupando uma pedra. Um homem que nada sabe das dificuldades da administração pública numa democracia, de propiciar um bom governo a milhões de indivíduos exigentes, cheios de direitos, pensantes, que não se importa com o quanto nós andamos nos meros quinhentos anos que nos separam de um passado cruel e pobre.

Por outro lado... o que será que era bom ali? Eles todos iam ficar irritados, especialmente Max, e só por isso já era lindo. Ele ia ficar irritado mesmo que aquilo confirmasse a opinião dele de que incluir um romancista era um erro. Paradoxalmente, aquilo ia aumentar a força da *Tentação* ao mostrar o quanto aquele escritor estava livre dos seus pagadores. *Das planícies de Somerset* era a encarnação do fantasma que assombrava todas as manchetes, uma espiada por sobre a beira do abismo, uma encenação do pior dos mundos — Londres transformada em Herat, Nova Déli, São Paulo. Mas e eu, o que eu achava daquilo tudo? Eu tinha ficado deprimida, era tudo tão lúgubre, tão completamente desprovido de esperança. Ele devia ter pelo menos poupado a criança, dado ao leitor um tiquinho de fé no futuro. Eu suspeitava que o meu Nutting fantasma estava certo — havia algo

238

de chique nesse pessimismo, era meramente uma estética, uma máscara ou uma atitude literária. Não era o Tom de verdade, ou era só uma parte minúscula dele, e portanto era insincero. Eu não gostei nada. E T.H. Haley ia ser visto como escolha minha e eu ia ser responsabilizada. Outra mancha na ficha.

Fiquei olhando a máquina de escrever do outro lado da sala e a xícara de café vazia bem ao lado dela, e pensei. Será que o homem com quem eu estava tendo um caso se provaria incapaz de realizar o potencial que prometia ter, como a mulher com o macaco nas costas? Se ele já tinha feito o seu melhor, eu tinha cometido um erro constrangedor. Seria essa a acusação, mas a verdade era que ele tinha sido entregue de bandeja para mim, numa pasta. Eu tinha me apaixonado pelos contos e depois pelo homem. Foi um casamento combinado, um casamento feito no quinto andar, e era tarde demais, eu era a noiva que não podia fugir. Por mais que estivesse decepcionada, tinha que ficar do lado dele, tinha que ficar com ele, e não apenas por interesse próprio. Pois é *claro* que eu ainda acreditava nele. Uns contos mais fraquinhos não iam abalar a minha convicção de que ele era uma voz original, uma mente brilhante — e o meu amante maravilhoso. Ele era o meu projeto, o meu caso, a minha missão. A arte dele, o meu trabalho e a nossa história eram uma só coisa. Se ele fracassasse, eu fracassava. Simples, então — nós íamos triunfar juntos.

Eram quase seis horas. Tom ainda não tinha voltado, as páginas do romance dele estavam convincentemente espalhadas em volta da máquina de escrever e os prazeres da noite nos esperavam. Preparei um banho muito perfumado. O banheiro tinha um metro e meio por um e vinte (nós tínhamos medido) e contava com uma banheirinha econômica em que você se abaixava na água e sentava ou se agachava numa prateleirinha como *Il Penseroso* de Michelangelo. Então me agachei e fiquei na água quente e pensei mais um pouco. Uma possibilidade agradável era que aquele tal editor, Hamilton, se realmente era tão bom quanto Tom achava, provavelmente ia recusar os dois textos e dar bons motivos. Nesse caso era melhor eu não dizer nada e esperar. E era essa a ideia, afinal, dar dinheiro para ele se sentir livre, não me meter e torcer pelo melhor. Mas... mas... eu acreditava que era uma boa leitora. Estava convencida de que ele estava cometendo um erro, aquele pessimismo monocromático não estava à altura do talento dele, não lhe permitia as reviravoltas, digamos, do conto dos gêmeos ou as ambiguidades de um homem fazendo amor apaixonadamente com uma mulher que ele sabe que não presta. Eu achava que o Tom gostava o bastante de mim para me dar ouvidos. E, ao mesmo tempo, as minhas instruções eram claras. Eu tinha que lutar contra os meus impulsos que estavam interferindo em tudo.

Vinte minutos mais tarde eu já estava me secando fora da banheira, sem ter resolvido coisa alguma, com as ideias em torvelinho, quando ouvi passos na escada. Ele bateu na porta e entrou no meu *boudoir* vaporoso e nós nos abraçamos sem dizer uma palavra. Senti o ar frio da rua nas dobras do casaco dele. Perfeita sincronia. Eu estava nua, cheirosa e pronta. Ele me levou para o quarto, tudo ficou bem, todas as perguntas incômodas desmoronaram. Cerca de uma hora depois nós já estávamos vestidos para sair, bebendo o nosso Chablis e ouvindo "My Funny Valentine", com Chet Baker, um homem que cantava que nem uma mulher. Se havia algum *bebop* no solo de trompete dele, era leve e delicado. Achei que podia até começar a gostar de jazz. Nós brindamos e nos beijamos, aí o Tom me deu as costas e foi com o seu vinho para perto da mesa de baralho, olhando por alguns minutos para o seu trabalho. Ele ergueu uma página depois da outra, revirou a pilha em busca de uma certa passagem, achou e pegou um lápis para marcar alguma coisa. Estava com a cara fechada quando girou o tambor com lentos cliques significativos do mecanismo para ler a folha que estava na máquina. Quando ergueu os olhos para mim, eu estava nervosa.

Ele disse, "Tenho uma coisa pra te contar".

"Coisa boa?"

"Eu conto no jantar."

Ele veio até onde eu estava e nós nos beijamos de novo. Ele ainda não tinha vestido o paletó e estava usando uma das três camisas que tinha mandado fazer na Jermyn Street. Elas eram idênticas, de um bom algodão egípcio branco, com um talhe generoso nos ombros e nos braços que lhe dava uma aparência vagamente bucaneira. Ele tinha me dito que todos os homens deveriam ter uma "biblioteca" de camisas brancas. Eu não tinha muita certeza quanto àquele corte, mas gostava de sentir o corpo dele por sob o algodão, e gostava de como ele estava se adaptando ao dinheiro. O *hi-fi*, os restaurantes, as malas Globetrotter, uma máquina de escrever elétrica a caminho — ele estava esquecendo a vida de estudante e fazia isso com estilo, sem culpa. Naqueles meses antes do Natal ele ainda recebia da universidade. Estava cheio de grana, e era bom estar com ele. Ele me comprava presentes — um casaco de seda, perfume, uma pasta macia de couro para o trabalho, a poesia de Sylvia Plath, romances de Ford Madox Ford, todos em capa dura. Ele também pagava a minha passagem de ida e volta, que custava bem mais que uma libra. Nos fins de semana eu esquecia da minha vida londrina miserável, do meu triste estoque de comida num cantinho da geladeira, e de ter que ficar contando moedas de manhã para o metrô e um almoço.

Nós terminamos a garrafa e praticamente rolamos ladeira abaixo pela Queen's Road, passando pela Clock Tower e chegando às Lanes, parando só para o Tom dar informações para um casal indiano que estava carregando um bebê com lábio leporino. As ruas estreitas tinham um ar abandonado de fora de temporada, desertas e tomadas de maresia, as pedras da rua estavam traiçoeiramente lisas. De um jeito provocativo e bem-humorado, Tom me interrogava sobre os meus "outros" escritores, sustentados pela Fundação. Nós tínhamos passado por isso algumas vezes e já era quase uma rotina. Ele estava se deixando levar por um ciúme tanto sexual quanto profissional ou competitivo.

"Só me diga uma coisa. Normalmente eles são novos?"

"Normalmente eles são imortais."

"Ah, anda. Você pode me contar. São os velhos famosões? Anthony Burgess? John Braine? Alguma mulher?"

"E uma mulher ia me servir pra quê?"

"Eles ganham mais dinheiro que eu? Isso você pode me dizer."

"Todo mundo ganha no mínimo o dobro do que você ganha."

"Serena!"

"Tá bom. Todo mundo ganha a mesma coisa."

"Que eu."

"Que você."

"Eu sou o único inédito?"

"Eu não vou dizer mais nada."

"Você já trepou com algum deles?"

"Com vários."

"E você ainda está seguindo a lista?"

"Você sabe que eu estou."

Ele riu e me empurrou para a porta de uma joalheria para me beijar. Ele era um daqueles homens que ocasionalmente se sentem excitados com a ideia da sua mulher fazendo amor com outro homem. Em certos estados de espírito isso deixava ele excitado, a fantasia de ser corno, mesmo que a realidade fosse deixá-lo enojado ou magoado ou furioso. Claramente a origem das ideias de Carder sobre o seu manequim. Eu não entendia isso, nem de longe, mas aprendi a me deixar levar. Às vezes, quando fazíamos amor, ele ia me dando deixas sussurradas e eu entrava na dele, falando do homem que estava saindo comigo e do que eu fazia com ele. Tom preferia que ele fosse escritor, e quanto menos provável, quanto mais famoso, maior a sua preciosa agonia. Saul Bellow, Norman Mailer, o cachimbeiro do Günter Grass, eu pegava os melhores. Ou os melhores segundo ele. Já naquela época eu percebia que uma fantasia deliberada e compartilhada estava felizmente diluindo as minhas inverdades necessárias. Não era fácil falar do trabalho que eu fazia para a Fundação com um homem que estava tão perto de mim. O meu recurso à confidencialidade era uma saída, esse sonho erótico vagamente cômico era outra. Mas nenhum dos dois bastava. Essa era a pequena mácula negra na minha felicidade.

Claro que nós sabíamos muito bem o motivo das nossas calorosas boas-vindas no Wheeler, das perguntas polidas sobre a semana da srta. Serena, a saúde do sr. Tom, os nossos apetites, das cadeiras prontamente puxadas, e dos guardanapos colocados no nosso colo, mas isso também nos deixava muito felizes, e quase nos convencia de que éramos realmente admirados e respeitados, muito mais que o resto daquela freguesia chata e envelhecida. Naquele tempo, fora uns poucos astros do mundo *pop*, os jovens ainda não tinham posto as mãos no dinheiro. Então as caras feias que nos acompanhavam até a nossa mesa também aumentavam o nosso prazer. Nós éramos tão especiais. Ah, se aqueles fregueses soubessem que estavam pagando a nossa refeição com os seus impostos. Ah, se Tom pudesse saber. Em menos de um minuto, enquanto outros que tinham chegado antes de nós não tinham nada na mesa, o nosso champanhe chegava, e logo depois dele o prato de prata e a sua carga de gelo e conchas, que continham os escarros reluzentes de vísceras salobras que nós não ousávamos deixar de fingir que adorávamos. O truque era virar cada uma sem sentir o gosto. Nós viramos o champanhe também e pedimos mais. Como em outras ocasiões nós lembramos de pedir uma garrafa na próxima vez. Ia ficar bem mais barato.

No calor úmido do restaurante, Tom tinha tirado o paletó. Ele estendeu a mão para colocá-la sobre a minha. A luz das velas deixava mais escuro o verde dos olhos dele, e conferia à sua palidez um saudável tom rosado de marrom. Ele, como sempre, com a cabeça levemente inclinada de lado, os lábios como de regra separados e tensos, não tanto para falar quanto para antecipar as minhas palavras ou dizê-las comigo. Foi ali, já meio bêbada, que pensei que nunca tinha visto um homem mais lindo. Eu perdoei a camisa de pirata de alfaiataria. O amor não cresce num ritmo estável, mas avança em ondas, choques, saltos selvagens, e esse foi um. O primeiro tinha sido no White Tower. Esse foi bem mais forte. Como Sebastian Morel em "Penhornografia", eu estava caindo por um espaço sem dimensões, enquanto permanecia bem sentadinha num restaurante de frutos do mar de Brighton. Mas sempre, nas margens mais distantes do pensamento, havia aquela manchinha. Em geral eu tentava ignorar, e estava tão empolgada que muitas vezes conseguia. Aí, como uma mulher que escorrega pela beira do abismo e tenta se agarrar a um tufo de grama que nunca vai sustentar o seu peso, lembrava mais uma vez que Tom não sabia quem eu era e o que fazia de verdade e que eu devia contar para ele agora. *Última chance! Anda, conta agora.* Mas era tarde demais. A verdade era pesada demais, ia nos destruir. Ele ia me odiar para sempre. Eu tinha caído no abismo e nunca mais ia voltar. Podia lembrar as benesses que trouxe para a vida dele, a liberdade artística que veio comigo, mas o fato era que se eu queria continuar saindo com ele, ia ter que continuar contando aquelas mentiras quase brancas.

A mão dele se moveu para o meu pulso e enrijeceu. O garçom chegou para encher as nossas taças.

Tom disse, "Então é a hora certa de eu te contar". Ele ergueu a taça, obedientemente eu ergui a minha. "Você sabe que eu ando escrevendo essas coisas pro Ian Hamilton. Acabou que teve um texto que foi crescendo e eu percebi que estava escorregando para o campo do romance curto. Aquilo estava tomando forma sozinho. Eu não conseguia acreditar. Estava tão entusiasmado e queria te dizer, queria te mostrar. Mas não tinha coragem, caso não funcionasse. Terminei uma primeira versão na semana passada, fotocopiei um pedaço e mandei pra esse editor de quem todo mundo estava me falando. Tom Mischler. Não, Maschler. A carta dele chegou hoje de manhã. Eu não estava esperando uma resposta tão rápida. Só fui abrir hoje de tarde quando você não estava em casa. Serena, ele quer o livro! Urgentemente. Ele quer uma versão final até o Natal."

Eu estava com dor no braço de ficar segurando a taça no ar. Eu disse, "Tom, mas que notícia fantástica. Parabéns! A você!".

Nós tomamos grandes goles. Ele disse, "É meio pesado. Num futuro próximo, quando tudo ruiu. Meio como o Ballard. Mas acho que você vai gostar".

"Como é que acaba? As coisas melhoram?"

Ele sorriu para mim de um jeito indulgente. "Claro que não."

"Que maravilha."

O cardápio chegou e nós pedimos Linguado de Dover e um vinho tinto em vez de branco, um Rioja encorpado, para demonstrar que éramos espíritos livres. Tom falou mais do seu romance, e sobre o seu novo editor, que publicava Heller, Roth, Márquez. Eu estava pensando como iria dar a notícia a Max. Uma distopia anticapitalista. Enquanto os outros escritores da *Tentação* iam entregando as suas versões não ficcionais de *A revolução dos bichos*. Mas pelo menos o meu homem era uma força criativa que seguia o seu próprio caminho. Como eu faria, quando tivesse sido demitida.

Absurdo. Era hora de comemorar, pois eu não podia fazer nada sobre o texto de Tom, que agora nós estávamos chamando de "a novela". Então ficamos bebendo e comendo e falando e brindando a este ou àquele sucesso. Mais para o fim da noite, quando só restava uma meia dúzia de fregueses e os nossos garçons estavam bocejando à toa, Tom disse num tom de falsa repreensão, "Eu vivo te falando de poemas e romances, mas você nunca me fala nadinha de matemática. Está na hora de falar".

"Eu não era muito boa", eu disse. "Deixei isso tudo pra trás."

"Não adianta. Quero que você me conte alguma coisa... alguma coisa interessante, contraintuitiva, paradoxal. Você está me devendo uma boa história de matemática."

Nada na matemática me parecia contraintuitivo. Ou eu entendia ou não entendia, e, de Cambridge em diante, normalmente era o segundo caso. Mas gostei do desafio. Eu disse, "Me dá um minutinho". Então o Tom ficou falando dessa nova máquina de escrever elétrica e de como ele ia poder trabalhar rápido. Aí eu lembrei.

"Isso estava correndo de boca em boca entre os matemáticos de Cambridge quando eu estava lá. Acho que ninguém escreveu sobre isso ainda. É sobre probabilidade e é formulado como uma pergunta. Vem de um programa de TV americano chamado *Let's Make a Deal*. O apresentador uns anos atrás era um sujeito chamado Monty Hall. Vamos supor que você esteja competindo no programa do Monty. Na sua frente há três caixas fechadas, um, dois e três, e numa das caixas, você não sabe qual, está um prêmio maravilhoso — digamos uma..."

"Mulher linda que me dá uma bolsa generosa."

"Exatamente. O Monty sabe em que caixa está a sua bolsa, e você não. Você faz uma escolha. Digamos que você escolha a caixa um, mas nós não abrimos a caixa ainda. Aí o Monty, que sabe onde está a bolsa, abre uma caixa que ele sabe que está vazia. Digamos que é a caixa três. Então você sabe que a sua bolsa generosa está ou na caixa um, a que você escolheu, ou na caixa dois. Agora o Monty te oferece a chance de trocar para a caixa dois ou ficar onde está. Onde é que a sua bolsa tem mais chances de estar? É melhor você trocar ou ficar onde está?"

O nosso garçom trouxe a conta num prato de prata. O Tom pegou a carteira, e aí mudou de ideia. Apesar de todo aquele vinho e champanhe ele soava lúcido. Nós dois. Nós queríamos mostrar um ao outro que bebíamos bem.

"É óbvio. Com a caixa um eu tinha uma chance para três já de saída. Quando a caixa três é aberta, as minhas chances se convertem em uma para duas. E a mesma coisa tem que valer para a caixa dois. Probabilidades iguais de que a minha bolsa generosa esteja numa ou noutra caixa. Não faz diferença se eu troco ou não. Serena, você está incrivelmente linda."

"Obrigada. Você estaria em boa companhia com essa escolha. Mas estaria errado. Se você escolher a outra caixa você dobra as suas chances de nunca mais precisar trabalhar."

"Nem a pau."

Eu fiquei olhando ele pegar a carteira para pagar a conta. Eram quase trinta libras. Ele meteu uma gorjeta de vinte libras, e a frouxidão do gesto revelou o quanto ele estava bêbado. Aquilo era mais do que eu ganhava por semana. Ele não tinha mais como escapar.

Eu disse, "A sua chance de escolher a caixa com a bolsa continua sendo de um para três. A soma das probabilidades tem que dar um. Então as chances de ela estar numa das outras duas caixas têm de ser de dois para três. A caixa três está aberta e vazia, então é dois para três que a bolsa está na caixa dois".

Ele estava me olhando misericordiosamente, como se eu fosse

uma evangelizadora de alguma seita religiosa radical. "O Monty me deu mais informação ao abrir a caixa. As minhas chances eram de um pra três. Agora elas são de um pra dois."

"Isso só ia ser verdade se você tivesse entrado na sala logo depois de ele abrir a caixa e *aí* te pedissem pra escolher entre as outras duas caixas. Aí você ia estar diante de uma probabilidade de um pra dois."

"Serena. Eu estou surpreso por você não enxergar o que está acontecendo."

Eu estava começando a sentir um tipo singular e incomum de prazer, uma sensação de ter sido libertada. Numa faixa do espaço mental, talvez até uma faixa grande, eu era até mais inteligente que Tom. Como isso parecia estranho. O que era extremamente simples para mim, para ele aparentemente estava além da possibilidade de compreensão.

"Veja assim", eu disse. "Trocar da caixa um para a caixa dois só é uma má ideia se você tivesse feito a escolha certa no começo e a sua bolsa estiver na caixa um. E a chance de isso ter acontecido é de um para três. Então, em um terço das ocasiões é má ideia trocar, o que quer dizer que em dois terços é boa ideia."

Ele estava com uma cara séria, fazendo esforço. Ele tinha entrevisto a verdade momentaneamente, e aí tinha piscado e ela tinha desaparecido.

"Eu sei que eu estou certo", ele disse. "Só que não estou explicando direito. Esse Monty escolheu aleatoriamente uma caixa pra pôr a minha bolsa. Só tem duas caixas que podem ser a certa, então a probabilidade de estar em uma ou na outra tem que ser igual." Ele estava prestes a desistir e se largou na cadeira. "Pensar nisso está me deixando tonto."

"Tem outro jeito de pensar", eu disse. "Digamos que nós temos um milhão de caixas. As mesmas regras. Digamos que você escolhe a caixa setecentos mil. O Monty aparece e vai abrindo uma caixa depois da outra. Todas vazias. O tempo todo ele está evitando abrir a caixa onde está o seu prêmio. Ele para quando as únicas caixas ainda não abertas são a sua e, digamos, a número noventa e cinco. Quais são as probabilidades agora?"

"Iguais", ele disse com uma voz abafada. "Cinquenta por cento para cada caixa."

Tentei não soar como se estivesse falando com uma criança. "Tom, é um milhão pra um que não está na sua caixa, e quase certamente está na outra."

Ele estava com a mesma cara de quem quase sacou, e aí ela mudou. "Bom, mas não, acho que isso não está certo, quer dizer, eu... A bem da verdade acho que eu vou vomitar."

Ele se levantou meio trôpego e passou direto pelos garçons sem dizer adeus. Quando eu o alcancei na frente do restaurante ele estava apoiado num carro, olhando para os sapatos. O ar frio tinha sido reanimador e ele acabou não vomitando. De braço dado, nós fomos para casa.

Quando achei que ele tinha se recuperado o bastante, eu disse, "Se for de alguma ajuda, a gente pode testar isso empiricamente com um baralho. A gente podia...".

"Serena, meu amor, chega. Se eu pensar nisso de novo eu vou vomitar mesmo."

"Você queria alguma coisa contraintuitiva."

"É. Desculpa. Eu não vou pedir isso de novo. Vamos ficar com as coisas pró-intuitivas."

Então nós conversamos sobre outras coisas e assim que chegamos ao apartamento fomos para a cama e dormimos profundamente. Mas domingo bem cedo Tom, num estado de empolgação, me acordou às sacudidas no meio de uns sonhos confusos.

"Saquei! Serena, eu entendi como a coisa funciona. Tudo que você estava dizendo, é tão simples. Simplesmente fez sentido, assim, sabe, que nem um desenho daquele cubo de não sei quem."

"De Necker."

"E eu posso *fazer* alguma coisa com isso."

"Claro, por que não..."

Adormeci com o barulho das teclas da máquina de escrever dele no quarto ao lado e só fui acordar três horas depois. Nós mal nos referimos a Monty Hall durante o resto daquele domingo. Fiz um assado para o almoço enquanto ele trabalhava. Pode até ter sido o efeito deprimente da ressaca, mas eu estava mais triste que o normal diante da perspectiva de voltar à St. Augustine's Road e ao meu quarto solitário, de ligar o meu minúsculo aquecedor elétrico, de lavar o cabelo na pia e passar uma blusa para ir trabalhar.

Sob uma sombria luz do entardecer, Tom foi comigo até a estação. Eu estava quase às lágrimas quando nós nos abraçamos na plataforma, mas não fiz uma grande cena, e acho que ele nem percebeu.

16.

Três dias depois o conto dele chegou pelo correio. Preso à primeira página havia um cartão-postal do West Pier que no verso dizia, "Será que eu entendi direito?".

Eu li "Adultério provável" na cozinha gelada enquanto tomava uma caneca de chá antes de sair para o trabalho. Terry Mole é um arquiteto londrino cujo casamento sem filhos está sendo continuamente minado pela fileira de casos extraconjugais da sua esposa Sally. Ela não tem emprego e, sem ter que cuidar de crianças e com uma empregada para fazer de tudo, pode *se dedicar a uma infidelidade constante e negligente*. Ela também se dedica diariamente a fumar maconha e prefere um uísque grande, ou dois, antes do almoço. Enquanto isso, Terry trabalha setenta horas por semana projetando conjuntos habitacionais baratos para a prefeitura, que provavelmente vão ser demolidos em quinze anos. Sally tem encontros com homens que mal conhece. *As mentiras e as desculpas dela eram ofensivamente transparentes, mas ele nunca conseguia desmenti-la. Não tinha tempo para isso.* Mas um dia várias reuniões que tinham sido marcadas nas obras dos prédios são canceladas e o arquiteto decide passar as horas livres seguindo a esposa. *Ele estava sendo consumido pela tristeza e pelo ciúme e precisava vê-la com um homem para nutrir a sua desolação e fortalecer a sua resolução de abandoná-la.* Ela lhe disse que ia passar o dia com a tia em St. Albans. Em vez disso, ela vai para a Victoria Station e Terry vai atrás.

Ela entra num trem para Brighton, e ele também, dois vagões atrás. Ele a segue pela cidade, cruzando o Steine e indo para as ruelas de Kemp Town até que ela entra num hotelzinho em Upper Rock Gardens. Da calçada ele a vê no saguão com um homem, felizmente um sujeitinho bem mirrado, Terry pensa. Ele vê o casal pegar uma chave com o recepcionista e começar a subir a estreita escadaria. Terry entra no hotel e, sem ser percebido, ou sendo ignorado pelo recepcionista, sobe também as escadas. Ele pode ouvir os passos deles no andar de cima. Ele espera enquanto eles chegam ao quarto andar. Ouve uma porta ser aberta, e fechada. Chega ao patamar. Diante dele há apenas três quartos, 401, 402 e 403. O plano dele é esperar até que o casal esteja na cama, e aí derrubar a porta deles, humilhar a mulher e dar um belo de um tapão na cabeça daquele sujeitinho.

Mas ele não sabe em que quarto eles estão.

Ele fica em silêncio no patamar, esperando ouvir um som. *Ele estava louco para ouvir um gemido, um gritinho, uma mola de colchão, qualquer coisa. Mas nada vinha.* Os minutos passam e ele tem que fazer uma escolha. Ele se decide pelo 401 porque é o mais próximo. Todas as portas parecem bem fracas e ele sabe que um bom chutão vai dar conta delas. Está se afastando para ganhar distância quando a porta do 403 se abre e dele sai um casal indiano com o filhinho, que tem lábio leporino. Eles dão um sorriso tímido ao passar e depois descem a escada.

Quando eles desaparecem Terry hesita. Aqui a história fica mais tensa ao se aproximar do seu clímax. Como arquiteto e matemático amador, ele entende de números. Ele faz um cálculo apressado. Houve sempre uma probabilidade de um para três de que ela estivesse no 402 ou no 403. E agora que se revelou que o 403 está vazio, deve haver uma probabilidade de dois para três de que ela esteja no 402. *Só um tolo continuaria com sua primeira escolha, pois as férreas leis da probabilidade são inflexíveis.* Ele corre, salta, a porta do 402 se abre de um golpe e lá está o casal, nu, na cama, em pleno ato. Ele dá *um tabefe vigoroso na cara do sujeito, lança um olhar de gélido desprezo à esposa,* e parte para Londres, onde vai abrir um processo de divórcio e começar vida nova.

Durante toda aquela quarta-feira eu separei e arquivei documentos relacionados a um certo Joe Cahill, do IRA, à sua ligação com o coronel Gaddafi e a um carregamento de armas para a Líbia, rastreado pelo 6 e interceptado pela marinha irlandesa no litoral de Waterford no fim de março. Cahill estava a bordo e não sabia de nada até sentir o cano de uma arma na nuca. Pelo que pude ver a partir dos adendos de recortes de jornal, o nosso pessoal tinha ficado de fora da operação e estava irritado. "Esse equívoco", dizia uma furiosa minuta, "não pode ocorrer novamente." Até que era interessante. Mas eu sabia qual local — o bom navio *Claudia* ou o interior da mente do meu namorado — tinha mais interesse para mim. Mais que isso, eu estava preocupada, inquieta. Sempre que eu dava uma parada, a minha cabeça voltava para as portas do quarto andar de um hotel de Brighton.

Era um bom conto. Mesmo que não estivesse entre os melhores dele, ele estava novamente em forma, no tipo certo de forma. Mas quando li a história de manhã, eu soube imediatamente que ela era furada, construída a partir de premissas falsas, paralelos insustentáveis, de uma matemática sem salvação. Ele não tinha me entendido e não tinha entendido o problema. A empolgação dele, aquele momento cubo de Necker, tinha feito ele se animar demais. Pensar naquela exultação infantil e em como eu tinha adormecido de novo e não tinha discutido a ideia dele quando acordei me fez sentir vergonha. Ele tinha ficado excitado com a possibilidade de levar para a ficção o paradoxo das escolhas ponderadas. A ambição dele era magnífica — dramatizar uma linha da matemática e lhe dar uma dimensão ética. Ele dependia de mim nessa tentativa heroica de construir uma ponte sobre o abismo que separava a arte da lógica, e eu tinha deixado ele correr para o lado errado. O conto dele não ficava de pé, não fazia sentido, e me emocionava perceber que ele achava que fazia. Mas como é que eu podia lhe dizer que o seu conto não prestava quando eu, em parte, era responsável por ele?

Pois a simples verdade, evidente para mim, para ele totalmente opaca, era que o casal indiano que emergia do 403 não tinha como alterar a probabilidade de que o 402 fosse o quarto certo. Eles nunca poderiam ocupar a posição que Monty Hall tem no programa de TV. O surgimento deles é aleatório, enquanto as escolhas de Monty são limitadas, determinadas pelos competidores. Monty não pode ser trocado por um seletor aleatório. Se Terry tivesse escolhido o 403, o casal com o bebê não teria podido se transferir magicamente para outro quarto para poder surgir de outra porta. Depois do aparecimento deles a esposa de Terry tem a mesma chance de estar no quarto 402 ou no 401. Daria na mesma ele derrubar a porta da sua primeira escolha.

Então, enquanto ia pelo corredor para pegar um chá no carrinho para a minha pausa da manhã, eu de repente entendi a fonte do erro de Tom. Era eu! Parei e teria posto a mão na boca, mas havia um homem vindo na minha direção com uma xícara e um pires. Eu o vi claramente, mas estava tão apreensiva, tão chocada pela minha percepção repentina que não prestei atenção direito nele. Um homem bonito de orelhas protuberantes, que agora diminuía o passo, bloqueando o meu caminho. Max, claro, o meu chefe, o meu ex-confidente. Será que eu estava lhe devendo outro relatório?

"Serena. Você está bem?"

"Estou. Desculpa. Cabeça nas nuvens, sabe..."

Ele estava me encarando de um jeito intenso e os seus ombros ossudos pareciam desajeitadamente encolhidos no paletó de *tweed* grande demais para ele. A xícara fazia barulho no pires até que ele a firmou com a mão livre.

Ele disse, "Acho que nós precisamos ter uma conversa".

"Diga quando e eu passo no seu escritório."

"Mas não aqui. Um drinque depois do trabalho, ou um jantar, alguma coisa assim."

Eu estava passando pelo lado dele. "Ótimo."

"Sexta?"

"Sexta eu não posso."

"Segunda, então."

"Certo, tudo bem."

Quando já tinha conseguido passar por ele, eu me virei um pouco e acenei com os dedos, segui em frente e esqueci dele. Pois eu lembrava nitidamente o que eu tinha dito no restaurante no fim de semana passado. Eu tinha dito para o Tom que Monty escolhe uma caixa vazia *aleatoriamente*. E é claro que em dois terços das ocasiões isso não podia ser verdade. No jogo, Monty só pode abrir uma caixa vazia que não tenha sido escolhida. Em duas de cada três ocasiões o competidor há de escolher exatamente isso — uma caixa vazia. Nesse caso só há uma caixa que Monty pode escolher. Só quando o competidor adivinha a caixa certa, com o prêmio, a bolsa, é que Monty tem duas caixas vazias para escolher, aleatoriamente. É claro que eu sabia disso tudo, mas não tinha explicado direito. Aquele conto tinha naufragado e a culpa era minha. Tinha sido de mim que o Tom havia tirado a ideia de que o destino podia cumprir o papel de um apresentador de televisão.

Com o meu fardo de culpa duplicado, percebi que não podia simplesmente contar ao Tom que o conto dele não funcionava. A obrigação de encontrar uma solução era minha. Em vez de sair do prédio, como sempre fazia na hora do almoço, eu fiquei na minha máquina de escrever e tirei o conto de Tom da bolsa. Enquanto colocava uma folha de papel em branco, senti um arrepio de prazer, e aí, quando comecei a datilografar, até uma certa empolgação. Tive uma ideia, sabia como o Tom podia reescrever o fim do conto, e deixar o Terry derrubar a porta que dobra as suas chances de encontrar a esposa na cama com outro homem. Primeiro de tudo, eu tive que me livrar do casal indiano com o seu bebê de lábio leporino. Por mais que eles fossem encantadores, não tinham por que participar daquele drama. Então, quando Terry dá uns passos para trás, para correr para a porta do quarto 401, ele entreouve duas camareiras conversando no patamar do andar de baixo. As vozes delas chegam nitidamente. Uma delas diz, "Eu vou dar uma subidinha e limpar um dos quartos que estão vazios". E a outra diz, "Cuidado, aquele casal está no quarto de sempre". Elas riem com ar de sabidas.

Terry ouve a camareira subindo as escadas. Ele é um matemático amador bem decente e percebe que tem diante de si uma oportunidade fantástica. Ele precisa pensar rápido. Se ele ficar parado diante de qualquer uma das portas, e pode bem ser o 401, vai forçar a arrumadeira a entrar num dos outros dois quartos. Ela sabe onde o casal está. Ela vai achar que ele é, ou um novo hóspede prestes a entrar no quarto, ou um amigo do casal, esperando à porta deles. Seja qual for o quarto que ela escolha, Terry vai passar para o outro e dobrar as suas chances. E é exatamente o que acontece. A camareira, que herdou o lábio leporino, dá uma olhada para Terry, cumprimenta com a cabeça, e vai para o 403. Terry faz a substituição decisiva, corre e se atira contra a porta do 402, e lá estão eles, Sally e o seu homem, *em flagrante*.

E como estava embalada, pensei que podia sugerir ao Tom que ele ajeitasse uns pontos sem nó. Por que Terry não derruba todas as portas, especialmente agora que sabe que dois quartos estão vazios? Porque o casal vai ouvir e ele quer preservar o elemento de surpresa. Por que não esperar para ver se a camareira vai limpar um segundo quarto, quando então ele vai saber com certeza onde a esposa está? Porque fica dito anteriormente que ele tem uma importante reunião numa obra no fim do dia e precisa voltar a Londres.

Eu estava datilografando fazia quarenta minutos e tinha três páginas de notas para mandar. Rabisquei uma cartinha explicando nos termos mais simples possíveis por que o casal indiano não servia, achei um envelope em branco sem a insígnia do Serviço Secreto, localizei um selo no fundo da minha bolsa e ainda deu tempo certinho de ir até a caixa de correspondência na Park Lane e voltar antes de começar a trabalhar de novo. Como era chato, depois do conto de Tom, examinar o manifesto ilegal do *Claudia*, cinco toneladas de explosivos, armas e munições, uma carga relativamente decepcionante. Um memorando sugeria que Gaddafi não confiava no IRA, outro reiterava que "o 6 tinha passado dos limites". Eu não dava a mínima.

Naquela noite em Camden eu fui para a cama mais feliz do que em todo o resto daquela semana. No chão estava a minha valise, pronta para ser feita na noite do dia seguinte para a minha jornada de sexta-feira até Brighton. Só mais dois dias de trabalho por encarar. Quando eu visse o Tom ele já teria lido a minha carta. Eu ia lhe dizer de novo o quanto o conto era bom, ia explicar a probabilidade mais uma vez, e propor as alterações. Nós íamos ficar juntos com as nossas rotinas e os nossos rituais.

Afinal de contas, os cálculos de probabilidade eram meros

detalhes técnicos. A força do conto não estava ali. Deitada no escuro, esperando o sono chegar, achei que estava começando a entender alguma coisa sobre a invenção. Como leitora, leitora dinâmica, eu dava a invenção de barato, era um processo do qual eu nunca me ocupava. Você tirava um livro da estante e lá estava um mundo inventado, povoado, tão óbvio quanto aquele em que você vivia. Mas agora, como o Tom no restaurante, lutando com Monty Hall, achava que tinha a medida do artifício, ou quase tinha. Era quase como cozinhar, eu pensei com sono. Em lugar do calor que transforma os ingredientes, há a pura invenção, a fagulha, o elemento oculto. O que resultava dali era mais que a soma das partes. Eu tentei listar as partes: Tom tinha concedido a minha compreensão da probabilidade a Terry, além de lhe dar a sua própria excitação secreta diante da possibilidade de ser corno. Mas não sem antes transformar isso em algo mais aceitável — ciúme e raiva. Um pouco da bagunça da vida da irmã de Tom tinha se infiltrado na de Sally. E mais a jornada familiar de trem, as ruas de Brighton, aqueles hoteizinhos impossivelmente minúsculos. O casal indiano com o bebê de lábio leporino foi recrutado para ocupar um papel no quarto 403. A simpatia e a vulnerabilidade deles contrastavam com o casal agarrado no quarto ao lado. Tom tinha assumido o controle de um assunto ("só um tolo continuaria com sua primeira escolha!") que mal entendia, e tinha tentado se apropriar dele. Se ele incorporasse as minhas sugestões, certamente passaria a ser tudo dele. Num passe de mágica ele fez Terry ser muito melhor em matemática que o seu criador. Num certo nível era bem óbvio como essas partes individuais se encaixavam e funcionavam. O mistério era como misturar aquilo para gerar algo coerente e plausível, como cozinhar algo delicioso com aqueles ingredientes. Enquanto os meus pensamentos se diluíam e eu ia viajando para as fronteiras do oblívio, achei que tinha quase entendido como se fazia aquilo.

Um pouco depois, quando ouvi a campainha, ela entrou no meu sonho como o ápice de uma sequência elaborada de coincidências. Mas quando o sonho foi se evaporando eu ouvi a campainha de novo. Não me mexi porque estava esperando que uma das outras meninas descesse. Elas ficavam mais perto da porta de entrada, afinal. No terceiro toque eu acendi a luz e olhei para o despertador. Dez para meia-noite. Eu tinha dormido uma hora. A campainha tocou de novo, com mais insistência. Vesti o roupão e calcei os chinelos e desci, com sono demais para me perguntar por que eu tinha que correr. O meu palpite era que uma das outras tinha esquecido a chave. Isso já tinha aconteci-do. No hall de entrada eu sentia o gelo do linóleo penetrar pela sola dos meus chinelos. Prendi o pega-ladrão antes de abrir a porta. Espiando por uma fresta de menos de oito centímetros, pude distinguir um homem, mas não conseguia ver o rosto dele. Ele estava com um chapéu Fedora de gângster e uma capa de chuva com cinto, em cujos ombros as gotas de chuva cintilavam sob a luz do poste atrás dele. Assustada, fechei a porta. Ouvi uma voz conhecida dizer baixinho, "Desculpa incomodar. Eu preciso falar com Serena Frome".

Soltei a corrente e abri a porta. "Max. O que é que você está fazendo?"

Ele tinha bebido. Estava meio tonto e o seu rosto rigida-mente controlado estava frouxo. Quando ele falou eu senti chei-ro de uísque.

Ele disse, "Você sabe por que eu estou aqui".

"Não. Não sei."

"Eu preciso falar com você."

"Amanhã, Max, por favor."

"É urgente."

Eu estava plenamente acordada agora e sabia que se o mandasse embora não ia conseguir dormir, então deixei ele entrar e o levei até a cozinha. Acendi umas bocas do fogão a gás. Era a única fonte de calor. Ele sentou à mesa e tirou o chapéu. Ele tinha lama nas calças, abaixo do joelho. Adivinhei que ele tinha atravessado a cidade a pé. Estava com uma aparência vagamente alucinada, com a boca meio caída, e a pele embaixo dos olhos dele estava preto-azulada. Pensei em fazer uma bebida quente para ele, mas achei melhor não. Estava algo ressentida por ele estar abusando do poder que tinha, se achando no direito de me acordar porque eu era funcionária dele. Fiquei sentada na frente dele olhando enquanto ele cuidadosamente tirava a água do chapéu com as costas da mão. Ele parecia estar fazendo esforço para não parecer bêbado. Eu me sentia trêmula e tensa, e não só por causa do frio. Suspeitava que Max tivesse vindo me dar mais más notícias sobre Tony. Mas o que podia ser pior que ser um traidor morto?

"Eu não acredito que você não sabe por que eu estou aqui", ele disse.

Eu balancei a cabeça. Ele sorriu para o que tomou por uma mentirinha perdoável.

"Quando nós nos encontramos no corredor hoje eu soube que você estava pensando exatamente a mesma coisa que eu."

"Soube?"

"Por favor, Serena. Nós dois sabemos."

Ele estava me olhando com sinceridade, insistente, e naquele momento eu achei que sabia o que estava por vir, e alguma coisa dentro de mim murchou de cansaço diante da perspectiva de ouvir, negar, explicar tudo. E ter que de alguma maneira acomodar aquilo no futuro.

Apesar disso eu disse, "Eu não estou entendendo".

"Eu tive que terminar o meu noivado."

"Teve?"

"Você deixou bem claro o que você achou quando eu te contei do noivado."

"E daí?"

"A sua decepção ficou nítida. Eu lamentei, mas tive que ignorar. Eu não podia deixar os sentimentos atrapalharem o trabalho."

"Eu também não quero isso, Max."

"Mas toda vez que nós nos encontramos eu sei que nós dois estamos pensando no que podia ter acontecido."

"Olha..."

"Quanto a todos os, sabe..."

Ele pegou o chapéu e o avaliou de perto.

"... os preparativos do casamento. As nossas famílias estavam cuidando de tudo. Mas eu não conseguia parar de pensar em você... Achei que estava ficando louco. Quando eu te vi de manhã, nós dois percebemos. Parecia que você ia desmaiar. Eu tenho certeza que a minha cara era a mesma. Serena, esse fingimento... essa loucura de não dizer nada. Eu falei com a Ruth hoje de manhã e contei a verdade pra ela. Ela ficou muito transtornada. Mas isso estava marcado, pra mim e pra você, é inevitável. Nós não podemos mais ignorar!"

Eu não aguentava olhar para ele. Estava me irritando o jeito de ele fundir as suas próprias necessidades alteradas com um destino impessoal. Eu quero, logo... está nas estrelas! Qual era o problema dos homens, que achavam a lógica elementar tão difícil? Olhei na direção do meu ombro para a boca de gás sibilante. A cozinha estava finalmente esquentando e eu afrouxei o roupão no pescoço. Tirei o cabelo desgrenhado do rosto para me ajudar a pensar direito. Ele estava esperando que eu fizesse a confissão certa, que alinhasse os meus desejos com os dele, que o confirmasse no seu solipsismo e me juntasse a ele naquela ilusão. Mas talvez eu estivesse sendo dura demais com ele. Era só um equívoco. Pelo menos era assim que eu pretendia tratar aquela situação.

"É verdade, o seu noivado apareceu do nada. Você nunca tinha mencionado a Ruth antes e eu fiquei meio chateada. Mas superei, Max. Eu estava esperando ser convidada para a festa."

"Acabou tudo. Nós podemos começar de novo."

"Não podemos, não."

Ele me olhou penetrantemente. "Como assim?"

"Nós não podemos começar de novo."

"Por que não?"

Eu dei de ombros.

"Você conheceu outra pessoa."

"Conheci."

O efeito foi assustador. Ele levantou rapidamente, derrubando a cadeira da cozinha atrás de si. Achei que o barulho que ela fez ao bater no chão certamente ia acordar as outras. Ele ficou oscilante na minha frente, com uma cara horrível, meio verde com a luz amarela de uma única lâmpada exposta, com os lábios cintilando. Eu estava esperando ouvir pela segunda vez numa semana um homem me dizer que estava prestes a vomitar.

Contudo, ele se manteve firme, ou trôpego, e disse, "Mas você ficou me dando a entender que... que você queria, enfim, ficar comigo".

"Fiquei?"

"Toda vez que você ia ao meu escritório. Você flertava comigo."

Havia uma certa verdade nisso. Eu pensei um momento e disse, "Mas não depois que eu comecei a sair com o Tom".

"Tom? Não o Haley, espero?"

Eu concordei com a cabeça.

"Meu Deus. Então você estava falando sério. Sua idiota!"

Ele pegou a cadeira no chão e sentou pesadamente. "Isso é um castigo pra mim?"

"Eu gosto dele."

"Nada profissional."

"Ah, anda. Todo mundo sabe o que acontece por lá."

Na verdade, eu mesma não sabia. Só sabia das fofocas, que podiam ser fantasias, sobre os funcionários que se enroscavam com as agentes. E com toda a intimidade e a tensão do trabalho, por que não?

"Ele vai descobrir quem você é. Não tem como."

"Não vai, não."

Ele estava todo largado com a cabeça apoiada nas mãos. Expirou ruidosamente, com as bochechas infladas. Era difícil dizer o quanto ele estava bêbado de verdade.

"Por que você não me contou?"

"Achei que nós não queríamos que os sentimentos atrapalhassem o trabalho."

"Serena! Isso é a *Tentação*. O Haley é nosso. E você também."

Eu estava começando a pensar que estava errada, e foi por isso que parti para o ataque. "Você me encorajou a me aproximar de você, Max. E o tempo todo você estava se preparando para anunciar o seu noivado. Por que eu havia de aceitar que você ficasse me dizendo quem eu posso namorar?"

Ele não estava ouvindo. Ele gemeu e meteu a base da mão na testa. "Ah, Deus", ele murmurou baixinho. "O que foi que eu fiz?"

Eu esperei. A minha culpa era uma mancha negra amorfa na minha cabeça, crescendo cada vez mais, ameaçando me engolir. Eu tinha flertado com ele, provocado, levado aquele homem a largar a noiva, acabado com a vida dele. Resistir me custaria algum esforço.

Ele disse abruptamente, "Você tem alguma bebida aqui?".

"Não." Enfiada atrás da torradeira havia uma garrafa miniatura de xerez. Ele ia ficar enjoado, e eu queria que ele fosse embora.

"Me diga uma coisa. O que foi que aconteceu hoje de manhã no corredor?"

"Não sei. Nada."

"Você estava brincando comigo, não é, Serena? É disso que você gosta."

Isso nem merecia resposta. Eu só fiquei olhando para ele. Ele estava com um fio de saliva preso na pele do canto da boca. Ele percebeu a direção do meu olhar e se limpou com as costas da mão.

"Você vai acabar com a *Tentação* por causa disso."

"Não finja que a sua objeção é essa. Afinal, você odeia aquilo tudo."

Para minha surpresa ele disse, "E como odeio". Era o tipo de franqueza ríspida que a bebida gera e agora ele queria causar alguma dor. "As mulheres da sua seção, Belinda, Anne, Hilary, Wendy e as outras. Você já perguntou o tipo de diplomas que elas têm?"

"Não."

"Pena. Louvor, louvor e distinção, *summa cum laude*, o que você pensar. Clássicas, história, letras."

"Bom pra elas."

"Até a sua amiga Shirley tem um desses."

"Até?"

"Você já parou para pensar por que eles te deixaram entrar sem nenhum louvor no diploma. De *matemática*?"

Ele esperou mas eu não respondi.

"Canning tinha te recrutado. Então eles acharam que era melhor ter você do lado de dentro, ver se você tinha algum contato lá. Nunca se sabe. Eles seguiram você um tempo, deram uma olhada no seu quarto. O de sempre. Eles te deram a *Tentação* porque é uma coisa de nível baixo e inofensiva. E te colocaram com o Chas Mount porque ele é um traste. Mas você foi uma decepção, Serena. Ninguém estava por trás de você. Só uma mocinha normal, medianamente estúpida, feliz por ter arranjado um empreguinho. Canning devia estar te fazendo um favor. A minha teoria era que ele estava pagando alguma dívida."

Eu disse, "Acho que ele me amava".

"Bom, então é isso. Ele só queria te deixar feliz."

"Alguém já te amou, Max?"

"Sua vaca."

O xingamento deixou tudo mais fácil. Era hora de ele ir embora. A cozinha agora estava tolerável, mas o calor das bocas de gás era meio abafado. Levantei, apertei bem o roupão em volta do corpo e desliguei as bocas.

"Então por que trocar a sua noiva por mim?"

Mas nós ainda não tínhamos chegado exatamente ao fim, pois o humor dele estava dando outra guinada. Ele estava chorando. Ou pelo menos choroso. Os lábios dele estavam bem esticados, num sorriso hediondo.

"Meu Deus", ele gritou numa vozinha apertada e aguda. "Desculpa, desculpa. Isso é a última coisa que você é. Você nunca ouviu isso, eu nunca disse isso. Serena, eu sinto muito."

"Tudo bem", eu disse. "Está esquecido. Mas acho que era melhor você ir."

Ele levantou e revirou o bolso da calça até achar um lenço. Quando terminou de se assoar ele ainda estava chorando. "Eu estraguei tudo. Eu sou um merda."

Eu o levei de volta pelo corredor até a porta de entrada, e abri para ele.

Nós tivemos um diálogo final à porta. Ele disse, "Me prometa uma coisa, Serena".

Ele estava tentando segurar as minhas mãos. Eu estava com pena dele, mas dei um passo para trás. Não era hora de ficar de mãos dadas.

"Prometa que você vai pensar no assunto. Por favor. Só isso. Se eu pude mudar de opinião, você também pode."

"Eu estou muito cansada, Max."

Ele parecia estar recuperando o autocontrole. Respirou fundo. "Escuta. É possível que você esteja cometendo um erro muito grave com Tom Haley."

"Vá naquela direção que você pega um táxi na Camden Road."

Ele estava parado num dos primeiros degraus, olhando para cima para poder me ver, implorando e me acusando quando eu fechei a porta. Eu hesitei atrás dela e então, embora pudesse ouvir os seus passos se afastando, prendi o pega-ladrão antes de voltar para a cama.

17.

Num fim de semana de dezembro, em Brighton, o Tom pediu para eu ler *Das planícies de Somerset*. Levei o manuscrito para o banheiro e examinei cuidadosamente. Percebi várias alterações menores, mas quando tinha terminado, a minha opinião era a mesma. Eu estava morrendo de medo da conversa que ele estava esperando, porque sabia que não ia conseguir fingir. Naquela tarde nós fomos passear nos Downs. Falei da indiferença do romance para com o destino do pai e da menininha, da perversidade inquestionada dos personagens menores, da desolação das aglomerações urbanas destruídas, da miséria cruel da pobreza do campo, do ar de um desespero generalizado, da narrativa pérfida e desprovida de alegria, da depressão que aquilo provocava no leitor.

Os olhos de Tom brilharam. Eu não podia ter dito nada mais agradável. "Exatamente!", ele ficava dizendo. "É isso. É isso mesmo. Você entendeu tudo!"

Eu tinha visto umas gralhas e umas repetições pelas quais ele ficou desproporcionalmente grato. Em cerca de uma semana ele completou outra versão com pequenas revisões — e pronto. Ele me perguntou se eu iria com ele quando fosse entregar ao editor e eu disse que seria uma honra. Ele chegou a Londres na manhã da véspera de Natal, o começo da minha folga de três dias. Nós nos encontramos na estação do metrô da Tottenham Court Road e fomos juntos até a Bedford Square. Ele pediu para eu carregar o pacote, para dar sorte. Cento e trinta e seis páginas, ele me disse orgulhoso, de texto datilografado em espaço duplo num papel ofício antiquado. Enquanto nós íamos andando eu ficava pensando na menininha da cena final, morrendo em meio a um sofrimento horrível no chão molhado de um porão incendiado. Se fosse mesmo cumprir o meu dever eu devia ter colocado o envelope com aquilo tudo dentro no primeiro bueiro. Mas estava empolgada com a empolgação dele e segurava aquela crônica lúgubre contra o peito como seguraria o meu — o nosso — filho.

Eu tinha pensado em passar o Natal com o Tom, nós dois enfiados no apartamento de Brighton, mas havia recebido uma convocação doméstica e tinha que pegar o trem naquela tarde. Fazia meses que eu não voltava para casa. A minha mãe tinha sido firme no telefone e até o Bispo tinha se manifestado. Eu não era tão rebelde assim para recusar, embora tenha sentido vergonha quando me expliquei para Tom. Com vinte e poucos anos os últimos fiapos da infância ainda me atavam. Mas ele, um adulto livre de vinte e muitos, apoiou a opinião dos meus pais. Claro que eles precisavam me ver, claro que eu tinha que ir. Era o meu dever de mulher adulta passar o Natal com eles. Ele também ia estar com a família dele em Sevenoaks no dia 25, e estava determinado a tirar a irmã Laura do albergue de Bristol e reuni-la com os filhos em volta da mesa festiva, e a tentar evitar que ela bebesse.

Então carreguei o pacote dele na direção de Bloomsbury, ciente de que nós só tínhamos mais algumas horas juntos, e daí ficaríamos separados por mais de uma semana, pois eu ia voltar a trabalhar direto no dia 27. Enquanto caminhávamos ele me dava as suas últimas notícias. Tinha acabado de receber uma resposta de Ian Hamilton na *New Review*. Tom tinha reelaborado o clímax de "Adultério provável" conforme as minhas sugestões e apresentara aquele texto e a história do macaco falante. Hamilton tinha escrito para dizer que "Adultério provável" não era para ele, ele não tinha paciência para os caminhos e os descaminhos dessas "coisas lógicas" e duvidava que alguém, "a não ser um polemista sênior", fosse ter. Por outro lado, ele achava que o macaco loquaz "não era ruim". Tom não sabia bem se isso era um aceite. Ia se encontrar com Hamilton no Ano-Novo para descobrir.

Nós fomos levados ao luxuoso escritório ou biblioteca de Tom Maschler, no quinto andar de uma mansão georgiana que dava para a praça. Quando o editor entrou, quase correndo, fui eu quem entregou o romance. Ele jogou o livro na mesa atrás de si, me deu um beijo molhado em cada bochecha e apertou vigorosamente a mão de Tom, lhe deu os parabéns e o levou até uma cadeira e começou a interrogá-lo, mal esperando pela resposta de uma pergunta antes de começar a seguinte. Do que ele estava vivendo, quando nós íamos casar, ele tinha lido Russell Hoban, ele se dava conta de que o misterioso Pynchon tinha estado sentado naquela mesma cadeira um dia antes, ele conhecia Martin, o filho de Kingsley, ele ia gostar de ser apresentado a Madhur Jaffrey? Maschler me lembrava um instrutor italiano de tênis que uma vez foi até a nossa escola e numa única tarde de treinamento jovial e impaciente reconstruiu o meu *backhand*. O editor era uma figura magra e morena, sedento por informação, e simpaticamente agitado, como que perpetuamente suspenso no último segundo de uma piada, ou uma ideia nova revolucionária que pudesse lhe surgir através de um comentário qualquer.

Eu estava agradecendo ser ignorada e fui até o outro extremo da sala e fiquei olhando as árvores no inverno da Bedford Square. Ouvi Tom, o meu Tom, dizer que vivia das aulas que dava, que ainda não tinha lido *Cem anos de solidão* ou o livro de Jonathan Miller sobre McLuhan mas tinha vontade de ler, e que não, ele não tinha uma ideia definida para o próximo romance. Ele pulou a pergunta sobre casamento, concordou que Roth era um gênio e que *O complexo de Portnoy* era uma obra-prima, e que as traduções inglesas dos sonetos de Neruda eram excepcionais. Tom, como eu, não sabia espanhol e não estava em condições de dar uma opinião. Nenhum de nós tinha lido o romance de Roth àquela altura. As respostas dele eram contidas, até simplórias, e eu estava do lado dele — nós éramos os primos pobres inocentes, esmagados pelo escopo e pela velocidade das referências de Maschler, e pareceu perfeitamente justo que depois de dez minutos nós fôssemos dispensados. Éramos muito sem graça. Ele veio conosco até a escada. Quando disse tchau, falou que podia ter nos levado para almoçar no seu restaurante grego preferido na Charlotte Street, mas que não acreditava em almoços. Nós nos vimos de volta à calçada, um pouco tontos, e enquanto caminhamos passamos um bom tempo discutindo para saber se a reunião tinha "ido bem". Tom achava que em geral sim, e eu concordei, embora na verdade achasse que não.

Mas não fazia diferença. O romance, aquele romance hororoso, estava entregue, nós estávamos prestes a nos separar, era Natal e nós devíamos estar comemorando. Fomos meio sem rumo para o sul, para a Trafalgar Square, passando no caminho pela National Portrait Gallery e, como um casal junto há trinta anos, ficamos lembrando do nosso primeiro encontro lá — será que nós dois achávamos que ia ser um caso de uma noite só, será que podíamos ter imaginado o que estava por vir? Aí nós demos meia-volta e fomos para o Sheekey, e conseguimos entrar sem ter reserva. Eu estava com receio de beber. Tinha que ir para casa fazer as malas, chegar à Liverpool Street para pegar o trem das cinco, e me preparar para apagar o meu papel de agente secreta do Estado e me tornar a filha atenciosa, aquela que estava subindo agilmente na hierarquia do Departamento de Saúde e Seguridade Social.

Mas bem antes do Linguado de Dover chegou um balde com gelo, seguido por uma garrafa de champanhe, e lá se foi ela, e antes que a outra chegasse Tom segurou a minha mão em cima da mesa e me disse que tinha que me confessar uma coisa e apesar de não querer me incomodar com isso logo antes de nós ficarmos separados, ele não ia conseguir dormir se não me contasse. Era o seguinte. Ele não tinha ideia, nem sombra de ideia, para outro romance, e achava que nunca teria. *Das planícies de Somerset* — nós nos referíamos ao livro como "as planícies" — tinha sido um golpe de sorte, ele tinha topado com aquilo por acidente enquanto pensava estar escrevendo um conto sobre outra coisa. E um dia desses, ao passar pelo Brighton Pavilion, um verso qualquer de Spenser tinha aparecido na cabeça dele — *Feito em pórfiro e mármore que surge* —, Spenser em Roma, refletindo sobre o passado da cidade. Mas talvez não tivesse que ser Roma. Tom se viu começando a esboçar um artigo inteiro sobre a relação da poesia com a cidade, a cidade através dos séculos. Os textos acadêmicos deviam ser coisa do passado para ele, houve momentos em que a tese tinha deixado ele quase louco. Mas a saudade estava aparecendo — saudade da integridade tranquila do trabalho universitário, dos seus protocolos rígidos e, acima de tudo, da solidão dos versos de Spenser. Ele conhecia aquela poesia tão bem, o calor sob aquela formalidade — aquele era um mundo onde ele podia viver. A ideia para o artigo era original e ousada, era eletrizante, atravessava as fronteiras de várias disciplinas. Geologia, urbanismo, arqueologia. Havia um editor de uma revista acadêmica que adoraria receber algum material dele. Dois dias antes, o Tom tinha se apanhado pensando num emprego de professor que tinha ouvido dizer que apareceu na universidade de Bristol. O mestrado em relações internacionais tinha sido um desvio de rota. Talvez a ficção também. O futuro dele estava no ensino e na pesquisa acadêmica. Como ele tinha se sentido fraudulento ali na Bedford Square, como aquela conversa tinha deixado ele constrangido! Ele nunca mais ia escrever um romance, talvez nem sequer um conto, era uma possibilidade real. Como ele poderia admitir uma coisa dessas para o Maschler, o editor de ficção mais respeitado da cidade?

Ou para mim. Eu tirei a mão da dele. Era a minha primeira segunda-feira livre em meses, mas me via de volta ao trabalho em nome da *Tentação*. Disse a Tom que todo mundo sabia que os escritores ficavam se sentindo vazios no fim de um trabalho. Como se tivesse a mínima ideia do que estava falando, eu lhe disse que não havia nada de incompatível em escrever um ou outro ensaio acadêmico e continuar escrevendo romances. Tentei encontrar um exemplo de um escritor famoso que fizesse exatamente isso, mas não consegui pensar em nenhum. A segunda garrafa chegou e eu embarquei numa celebração da obra do Tom. Era o viés psicológico incomum que os contos dele adotavam, a estranha intimidade daqueles textos combinada com os seus ensaios inteligentes sobre o Levante da Alemanha Oriental e o Assalto ao Trem Postal, era essa *amplidão* de interesses que o fazia ser diferente, e era o motivo de a Fundação estar tão orgulhosa de estar ligada a ele, o motivo de o nome de T.H. Haley ser invocado nos círculos literários, e o motivo de duas das suas figuras mais importantes, Hamilton e Maschler, quererem os seus textos.

Tom ficou me olhando durante tudo isso com o seu sorrisinho — que às vezes me deixava enfurecida — de ceticismo tolerante.

"Você me disse que não ia conseguir ler *e* escrever. Você ia ficar feliz com o salário de professor assistente? Oitocentas libras por ano? Isso se você conseguir um emprego desses."

"Não ache que eu não pensei nisso."

"Um dia desses você ainda me disse que podia escrever um artigo para a *Index on Censorship*, sobre o Serviço de Segurança romeno. Como é que se chama?"

"DSS. Mas na verdade é sobre poesia."

"Achei que fosse sobre tortura."

"De passagem."

"Você disse que podia até virar um conto."

Ele se animou um pouco. "Pode. Eu vou falar de novo com o meu amigo Traian, que é poeta, na semana que vem. Eu não posso falar nada sem a carta branca dele."

Eu disse, "Não vejo por que você não pode escrever também o ensaio sobre o Spenser. Você tem essa liberdade toda e é isso que a Fundação quer para você. Você pode fazer o que quiser".

Depois disso ele pareceu se desinteressar e quis mudar de assunto. Então falamos das coisas de que todo mundo estava falando — a semana de três dias, que o governo pretendia que economizasse energia, e que ia começar na véspera do Ano-Novo, o petróleo ter dobrado de preço ontem, as várias explosões pela cidade, em *pubs* e lojas, "presentes de Natal" do IRA. Nós nos perguntamos por que as pessoas pareciam estranhamente felizes por economizar energia, fazer as coisas à luz de velas, como se a adversidade tivesse feito a existência ganhar sentido novamente. Pelo menos, era bem fácil pensar assim enquanto terminávamos a segunda garrafa.

Eram quase quatro horas quando nós nos despedimos na frente da estação de metrô da Leicester Square. Trocamos um beijo e um abraço, acariciados por uma brisa quente que soprava da escada do metrô. Aí ele partiu numa caminhada para clarear as ideias, rumo à Victoria Station, enquanto eu seguia para Camden para pôr as minhas roupas e os meus presentinhos ordinários numa mala, vagamente consciente de que não havia como pegar o meu trem e que eu ia chegar atrasada para o jantar de Natal, uma ocasião a que a minha mãe tinha consagrado vários dias de dedicação. Ela não ia ficar feliz.

Peguei o das seis e meia, cheguei logo antes das nove, e saí a pé da estação, atravessando o rio e aí seguindo sob a luz de uma meia-lua a trilha semirrural que acompanhava a água, passando por botes escuros amarrados às margens, inalando o ar gelado e puro soprado pela East Anglia desde a Sibéria. O gosto daquele ar me lembrava a adolescência, o seu tédio e os seus desejos, e todas as pequenas rebeliões domesticadas ou destruídas pela vontade de agradar a certos professores com redações impressionantes. Ah, a decepção extasiante de um nove e meio, cortante como um vento frio que vem do norte! A trilha fazia uma curva por fora dos campos de rúgbi da escola dos meninos, e o campanário, o campanário do meu pai, iluminado com uma luz creme, se erguia do outro lado da clareira. Eu me afastei do rio para atravessar os campos, passei pelos vestiários que antigamente tinham para mim o cheiro de tudo que era rançoso e fascinante a respeito dos meninos, e entrei no terreno da catedral por uma velha porta de carvalho que nunca ficava trancada. Fiquei satisfeita ao ver que ela estava destrancada agora, que as suas dobradiças ainda rangiam. Aquilo me pegou de surpresa, aquele passeio por um passado antigo. Quatro ou cinco anos — praticamente nada. Mas ninguém com mais de trinta anos poderia entender esse período peculiarmente pesado e condensado, do fim da adolescência até os vinte e poucos anos, um trecho da vida que precisava de um nome, de ex-estudante a profissional assalariado, com a universidade, os casos sentimentais, escolhas e a morte pelo caminho. Eu tinha esquecido o quanto era recente a minha infância, o quanto ela um dia tinha parecido longa e inescapável. O quanto eu estava adulta e era a mesma.

Não sei por que o meu coração estava batendo mais forte quando me aproximei da casa. Ao chegar mais perto eu diminuí o passo. Tinha esquecido o quanto ela era imensa e fiquei espantada com o fato de um dia ter conseguido dar de barato esse palácio rainha Anne de tijolos cor-de-rosa. Avancei por entre as formas despidas das roseiras podadas e das sebes que se erguiam de canteiros cercados de pesadas lajes de arenito de York. Toquei, ou puxei, a campainha e para meu espanto a porta se abriu quase imediatamente e lá estava o Bispo, com um paletó cinza por cima da camisa clerical roxa com o colarinho branco. Ele ia conduzir um culto à meia-noite ainda. Devia estar passando quando toquei, porque atender à porta não era uma coisa que fosse lhe ocorrer. Ele era um homem grande, com um rosto vago e bondoso, e um topete juvenil ainda que totalmente grisalho que ele vivia tirando da testa. As pessoas diziam que ele parecia um gato malhado bonzinho. À medida que singrava solenemente rumo aos cinquenta anos, a barriga dele tinha inchado, o que parecia combinar com o seu ar contemplativo. A minha irmã e eu vivíamos rindo dele, pelas costas, e às vezes éramos até duras, não porque não gostássemos dele — muito pelo contrário —, mas porque nunca conseguíamos a sua atenção, ou nunca por muito tempo. Para ele as nossas vidas eram coisas tolas e distantes. Ele não sabia que às vezes eu e a Lucy brigávamos por ele na nossa adolescência. Queríamos ficar com ele para nós, ainda que só por dez minutos no escritório dele, e cada uma suspeitava que a outra era a preferida. A história dela com as drogas, a gravidez e a lei tinha lhe concedido muitos minutos privilegiados. Quando me falaram deles por telefone, apesar de toda a minha preocupação com ela, senti uma pontada do velho ciúme. Quando é que seria a minha vez?

Era agora.

"Serena!" Ele disse o meu nome com um tom gentil, descendente, que tinha só uma pitada de falsa surpresa, e me abraçou. Larguei a mala no chão e me deixei ser envolvida, e enquanto apertava o rosto contra a camisa dele e sentia o conhecido cheiro de sabonete Imperial Leather e de igreja — cera de lavanda —, eu comecei a chorar. Não sei por quê, simplesmente veio do nada e eu virei água. Não sou de chorar fácil e fiquei tão surpresa quanto ele. Mas não podia fazer nada. Era o tipo de choro copioso e desesperado que você pode ouvir de uma criancinha cansada. Acho que foi a voz dele, o jeito de ele dizer o meu nome, que me derrubou.

Imediatamente senti o corpo dele ficar tenso, ainda que continuasse abraçado a mim. Ele murmurou, "Chamo a sua mãe?".

Eu achava que sabia o que ele estava pensando — que agora era a vez da filha mais velha de ficar grávida ou perdida em algum outro desastre moderno, e que fosse qual fosse a confusão feminil que agora estava empapando a sua camisa roxa recém-passada, uma mulher saberia cuidar melhor dela. Ele precisava passar o problema adiante e continuar no caminho do escritório para dar uma olhada no sermão de Natal antes da ceia.

Mas eu não queria que ele me largasse. Me agarrei a ele. Se pelo menos eu conseguisse imaginar um crime, teria implorado que ele invocasse os poderes mágicos da catedral para me perdoar.

Eu disse, "Não, não. Está tudo bem, papai. É só que eu estou tão feliz de voltar, de estar... aqui".

Senti que relaxava. Mas aquilo não era verdade. Não era nem sombra de felicidade. Eu não saberia dizer o que era exatamente. Tinha alguma coisa a ver com a caminhada da estação até ali, e com aquela distância da vida de Londres. Alívio, talvez, mas com um elemento mais duro, algo como remorso, ou até desespero. Depois eu me convenci de que ter bebido no almoço tinha me amolecido.

Esse momento à porta não pode ter durado mais de trinta segundos. Eu me controlei, peguei a mala e entrei, pedi desculpas ao Bispo, que ainda estava me olhando apreensivo. Aí ele me deu um tapinha no ombro e seguiu em frente, corredor acima, até o escritório, e entrei no vestíbulo onde pendurávamos os casacos — que tinha, fácil, o tamanho do meu quartinho em Camden — para molhar com água fria os olhos inchados e vermelhos. Não queria um interrogatório da minha mãe. Quando fui vê-la, eu estava muito consciente de tudo que antes me sufocava e agora parecia reconfortante — o cheiro de carne assada, o calor do carpete, o brilho do carvalho, do mogno, da prata e do vidro, e os arranjos econômicos e elegantes da minha mãe, em vasos de ramos nus de aveleira e de corniso, minimamente cobertos com um *spray* de tinta prateada para sugerir uma leve geada. Quando a Lucy estava com quinze anos e tentava, como eu, ser uma adulta sofisticada, ela uma vez entrou em casa na noite de Natal e gesticulou na direção dos ramos e exclamou "Ai, que coisa mais protestante!".

Ganhou o olhar mais azedo que eu já tinha visto o Bispo dar. Ele raramente se dava o trabalho de ralhar, mas dessa vez ele disse inalterado, "Pode ir reformulando isso aí, senhorita, ou vá já para o seu quarto".

Ouvir Lucy replicar contrita algo como "Mamãe, os enfeites estão muito lindos" me deu uma crise de riso e decidi que era melhor ser eu a sair da sala. "Coisa mais protestante" virou um bordão revolucionário para nós duas, mas sempre sussurrado bem longe dos ouvidos do Bispo.

Nós éramos cinco na ceia. Lucy tinha vindo do outro lado da cidade com o seu namorado irlandês cabeludo, Luke Dois-Metros, que trabalhava para a prefeitura como jardineiro de praça e era um membro ativo do recém-formado movimento contra a presença militar britânica na Irlanda. Assim que soube disso eu tomei uma rápida decisão de não me deixar levar a discussões. Foi bem fácil porque ele era simpático e engraçado, apesar de um sotaque americano fingido, e mais tarde, depois da ceia, nós encontramos um terreno comum numa discussão, quase uma celebração enfurecida, das barbaridades cometidas pela maioria protestante na Irlanda do Norte, que eu conhecia quase tão bem quanto ele. Num dado momento da refeição o Bispo, que não tinha interesse em política, se inclinou na nossa direção e indagou delicadamente se Luke estava contando com um massacre da minoria católica caso as coisas saíssem como ele queria e o exército se retirasse. Luke replicou que achava que o exército inglês nunca tinha feito muito pelos católicos do norte, que iam ser capazes de cuidar de si próprios.

"Ah", respondeu o meu pai, fingindo estar tranquilizado. "Um banho de sangue generalizado então."

Luke ficou desorientado. Não sabia se estavam rindo dele. Na verdade não estavam. O Bispo só estava sendo educado e agora mudava de assunto. O motivo de ele não se deixar cair em discussões políticas e nem mesmo teológicas era o fato de ser indiferente às opiniões dos outros e não ter vontade de enfrentá-las ou se opor a elas.

No fim, o cronograma da minha mãe acomodava muito bem uma ceia às dez da noite e ela ficou satisfeita por me ver em casa. Ela ainda se orgulhava do meu emprego e da existência independente que sempre tinha desejado para mim. Eu tinha me informado mais uma vez sobre o meu suposto departamento para poder responder às perguntas dela. Havia já algum tempo eu tinha descoberto que quase todas as meninas de onde eu trabalhava tinham dito aos pais exatamente o que faziam, desde que eles não pedissem muitos detalhes. No meu caso a minha fachada tinha sido bem fundamentada e elaborada demais e eu tinha contado muitas mentiras brancas desnecessárias. Era tarde demais para voltar atrás. Se a minha mãe soubesse a verdade, ia contar para Lucy, que podia nunca mais falar comigo. E eu não ia querer que Luke soubesse o que eu fazia. Então me entediei por alguns minutos enquanto descrevia as opiniões do departamento sobre a reforma do sistema de seguridade social, esperando que a minha mãe achasse aquilo tudo tão chato quanto o Bispo e Lucy achavam e parasse de ficar me fazendo novas perguntas brilhantes.

Era uma das bênçãos da nossa vida familiar, e talvez do anglicanismo em geral, que nunca se esperava que nós fôssemos à igreja ouvir ou ver o nosso pai oficiar. Não era do interesse dele saber se nós estávamos ou não estávamos lá. Eu não ia desde os dezessete anos. Acho que a Lucy não ia desde que tinha doze. Como essa era a sua época puxada do ano, ele levantou abruptamente logo antes da sobremesa, desejou um feliz Natal para todos e pediu licença. De onde eu estava sentada, parecia que as minhas lágrimas não tinham manchado a camisa eclesiástica. Cinco minutos depois nós ouvimos o conhecido farfalhar da batina quando ele passou pela sala de jantar a caminho da porta da frente. Eu tinha crescido com a normalidade dos seus afazeres cotidianos, mas agora, voltando para casa depois de uma ausência, longe das minhas preocupações londrinas, parecia exótico ter um pai que lidava o tempo todo com o sobrenatural, que ia trabalhar num lindo templo de pedra à meia-noite, com as chaves de casa no bolso, para agradecer ou louvar ou implorar a um deus no nosso nome.

A minha mãe subiu para um pequeno quarto de hóspedes conhecido como sala de embrulhos para dar uma última olhada nos seus presentes enquanto Lucy, Luke e eu tirávamos a mesa e lavávamos a louça. Lucy sintonizou o rádio da cozinha no programa de John Peel e nós fomos trabalhando ao som do tipo de rock progressivo que eu não ouvia desde Cambridge. Aquilo não me tocava mais. Se antes aquilo tinha sido o sinal secreto de uma maçonaria de jovens liberados, que prometia um novo mundo, agora tudo se encolhia em meras canções, quase sempre de amor, às vezes sobre estradas. Eram músicos que lutavam para ganhar a vida, como todos, loucos para ganhar mais espaço num cenário estreito. O falatório bem informado de Peel entre as faixas sugeria exatamente isso. Nem mesmo uma ou outra música de *pub rock* conseguiu me sacudir. Devia ser, eu pensei enquanto esfregava as travessas da minha mãe, porque estava ficando velha. Ia fazer vinte e três. Aí a minha irmã perguntou se eu queria ir dar uma volta no terreno da catedral com ela e o Luke. Eles queriam fumar e o Bispo não tolerava cigarro dentro de casa, ao menos não entre os familiares — uma posição excêntrica naqueles dias, e opressiva, nós achávamos.

A lua agora estava mais alta e o toque de geada na grama era leve, ainda mais elegante que os esforços da nossa mãe com a tinta *spray*. A catedral, iluminada por fora, parecia isolada e deslocada, como um transatlântico encalhado. De longe nós ouvimos um órgão solene tocar a introdução de "Eis dos anjos a harmonia" e aí a congregação atacando bem-disposta, a plenos pulmões. Parecia um bom público, e fiquei feliz pelo meu pai. Mas um bando de adultos cantando num uníssono fajuto e não irônico sobre *anjos*... Senti súbito um oco no peito, como se tivesse olhado por sobre a beira de um abismo e visto o vazio. Eu não acreditava em grandes coisas — nem hinos, nem mesmo o rock. Nós caminhamos os três lado a lado pela rua estreita que passava pelas outras belas casas do adro. Algumas eram casas de advogados, uma ou duas eram de dentistas estéticos. Era um lugar mundano, o adro da catedral, e a Igreja impunha aluguéis elevados.

Afinal não era só tabaco que os meus camaradas estavam desejando. Luke puxou de um bolso do casaco um baseado do tamanho e da forma de uma bombinha de pólvora, que acendeu enquanto andávamos. Ele seguia um ritual considerável e solene, inserindo aquele negócio entre os dedos e fazendo uma proteção com as mãos para tragar por entre os polegares com inalações barulhentas, sibilantes, e segurando fôlego e fumaça de um jeito ostensivo enquanto continuava a falar, fazendo-se soar como um boneco de ventríloquo — uma sessão e uma bobajada que eu já tinha esquecido. Como aquilo parecia provinciano! Os anos 1960 tinham acabado! Mas quando o Luke me ofereceu a bombinha — de uma maneira algo ameaçadora, eu achei —, eu dei uns dois tapas educados para não ficar como a irmã certinha da Lucy. Que era exatamente o que eu era.

Eu estava desconfortável por dois motivos. Ainda estava sob o efeito do meu momento na entrada de casa. Será que era excesso de trabalho mais ressaca? Sabia que o meu pai nunca mais ia se referir àquilo, nunca ia me perguntar qual era o problema. Eu devia ter ficado ressentida, mas me vi aliviada. Não ia saber o que lhe dizer mesmo. E em segundo lugar eu vestia um casaco que não usava fazia um tempinho, e quando saímos para o nosso passeio pelo adro eu senti no bolso um pedacinho de papel. Passei um dedo pela borda e soube exatamente o que era. Eu tinha esquecido daquilo, o canto de folha que eu tinha surrupiado da casa segura. Aquilo me lembrava de tanta coisa que estava irresolvida e confusa, uma grande lixeira mental — a catástrofe de Tony, o sumiço de Shirley, a possibilidade de que eu só tivesse sido aceita porque Tony tinha sido desmascarado, os Vigilantes revirando o meu quarto e, maior de todas as confusões, a briga com Max. Nós estávamos nos evitando desde a visita dele à minha casa. Não tinha ido lhe fazer o meu relatório da *Tentação*. Quando pensava nele eu sempre sentia culpa, imediatamente substituída por uma reflexão indignada. Ele me largou por causa daquela noiva, e aí, tarde demais, a noiva por causa minha. Estava cuidando era de si próprio. Onde é que ficava a minha parcela de responsabilidade? Mas quando voltava a pensar nele me vinha a mesma culpa, e eu tinha que racionalizar tudo de novo.

Tudo isso, preso a um papelzinho como a cauda de uma pipa disforme. Nós demos a volta na extremidade oeste da catedral e paramos na sombra profunda do alto portal de pedra que conduzia à cidade enquanto a minha irmã e o namorado dela passavam o baseado um para o outro. Fiquei me esforçando para ouvir a voz do meu pai sobre o zumbido transatlântico do Luke, mas da catedral vinha silêncio. Estavam rezando, com certeza. No outro prato da balança dos meus fados, fora o fato menor que era a minha promoção, havia Tom. Eu queria falar dele para Lucy, ia ter adorado um momentinho entre irmãs. Nós vez por outra conseguíamos um momento desses, mas agora posta entre nós estava a forma gigantesca de Luke e ele estava fazendo aquela coisa imperdoável que os homens que gostam de maconha tendiam a fazer, que era ficar falando do assunto — uma erva famosa, de uma vila especial da Tailândia, aquela vez em que ele quase foi preso, a visão de um certo lago sagrado ao pôr do sol quando ele estava chapado, um hilário mal-entendido numa estação de trem e outras anedotas estultificantes. Qual era o problema da nossa geração? Os nossos pais tinham a guerra como o seu assunto chato. O nosso era esse.

Depois de um tempo nós, as meninas, ficamos completamente caladas enquanto Luke, em termos arrebatados, se afundava cada vez mais na ideia equivocada de que ele era interessante, de que nós estávamos encantadas. E quase imediatamente eu tive uma sacação oposta. Vi com clareza. Óbvio. Lucy e Luke estavam esperando que eu fosse embora para poderem ficar sozinhos. Era o que eu teria desejado, se fôssemos eu e Tom. Luke estava deliberada e sistematicamente me entediando para me afastar deles. Foi insensibilidade minha não ter percebido. Coitadinho, ele estava tendo de fazer um esforço enorme, e a representação não era boa, extremamente exagerada. Ninguém podia ser tão chato assim na vida real. Mas lá do seu jeito tortuoso ele só estava tentando ser bondoso.

Então eu me espreguicei e bocejei ruidosamente na sombra e o interrompi para dizer irrelevantemente, "Você está coberto de razão, é melhor eu zarpar", e me afastei, e em questão de segundos estava me sentindo melhor, ignorando facilmente os chamados de Lucy atrás de mim. Livre das anedotas de Luke, segui a passo rápido, voltando por onde tínhamos vindo, e aí cortei caminho pela grama, sentindo a geada quebrando gostoso quando eu pisava, até me ver perto do claustro, bem isolada da luz da meia-lua, e achar no escuro quase total uma projeção de pedra na fachada onde sentei e ergui a gola do casaco.

Dava para ouvir uma voz que vinha lá de dentro, num cântico indefinido, mas eu não sabia dizer se era o Bispo. Ele tinha uma equipe grande nessas ocasiões. Em momentos difíceis é sempre uma boa ideia se perguntar o que você mais queria estar fazendo e pensar como conseguir esse objetivo. Se não for possível, passe para a segunda coisa. Eu queria estar com Tom, na cama com ele, à mesa com ele, segurando a mão dele na rua. Fora isso, queria pensar nele. Então foi isso que eu fiz durante meia hora numa véspera de Natal, eu adorei Tom, pensei nos nossos momentos juntos, naquele corpo forte apesar de infantil, no nosso afeto que crescia, no trabalho dele, e em como eu podia ajudar. Afastei qualquer pensamento acerca do segredo que estava guardando dele. Em vez disso, pensei na liberdade que eu tinha trazido à vida dele, em como eu tinha ajudado com "Adultério provável" e ia ajudar com muito mais coisas. Tudo tão rico. Decidi escrever essas ideias numa carta para ele, uma carta lírica, apaixonada. Ia contar para ele como eu tinha me desmontado na porta da minha casa e chorado no peito do meu pai.

Não era uma boa ideia ficar sentada imóvel na pedra com uma temperatura abaixo de zero. Eu estava começando a tremer. Aí ouvi a minha irmã me chamando novamente de algum ponto do adro. Ela parecia preocupada, e foi aí que eu comecei a cair em mim e perceber que o meu comportamento devia ter parecido hostil. Tinha sido a influência daquela tragada na bombinha. Como parecia improvável, agora, que Luke tivesse sido propositadamente chato para garantir alguns momentos a sós com Lucy. Era difícil entender as nossas próprias opiniões equivocadas quando a entidade, a mente, que estava tentando entender estava desorientada. Agora eu estava pensando com clareza. Fui até a grama que a lua iluminava e vi a minha irmã com o seu namorado na trilha a cerca de cem metros dali, e fui correndo até eles, louca para pedir desculpas.

18.

Em Leconfield House os termostatos ficavam regulados para quinze graus, um a menos que em outros departamentos do governo, para dar bom exemplo. Nós trabalhávamos de casaco e com luvas sem dedos, e algumas das meninas mais endinheiradas usavam uns gorrinhos de tricô com pompons, das férias em estações de esqui. Nós recebíamos uns quadrados de feltro para pôr embaixo dos pés como proteção contra o frio que vinha do piso. O melhor jeito de esquentar as mãos era não parar de datilografar. Agora que os maquinistas tinham parado com as horas extras em apoio aos mineiros, avaliava-se que as usinas de força iam ficar sem carvão no fim de janeiro, à medida que a nação ia ficando sem dinheiro. Em Uganda, Idi Amin estava organizando uma coleta no país e oferecendo uma carga de vegetais aos seus antigos senhores coloniais agora em dificuldades, desde que a RAF se desse o trabalho de ir buscar.

Quando voltei da casa dos meus pais para Camden, havia uma carta de Tom à minha espera. Ele ia pegar o carro do pai para levar Laura de volta a Bristol. Não ia ser fácil. Ela estava dizendo para a família que queria levar as crianças. O peru de Natal foi cercado de cenas desagradáveis e gritaria. Mas o albergue só aceitava adultos, e Laura, como sempre, não estava num estado que lhe permitisse cuidar dos filhos. O plano dele era vir a Londres para nós podermos passar o Ano-Novo juntos. Mas no dia 30 ele mandou um telegrama de Bristol. Ele ainda não tinha como abandonar a Laura. Ia ter que ficar e tentar acalmá-la. Então eu dei as boas-vindas a 1974 só com as minhas três colegas numa festa em Mornington Crescent. Eu era a única no apartamentinho lotado e miserável que não era advogada. Estava diante de uma mesinha ordinária montada em cavaletes, servindo um vinho branco morno num copo de papel usado quando alguém efetivamente me beliscou a bunda, com força. Dei meia-volta e fiquei furiosa, possivelmente com a pessoa errada. Saí cedo e estava em casa, na cama, à uma hora, deitada de costas no frio gelado, com pena de mim. Antes de cair no sono eu me lembrei de Tom me dizendo o quanto eram incríveis as pessoas que cuidavam da Laura no albergue. Se era verdade, que coisa mais estranha ele ter que ficar em Bristol por mais dois dias. Mas isso não parecia importante e dormi pesado, quase sem me incomodar quando as minhas amigas jurídicas chegaram bêbadas às quatro.

O ano virou e começou a semana de três dias, mas nós éramos oficialmente definidos como um serviço vital e trabalhávamos os cinco dias. No dia 2 de janeiro, eu fui convocada para uma reunião no escritório de Harry Tapp no segundo andar. Não houve avisos prévios, nenhuma indicação do assunto. Eram dez horas quando cheguei, e Benjamin Trescott estava na porta, conferindo e marcando uma lista de nomes. Fiquei surpresa ao ver mais de vinte pessoas na sala, entre elas duas colegas que começaram comigo no Serviço, e todos nós inferiores demais para nos dar o direito de ocupar uma das cadeiras de plástico moldado que estavam dispostas numa ferradura apertada em torno da mesa de Tapp. Peter Nutting entrou, deu uma olhada na sala e saiu de novo. Harry Tapp levantou da mesa e foi atrás dele. Presumi então que se tratava de uma questão referente à *Tentação*. Todo mundo estava fumando, murmurando, esperando. Eu me enfiei num espaço de menos de meio metro entre um arquivo e o cofre. Não me incomodou, como antes teria incomodado, não ter com quem falar. Sorri para Hilary e Belinda, que estavam do outro lado da sala. Elas deram de ombros e rolaram os olhos para demonstrar que achavam aquilo tudo um saco. Elas obviamente tinham os seus próprios escritores da *Tentação*, acadêmicos ou uns frilas que não conseguiram resistir aos tostões da Fundação. Mas certamente não se tratava de alguém com o valor de T.H. Haley.

Passaram dez minutos e as cadeiras de plástico ficaram ocupadas. Max entrou e sentou numa, na fileira do meio. Eu estava atrás dele, então ele não me viu de início. Aí ele se virou e deu uma examinada na sala, procurando por mim, eu tinha certeza. Os nossos olhares se encontraram apenas por um instante e ele se virou de novo para a frente e pegou uma caneta. A minha linha de visão não era boa, mas achei que a mão dele estava tremendo. Havia ali algumas figuras que eu reconhecia do quinto andar. Mas nenhum diretor-geral — a *Tentação* não estava nem perto de ser assim tão importante. Aí Tapp e Nutting voltaram acompanhados de um homenzinho baixo e musculoso com óculos de aro de chifre, um cabelo grisalho bem curto e um terno azul bem cortado com uma gravata de seda de bolinhas de um azul mais escuro. Tapp foi para a sua mesa enquanto os outros dois ficavam pacientemente parados na nossa frente, esperando que a sala se aquietasse.

Nutting disse, "Pierre está lotado em Londres e teve a bondade de concordar em vir dizer umas palavras sobre o que o trabalho dele pode ensinar ao nosso".

Por essa breve apresentação e pelo sotaque de Pierre nós presumimos que ele era da CIA. Ele certamente não era francês. A voz dele era um tenor oscilante, agradavelmente incerto. Ele dava a impressão de que se cada uma das suas frases fosse contestada, mudaria de opinião conforme o vento soprasse. Por trás daqueles modos de coruja insegura, eu comecei a perceber, havia uma firmeza sem limites. Foi o meu primeiro encontro com um americano da classe aristocrática, um homem de uma família sólida de Vermont, como depois fiquei sabendo, e autor de um livro sobre a hegemonia de Esparta e de outro sobre Agesilau II e a decapitação de Tisafernes na Pérsia.

Eu gostei de Pierre. Ele começou dizendo que ia nos falar um pouco da "parte mais suave, mais delicada da Guerra Fria, a única parte que realmente interessava, a guerra de ideias". Ele queria nos descrever três situações. Para a primeira, pediu que pensássemos na Manhattan do pré-guerra, e citou os versos de abertura de um famoso poema de Auden que uma vez Tony tinha lido para mim, e que eu sabia que Tom adorava. Não era famoso para mim e até ali não significava muito, mas ouvir os versos de um inglês citados para nós por um americano era tocante. *Estou numa espelunca/ Na Fifty-second Street/ Incerto e amedrontado...* e esse era Pierre em 1940, aos dezenove anos de idade, visitando um tio no centro da cidade, de saco cheio com a perspectiva de ir para a universidade, bebendo num bar. Mas ele não tinha tanta incerteza quanto Auden. Ele ansiava por ver seu país entrar na guerra europeia e lhe dar um papel nela. Queria ser um soldado.

Aí Pierre evocou para nós o ano de 1950, quando a Europa continental, o Japão e a China estavam destruídos ou enfraquecidos, a Inglaterra tinha ficado empobrecida em consequência de uma longa guerra heroica, a Rússia soviética estava contando os seus muitos milhões de mortos — e os Estados Unidos, com a economia engordada e avivada pela batalha, estavam despertando para a natureza espantosa e terrível de suas novas responsabilidades como guardiães da liberdade humana no planeta. Ao mesmo tempo em que dizia isso ele abria as mãos e parecia estar arrependido ou pedindo desculpas por ter dito. Poderia ter sido diferente.

O terceiro retrato também era de 1950. Aqui está Pierre, as campanhas marroquina e tunisiana, a Normandia, a Batalha da Floresta de Hürtgen e a liberação de Dachau já são parte do passado, e ele é professor associado de grego na Universidade Brown, caminhando para a entrada do hotel Waldorf Astoria na Park Avenue, passando por um grupo de manifestantes variados, patriotas americanos, freiras católicas e direitistas alucinados.

"Lá dentro", Pierre disse dramaticamente, estendendo uma mão aberta, "eu presenciei uma disputa que iria mudar a minha vida."

Era um encontro com o título nada incomum de Conferência Cultural e Científica pela Paz Mundial, oficialmente organizado por um grupo americano mas resultado na verdade de uma iniciativa do Cominform soviético. Os mil enviados de todo o mundo eram aqueles cuja fé no ideal comunista não tinha sido abalada, ou não completamente abalada, pelos julgamentos encenados, pelo Pacto Nazissoviético, a repressão, os expurgos, a tortura, os assassinatos e os campos de trabalhos forçados. O grande compositor russo Dmítri Chostakóvitch estava lá contra a vontade, por ordens de Stálin. Entre os enviados do lado americano estavam Arthur Miller, Leonard Bernstein e Clifford Odets. Esses e outros luminares criticavam o governo americano ou desconfiavam desse governo, que estava pedindo que os seus cidadãos tratassem como um inimigo perigoso um aliado anteriormente inestimável. Muitos acreditavam que a análise marxista ainda se sustentava, por mais complicados e desorganizados que estivessem se revelando os fatos. E esses eventos eram muito distorcidos pela imprensa americana, dominada por interesses empresariais. Se a política soviética parecia amarga ou agressiva, se ela pressionava um pouquinho os seus críticos internos, era num espírito de defesa, pois desde que nascera tinha enfrentado a hostilidade e a sabotagem do Ocidente.

Em resumo, Pierre nos disse, o evento todo era um lance de propaganda para o Kremlin. Eles tinham preparado na capital do capitalismo um palco mundial para si próprios, em que apareceriam como a voz da paz e da razão, se não da liberdade, e tinham dúzias de americanos famosos ao seu lado.

"Mas!" Pierre ergueu um braço e apontou para cima com um indicador rígido, segurando todos nós durante vários segundos nessa pausa teatral. Então ele nos disse que lá no alto, no décimo andar do hotel, num conjunto de quartos luxuosos, estava um exército voluntário de subversão, um grupo de intelectuais reunidos ali por um filósofo acadêmico chamado Sidney Hook, um grupo basicamente formado por esquerdistas não comunistas, a esquerda democrática ex-comunista ou ex-trotskista, determinada a desafiar a Conferência e, crucialmente, a não permitir que as críticas à União Soviética fossem monopolizadas por uma direita lunática. Debruçados sobre máquinas de escrever, mimeógrafos e recém-instaladas linhas de telefone com vários ramais, eles tinham virado a noite trabalhando, sustentados por generosas quantidades de aperitivos e petiscos do serviço de quarto. Eles pretendiam atrapalhar as reuniões lá de baixo fazendo perguntas constrangedoras, particularmente sobre a liberdade artística, e soltando uma série de informes para a imprensa. Eles também contavam com apoiadores de peso, até mais impressionantes que os do outro lado. Mary McCarthy, Robert Lowell, Elizabeth Hardwick, e o apoio internacional, à distância, de T.S. Eliot, Ígor Stravínski e Bertrand Russell, entre muitos outros.

A campanha contra a Conferência foi um sucesso porque ocupou a atenção da mídia e virou manchete. Todas as questões certas foram insinuadas durante sessões da Conferência. Perguntaram a Chostakóvitch se ele concordava com o artigo do *Pravda* que denunciava Stravínski, Hindemith e Schoenberg como "formalistas burgueses decadentes". O grande compositor russo lentamente se pôs de pé e murmurou a sua aquiescência com o artigo e demonstrou estar desgraçadamente preso entre a sua consciência e o medo de desagradar os oficiais da KGB, e do que Stálin faria com ele quando voltasse para casa.

Entre as sessões, na suíte do décimo andar, Pierre, com uma máquina de escrever e um telefone num canto perto do banheiro, conheceu os contatos que transformariam a sua vida, levando-o a abandonar o emprego de professor e a devotar a vida toda à CIA e à guerra de ideias. Pois é claro que a Agência estava pagando as contas da oposição à Conferência e enquanto isso estava aprendendo com que eficiência essa guerra podia ser travada de longe por escritores, artistas, intelectuais, muitos deles esquerdistas, que tinham as suas próprias ideias poderosas, derivadas da dura experiência, quanto à sedução e às falsas promessas do comunismo. O que eles precisavam ter, ainda que não soubessem, era o que a CIA podia dar — organização, estrutura e, acima de tudo, financiamento. Isso foi importante quando as operações se deslocaram para Londres, Paris e Berlim. "O que nos ajudou lá nos anos 1950 foi que ninguém na Europa tinha um tostão."

E assim, na descrição de Pierre, ele se tornou um tipo bem diferente de soldado, novamente levado a se engajar em várias novas campanhas numa Europa liberada mas ameaçada. Ele foi por um tempo assistente de Michael Josselson, e depois amigo de Melvin Lasky, até que uma rusga os separou. Pierre esteve envolvido no Congresso pela Liberdade Cultural, escreveu artigos em alemão para o respeitado periódico *Die Monat*, que era financiado pela CIA, e trabalhou nos bastidores da preparação da revista *Encounter*. Aprendeu a dominar a delicada arte de afagar o ego de prima-donas intelectuais, ajudou a organizar turnês de uma companhia americana de balé e de algumas orquestras, exposições de arte moderna e mais de uma dúzia de conferências que ocuparam o que ele chamava de "o terreno instável onde a política e a literatura se encontram". Ele disse que ficou surpreso com o falatório e a ingenuidade que se seguiram ao desmascaramento em 1967, pela revista *Ramparts*, do fato de que a *Encounter* era financiada pela CIA. Por acaso não era racional e decente que os governos adotassem a causa antitotalitária? Aqui na Inglaterra ninguém se incomodava se o Escritório do Exterior pagava pela BBC Internacional, que era muito considerada. Assim como a *Encounter* continuava a ser, apesar dessa baboseira e dessa falsa surpresa enojada. E mencionar o EE o fez lembrar de elogiar o trabalho do DPI. Ele admirava particularmente o que o departamento tinha feito para promover a obra de Orwell e gostava de como eles financiavam de longe editoras como a Ampersand e a Bellman Books.

Depois de quase vinte e três anos naquele emprego, a que conclusões ele chegava? Ele diria duas coisas. A primeira era a mais importante. A Guerra Fria não tinha acabado, por mais que as pessoas pudessem dizer o contrário, e portanto a causa da liberdade cultural continuava sendo de vital importância e seria sempre nobre. Embora não restassem muitos defensores da União Soviética, ainda havia as vastas paisagens desérticas congeladas do mundo intelectual, onde as pessoas adotavam preguiçosamente posições neutralistas — a União Soviética não era pior que os Estados Unidos. Essas pessoas tinham que ser confrontadas. Quanto à segunda coisa, ele citou um comentário do seu antigo amigo da CIA, Tom Braden, que virou apresentador de televisão, no sentido de que os Estados Unidos eram o único país do planeta que não entendia que algumas coisas funcionam melhor quando são pequenas.

Isso gerou um murmúrio de apreciação na sala lotada de gente do nosso Serviço de orçamento estrangulado.

"Os nossos projetos cresceram demais, ficaram muito numerosos, variados e ambiciosos e caros demais. Nós perdemos a discrição e a nossa mensagem perdeu o seu frescor no caminho. Nós estamos por toda parte e nos tornamos uma mão pesada, e nós criamos ressentimentos. Eu sei que vocês estão com algo novo aqui. Eu lhes desejo toda a sorte, mas, sério, cavalheiros, não deixem crescer demais."

Pierre, se era esse o nome dele, não ia responder perguntas e assim que terminou ele agradeceu com um aceno rápido os aplausos e se deixou guiar até a porta por Peter Nutting.

À medida que a sala ia esvaziando, com os funcionários menos importantes automaticamente sendo deixados para trás, eu ia ficando apavorada com o momento em que Max iria se virar e me ver e vir me dizer que nós precisávamos conversar. Por motivos profissionais, claro. Mas quando vi as costas dele e aquelas orelhas em meio ao grupo que se espremia pela porta, senti uma mistura de desorientação com uma culpa bem conhecida. Tinha machucado Max de um tal jeito, que ele nem conseguia falar comigo. A ideia me deixou horrorizada. Como sempre, tentei recorrer a uma indignação protetora. Tinha sido ele uma vez que me disse que as mulheres não conseguiam manter a vida pessoal longe do trabalho. Será que era culpa minha que ele agora me preferia à sua noiva? Fui defendendo o meu caso durante toda a descida das escadas de concreto — fui por ali para evitar ter que conversar com colegas no elevador — e o meu caso ficou se intrometendo o dia todo no meu trabalho. Fui eu que fiz uma cena, fui eu que fiquei implorando chorosa quando Max se afastou de mim? Não. Então por que eu não poderia ficar com Tom? Será que não merecia a minha felicidade?

* * *

Foi uma alegria estar dois dias depois no trem noturno de sexta-feira para Brighton, depois de uma separação de quase duas semanas. Tom veio me encontrar na estação. Nós nos vimos quando do o trem diminuía de velocidade, e ele correu ao lado do meu vagão, dizendo com os lábios alguma coisa que eu não entendi. Nada na minha vida tinha sido tão lindamente extasiante quanto descer daquele trem para o abraço dele. Ele me apertou tanto que me deixou sem ar.

Ele disse no meu ouvido, "Eu estou só começando a perceber o quanto você é especial."

Eu lhe disse num sussurro que tinha ficado esperando por aquele momento. Quando nós nos separamos ele pegou a minha mala.

Eu disse, "Você está com uma cara diferente".

"Eu estou diferente!" Ele quase gritou, e riu como um doido. "Eu tive uma ideia incrível."

"Você pode me contar?"

"É tão esquisito, Serena."

"Então me conta."

"Vamos para casa. Onze dias. É tempo demais!"

Então nós fomos para a Clifton Street, onde o Chablis estava esperando num balde de prata que Tom tinha comprado na Asprey. Era estranho ter cubos de gelo em janeiro. O vinho teria ficado mais fresco na geladeira, mas e daí? Nós bebemos enquanto um tirava a roupa do outro. Claro que a separação tinha nos dado mais ímpeto, o Chablis nos incendiou como sempre, mas nada disso bastava para explicar a hora que se seguiu. Nós éramos os desconhecidos que sabiam exatamente o que fazer. Tom estava com um ar de ternura e desejo que me derreteu. Era quase como um desamparo. Aquilo gerou em mim uma sensação de proteção tão intensa que eu me vi pensando enquanto nós ficávamos na cama e ele me beijava os seios, se um dia eu ia lhe perguntar se era hora de parar com a pílula. Mas não era um filho o que eu queria, era ele. Quando senti e apertei o firme redondinho das nádegas dele e o puxei para mim, pensei nele como numa criança que seria minha, e minha adorada, e jamais ficaria longe dos meus olhos. Era um sentimento que eu tive muito tempo antes com Jeremy em Cambridge, mas naquela vez eu estava enganada. Agora a sensação de conter e possuir aquele homem era quase uma dor, como se todas as melhores sensações que eu já tivesse vivido estivessem reunidas num gume insuportavelmente afiado.

Não foi um daqueles encontros suarentos em altos brados que se seguem a uma separação. Um *voyeur* que estivesse de passagem e pudesse enxergar por entre as cortinas do quarto teria espiado um casal pouco criativo em posição de papai e mamãe, quase sem emitir sons. O nosso êxtase prendia a respiração. Nós quase não nos mexíamos de medo de perder aquilo. Aquela determinada sensação, de que ele agora era totalmente meu e sempre seria, querendo ou não querendo, era desprovida de peso, vazia, eu podia desmenti-la a qualquer momento. Estava me sentindo destemida. Ele estava me beijando de leve e murmurando o meu nome sem parar. Talvez fosse essa a hora de contar, quando ele não ia conseguir fugir. *Conte agora*, eu ficava pensando. *Conte o que você faz para viver.*

Mas quando nós emergimos do nosso sonho, quando o resto do mundo foi se derramando sobre nós, e nós ouvimos os carros lá fora e o som de um trem que entrava na estação de Brighton, e começamos a pensar nos nossos planos para o resto da noite, eu percebi o quanto tinha chegado perto da autodestruição.

Nós não fomos a um restaurante naquela noite. Ultimamente o tempo tinha ficado mais ameno, para alívio provável do governo e irritação dos mineiros. Tom estava inquieto e queria caminhar à beira-mar. Então nós descemos a West Street e seguimos pelo largo passeio deserto na direção de Hove, saindo de perto do mar para parar num *pub*, e num outro lugar para comprar peixe com batatas fritas. Nem junto do mar havia vento. Os postes estavam com a luz diminuída para economizar energia, mas ainda borravam de um laranja biliar a baixa nuvem espessa. Eu não conseguia dizer direito o que havia de diferente no Tom. Ele estava bem carinhoso, segurando a minha mão quando queria dizer alguma coisa ou pondo o braço em volta de mim e me puxando para mais perto. Nós andávamos rápido e ele falava velozmente. Trocamos natais. Ele descreveu a cena, a terrível separação entre a irmã e os seus filhos, e como ela tentou arrastar sua menininha com a prótese com ela para o carro. E como Laura chorou até chegar em Bristol e disse coisas terríveis sobre a família, especialmente sobre os pais deles. Relatei o momento em que o Bispo me abraçou e eu chorei. Tom me fez contar a cena em detalhes. Ele queria saber mais sobre as minhas sensações e sobre como tinha sido a caminhada entre a estação e a casa. Foi como voltar a ser criança? De repente eu percebi a saudade que tinha de casa? Quanto tempo levei para me recuperar e por que não fui falar com o meu pai sobre aquilo tudo depois? Eu disse que chorei porque chorei, e não sabia por quê.

Nós paramos e ele me beijou e disse que eu não tinha jeito. Quando lhe contei do meu passeio noturno pelo adro da catedral com Lucy e Luke, Tom não gostou. Ele quis que eu prometesse nunca mais fumar maconha. Esse lado puritano me deixou surpresa, e embora aquela fosse ser uma promessa fácil de cumprir, eu simplesmente dei de ombros. Achava que ele não tinha nada que ficar exigindo promessas de mim.

Eu lhe perguntei sobre a tal nova ideia, mas ele foi evasivo. O que ele fez foi me dar as notícias da Bedford Square. Maschler tinha adorado *Das planícies de Somerset* e estava com planos de publicar o livro no fim de março, um recorde de velocidade no mundo editorial, que só era possível porque Maschler era uma figura tão poderosa. A ideia era que saísse a tempo de ele poder se inscrever para o prêmio Jane Austen de Literatura, certamente tão importante quanto esse novo prêmio Booker. As chances de ficar entre os finalistas eram pequenas, mas parecia que Maschler estava falando para todo mundo do seu novo autor, e o fato de que o livro estava sendo impresso para os membros do júri já tinha sido mencionado nos jornais. Era assim que você fazia um livro virar notícia. Eu fiquei pensando o que Pierre teria a dizer sobre o fato de o Serviço financiar o autor de uma novela anticapitalista. Não crescer demais. Eu não abri a boca e apertei o braço do Tom.

Nós sentamos num banco, de frente para o mar como um casal de velhinhos. A princípio era quarto minguante, mas a lua não tinha chance contra a pesada tampa de nuvem tangerina. O braço de Tom estava no meu ombro, o canal da Mancha estava oleosamente calmo e calado, e pela primeira vez em vários dias eu me senti em paz ali encolhida contra o meu namorado. Ele disse que tinha recebido um convite para fazer uma leitura em Cambridge, num evento para novos escritores jovens. Ele ia dividir o palco com o Martin, o filho de Kingsley Amis, que também leria um trecho do seu primeiro romance, que, como o de Tom, seria lançado este ano — e também por Maschler.

"O que eu quero fazer", Tom disse, "eu só vou fazer com a sua permissão." No dia seguinte à leitura ele ia viajar de trem de Cambridge até a minha cidade para conversar com a minha irmã. "Estou pensando num personagem que vive à margem, que se vira, mas com sucesso, que curte tarô e astrologia e essas coisas assim, que gosta de drogas, mas não excessivamente, que acredita num belo número de teorias conspiratórias. Sabe, alguém que acha que o pouso na Lua foi num estúdio. E ao mesmo tempo em outras esferas é totalmente razoável, boa mãe para o seu filhinho, alguém que vai a passeatas contra a Guerra do Vietnã, uma amiga de confiança e tal."

"Não parece muito a Lucy", eu disse, e imediatamente senti a falta de generosidade disso e quis compensar. "Mas ela é muito bacana, de verdade, e ia gostar de conversar com você. Uma condição. Vocês não vão falar de mim."

"Fechado."

"Eu vou escrever pra ela e dizer que você é um amigo meu que está sem grana e precisa de um lugar pra passar a noite."

Nós continuamos andando. Tom nunca tinha feito uma leitura pública e estava apreensivo. Ele ia ler o finzinho do livro, a parte de que mais se orgulhava, a horrenda cena da morte de pai e filha um nos braços do outro. Eu disse que ia ser uma pena entregar o fim da história.

"Coisa mais antiquada..."

"Não esqueça que eu não sou sofisticada."

"O fim já está lá no começo. Serena, não existe trama ali. É uma meditação."

Ele também estava com dúvidas quanto ao protocolo. Quem leria antes, Amis ou Haley? Como é que se decidia?

"O Amis devia abrir. O melhor fica por último", eu disse, fiel.

"Ah, Deus. Se acordo de noite e começo a pensar nessa leitura, eu não consigo mais dormir."

"Que tal ordem alfabética?"

"Não, sério, ficar na frente de uma plateia, lendo umas coisas que as pessoas são perfeitamente capazes de ler sozinhas. Eu não sei pra que isso tudo. Eu ando suando de noite."

Nós fomos até a praia para Tom poder jogar pedrinhas no mar. Ele estava estranhamente animado. Eu senti de novo a sua agitação ou empolgação contida. Sentei encostada numa pilha de cascalho enquanto ele ia chutando os seixos, procurando o peso e a forma certos. Ele dava umas corridinhas até a beira da água e os seus lançamentos iam bem longe, na leve neblina onde a surda arrebentação era uma tênue mancha branca. Depois de dez minutos ele veio e sentou do meu lado, sem fôlego e suado, com um gosto de sal no beijo. Os beijos começaram a ficar mais sérios e nós estávamos perto de esquecer onde estávamos.

Ele apertou o meu rosto entre as mãos e disse, "Escuta, aconteça o que acontecer, você precisa saber como eu gosto de estar com você".

Fiquei preocupada. Aquilo era bem o tipo de coisa cafona que um herói de cinema diz para a amada antes de ir morrer em algum lugar.

Eu disse, "Aconteça o que acontecer?".

Ele estava beijando o meu rosto, me empurrando contra as pedras incômodas. "Eu só estou dizendo que nunca vou mudar de opinião. Você é muito, muito especial."

Eu me deixei reconfortar. Nós estávamos a uns cinquenta metros da calçada gradeada que acompanhava a praia e parecia que estávamos prestes a fazer amor. Eu queria tanto quanto ele.

Eu disse, "Não aqui".

Mas ele tinha um plano. Ele se deitou de costas e abriu o zíper das calças enquanto eu me livrei dos sapatos, tirei as meias e a calcinha e enfiei tudo no bolso do casaco. Eu sentei nele com a saia e o casaco abertos sobre nós, e cada vez que eu balançava de leve ele gemia. Nós achamos que quem andasse pelo passeio do Hove veria uma cena bem inocente.

"Fique parada um segundo", ele disse rápido, "ou vai acabar tudo."

Ele estava tão lindo, com a cabeça jogada para trás e o cabelo cobrindo as pedras. Nós ficamos olhando um nos olhos do outro. Dava para ouvir os carros na beira-mar e, só de vez em quando, uma minúscula onda tocando a praia.

Um pouco depois ele disse com uma voz distante e plana, "Serena, a gente não pode deixar isso acabar. Não tem como evitar, eu tenho que te dizer. É simples. Eu te amo".

Eu tentei dizer a mesma coisa para ele, mas a minha garganta estava muito apertada e só consegui arquejar. As palavras dele nos levaram ao ápice, ali, juntos, com os nossos gritos de prazer perdidos diante do som dos automóveis. Era essa a frase que nós tínhamos evitado dizer. Era sério demais, marcava a linha que nós receávamos atravessar, a transição de um caso gostoso para algo pesado e desconhecido, quase como um fardo. Agora não parecia ser assim. Eu puxei o rosto dele para perto do meu e lhe dei um beijo, repetindo as palavras dele. Foi fácil. Aí me afastei dele e me ajoelhei nas pedras para recompor a roupa. Enquanto fazia isso, soube que antes que aquele amor começasse a seguir o seu caminho, eu teria que contar a ele sobre mim. E aí o amor ia acabar. Então eu não ia contar. Mas eu devia.

Depois nós ficamos deitados de braço dado, rindo do nosso segredo no escuro como crianças, rindo da travessura que tínhamos conseguido fazer impunemente. Nós ríamos da enormidade das palavras que tínhamos dito. Todas as outras pessoas eram limitadas por regras, e nós éramos livres. Nós íamos fazer amor no mundo inteiro, o nosso amor estaria por toda parte. Nós sentamos e dividimos um cigarro. Aí nós dois começamos a tremer por causa do frio, e assim fomos para casa.

19.

Em fevereiro uma depressão caiu sobre a minha seção do Serviço. Foi proibido jogar conversa fora, ou isso se proibiu por si. Vestindo robes ou cardigãs, além de sobretudos, nós trabalhávamos sem parar para o chá ou o almoço, como que para redimir os nossos pecados. O funcionário burocrático, Chas Mount, em geral um sujeito animado e imperturbável, arremessou uma pasta contra a parede e eu e outra menina passamos uma hora de joelhos pondo os papéis em ordem de novo. O nosso grupo considerava que o fracasso dos nossos homens de campo, Spade e Helium, era o nosso fracasso. Talvez tivesse havido excesso de ênfase quando eles foram instruídos a preservar os seus disfarces, ou talvez eles simplesmente não soubessem coisa alguma. De um jeito ou de outro, como Mount vivia dizendo de maneiras diferentes, não havia sentido em montar uns esquemas tão perigosos e tão caros se era para nós termos uma atrocidade espetacular como aquela bem na porta de casa. Não cabia a nós ficar lhe dizendo o que ele já sabia, que nós estávamos lidando com células que não sabiam umas da existência das outras, que segundo uma manchete do *Times* nós estávamos enfrentando "o grupo terrorista mais bem organizado e mais impiedoso do mundo". E mesmo naquele tempo a competição era dura. Em outros momentos Mount resmungava as pragas de sempre contra a polícia da Inglaterra e da Irlanda do Norte, que eram tão comuns quanto o Pai-Nosso entre o pessoal do Serviço. Um bando de polícias caipiras sem a menor ideia do que é um serviço de Inteligência ou de análise, mas tudo isso dito numa linguagem geralmente mais forte.

A porta da nossa casa naquela situação era um trecho da estrada M62 entre Huddersfield e Leeds. Ouvi alguém dizer no escritório que se não fosse pela greve dos maquinistas, os soldados e as suas famílias não estariam viajando num comboio noturno. Mas os sindicalistas não tinham matado ninguém. A bomba de quase quinze quilos estava no bagageiro no fundo do ônibus e aniquilou instantaneamente uma família inteira que dormia nos últimos bancos, um soldado, a esposa e os dois filhos deles, com cinco e dois anos de idade, segundo um dos recortes que Mount insistiu em pregar no quadro de avisos. Ele também tinha dois filhos, só um pouco mais velhos, e essa era uma razão por que a nossa seção se via obrigada a levar aquilo em termos pessoais. Mas ainda não estava claro que o Serviço fosse o responsável primário pela prevenção contra o terrorismo do IRA na Inglaterra. Nós nos gabávamos pensando que se fosse, nada daquilo teria acontecido.

Alguns dias depois, o primeiro-ministro, exasperado, inchado por causa de um problema de tireoide que ainda não tinha diagnóstico, nitidamente exausto, dirigiu-se à nação na TV para explicar que estava convocando eleições emergenciais. Edward Heath precisava de um mandato novo e nos disse que a questão que nós todos estávamos encarando era — quem governa os britânicos? Eram os nossos representantes eleitos ou um punhado de extremistas no Sindicato Nacional dos Mineradores? O país sabia que a verdadeira questão era saber se seria Heath de novo ou Wilson de novo. Um primeiro-ministro esmagado pelos eventos, ou o líder da oposição, que, segundo boatos que até as meninas tinham ouvido, estava mostrando sinais de uma doença mental? Um "concurso de impopularidade", um engraçadinho escreveu numa coluna de opinião. A semana de três dias já entrava no seu segundo mês. Estava frio demais, escuro demais, nós estávamos melancólicos demais para pensar com clareza sobre imputabilidades democráticas.

A minha preocupação imediata era com o fato de não poder ir para Brighton naquele fim de semana porque Tom estava em Cambridge, e de lá iria viajar para ver a minha irmã. Ele não queria que eu fosse ouvir a leitura dele. Saber que eu estava na plateia ia "destruir" a sua confiança. Recebi uma carta dele na segunda-feira seguinte. Fiquei relendo a saudação — Minha querida. Ele disse que estava feliz por eu não ter ido. O evento tinha sido um desastre. Martin Amis foi simpático, e totalmente indiferente quanto à questão da ordem de apresentação. Então Tom ficou com o lugar de honra e deixou Martin entrar primeiro como um aquecimento para a plateia. Foi um erro. Amis leu trechos do seu romance chamado *The Rachel Papers*. Era obsceno, cruel e engraçadíssimo — tão engraçado que ele tinha que parar de vez em quando para deixar o público se recompor. Quando ele terminou e Tom entrou no palco para ler, os aplausos não paravam, e Tom teve que voltar para a escuridão das coxias. As pessoas ainda estavam gemendo e enxugando os olhos quando ele finalmente conseguiu chegar ao atril para apresentar "as minhas três mil palavras de bubões, pus e morte". Durante a leitura dele uma parte do público saiu, ainda antes de o pai e a filha perderem a consciência. As pessoas provavelmente precisavam pegar algum último trem, mas Tom sentiu a sua confiança minada, a voz dele se esganiçou, ele tropeçava em palavras simples, pulou uma linha e teve que voltar atrás. Estava sentindo o auditório inteiro com raiva dele por ter acabado com a diversão. O público aplaudiu quando ele terminou porque ficou feliz com o fim do tormento. Depois, no bar, ele congratulou Amis, que não devolveu o elogio. Em vez disso pagou um *scotch* triplo para Tom.

Também havia boas notícias. Ele tinha tido um janeiro produtivo. O artigo sobre os poetas romenos perseguidos tinha sido aceito pela *Index on Censorship*, e ele tinha terminado uma primeira versão da sua monografia sobre Spenser e urbanismo. O conto em que eu tinha ajudado, "Adultério provável", recusado pela *New Review*, tinha sido aceito pela revista *Bananas* e, claro, havia o novo romance, o segredo que ele não contava.

Três dias depois do começo da Campanha de Eleição Geral eu recebi uma convocação de Max. Não era mais possível nós ficarmos nos evitando. Peter Nutting queria um relato dos progressos de todos os casos da *Tentação*. Max não tinha escolha, precisava me ver. Nós mal tínhamos conversado desde aquela visita de madrugada. Tínhamos passado um pelo outro no corredor, murmurado os nossos bons-dias, feito esforço para sentar bem longe um do outro no refeitório. Eu tinha pensado bastante nas coisas que ele havia dito. Ele provavelmente tinha dito a verdade naquela noite. Era possível que o Serviço tivesse me aceitado com um diploma fuleiro porque eu era a candidata de Tony, provavelmente eles me seguiram um tempo antes de perderem o interesse. Ao me indicar, tão inofensiva, Tony pode ter desejado, como um gesto de despedida, mostrar aos seus antigos empregadores que ele também era inofensivo. Ou, como eu gostava de pensar, ele me amava, e me considerava um presente seu para o Serviço, a sua forma de compensação.

Eu tinha ficado torcendo para Max reatar com a noiva e nós podermos continuar como antes. E foi o que pareceu pelos primeiros quinze minutos, enquanto eu me sentava à mesa dele e lhe dava um relato da novela de Haley, dos poetas romenos, da *New Review*, da *Bananas* e do ensaio sobre Spenser.

"Está todo mundo falando dele", eu disse em conclusão. "Ele é o homem da vez."

Max fechou a cara. "Eu pensei que a essas alturas vocês já teriam terminado."

Eu não abri a boca.

"Ouvi dizer que ele não é lá muito comportado. Meio conquistador."

"Max", eu disse calmamente. "Vamos manter isso aqui no nível profissional."

"Me fale mais desse romance."

Então falei da acolhida na editora, dos comentários na imprensa sobre a pressa para inscrever o livro para o Prêmio Austen, dos boatos de que David Hockney ia desenhar a capa.

"Você ainda não me disse do que trata o livro."

Eu queria tanto quanto ele que os andares superiores me elogiassem. Mas, mais ainda, eu queria machucar Max por ele ter ofendido Tom. "É a coisa mais triste que eu já li. Pós-nuclear, uma civilização que retornou à selvageria, pai e filha viajam do oeste para Londres à procura da mãe da menina, eles não a encontram, pegam peste bubônica e morrem. É muito lindo."

Ele estava me olhando atentamente. "Pelo que eu me lembro, isso é exatamente o tipo de coisa que Nutting não suporta. Ah, aliás. Ele e Tapp estão com alguma coisa pra você. Eles te procuraram?"

"Não. Mas, Max, nós não concordamos que nós não podíamos interferir no trabalho dos nossos escritores?"

"Bom, mas por que é que você está tão contentinha?"

"Ele é um grande escritor. Fico muito animada."

Eu estava bem perto de acrescentar que nós estávamos apaixonados. Mas Tom e eu éramos discretos. No espírito daqueles tempos, nós não tínhamos feito planos de apresentar um aos pais do outro. Tínhamos nos declarado sob o céu e sobre os seixos em algum ponto entre Brighton e Hove e tudo seguia simples e puro.

O que ficou claro naquela reunião curta com Max foi que algo tinha virado, mudado. Naquela noite antes do Natal ele abriu mão de certa parcela não só de poder como de dignidade, e eu sentia que ele tinha consciência disso, e sabia que eu sabia. Eu não conseguia conter direito o tom de desafio da minha voz, ele não conseguia conter direito a sua tendência de soar desgraçado num momento e excessivamente enfático no outro. Eu queria lhe perguntar sobre a sua prometida, a médica que ele tinha rejeitado por minha causa. Teria ela aceitado ele de volta ou seguido com a sua vida? De um jeito ou de outro era uma humilhação e eu tinha juízo, mesmo no meu estado extasiado, e não perguntei.

Houve um silêncio. Max tinha desistido dos ternos escuros — eu tinha percebido isso observando do outro lado do refeitório uns dias antes — e voltado para o *tweed* Harris pinicante e, um fator novo e revoltante, uma gravata de crochê de um amarelo-mostarda sobre uma camisa xadrez Viyella. O meu palpite era que ninguém, mulher nenhuma, estava guiando o gosto dele. Ele estava encarando as mãos espalmadas sobre a mesa. Respirou tão fundo que chegou a assoviar pelas narinas.

"Agora eu sei o seguinte. Nós temos dez projetos, contando com Haley. Jornalistas e acadêmicos de respeito. Não sei os nomes deles, mas tenho uma ideia dos livros que eles estão escrevendo nesse período sabático. Um é sobre como a biologia vegetal da Inglaterra e dos Estados Unidos está fazendo a Revolução Verde em todos os países plantadores de arroz do Terceiro Mundo, outro é uma biografia de Tom Paine, e ainda vai haver um relato, o primeiro da história, sobre um campo de detenção na Berlim Oriental, Campo Especial Número Três, usado pelos soviéticos nos anos que se seguiram à guerra para matar sociais-democratas e crianças, além de nazistas, e agora ampliado pelas autoridades da Alemanha Oriental para deter e torturar psicologicamente os dissidentes ou quem eles bem decidam deter. Vai haver um livro sobre os desastres políticos da África pós-colonial, uma nova tradução da poesia de Akhmátova, e um estudo das utopias europeias do século XVII. Nós vamos ter uma monografia sobre Trótski como chefe do Exército Vermelho, e mais uns outros que eu não lembro."

Finalmente ele ergueu os olhos das mãos, e eles estavam apagados e duros.

"Então, que merda esse seu T.H. Haley e a sua fantasiazinha sobre um mundo todo fodido vão acrescentar ao que nós sabemos ou ao que nos importa?"

Eu nunca tinha ouvido ele dizer palavrões, e me encolhi um pouco, como se ele tivesse jogado alguma coisa na minha cara. Eu nunca gostei de *Das planícies de Somerset*, mas agora tinha passado a gostar. Normalmente eu teria esperado Max me liberar. Levantei e meti a cadeira debaixo da mesa e comecei a me espremer para sair da sala. Eu teria saído com uma frasezinha inteligente, mas a minha cabeça estava vazia. Tinha quase passado pela porta quando dei uma olhada para trás e o vi sentado bem reto à mesa, no ápice da sua salinha minúscula, e vi no rosto dele uma dor, uma estranha careta, como uma máscara, e ouvi ele dizer em voz baixa, "Serena, por favor não vá embora".

Podia sentir o cenário se preparando para outra cena terrível. Eu tinha que sair dali. Desci o corredor apressada e quando ele me chamou eu apertei o passo, fugindo não do caos das emoções dele, mas da minha própria culpa irracional. Antes de chegar à minha mesa no térreo, via elevador rangente, lembrei a mim mesma que tinha um lugar, que era amada e nada que Max dissesse podia me atingir agora e eu não lhe devia nada.

Em alguns minutos eu estava produtivamente imersa na atmosfera de pessimismo e autorrepreensão do escritório de Chas Mount, verificando datas e fatos de um memorando negativista que o funcionário ia mandar para os níveis mais altos da hierarquia. "Notas sobre fracassos recentes". Mal cheguei a pensar em Max durante o resto do dia.

O que veio bem a calhar, porque era sexta-feira à tarde e eu e Tom íamos nos encontrar num *pub* no Soho para almoçar no dia seguinte. Ele estava vindo a Londres para falar com Ian Hamilton no restaurante Pillars of Hercules, na Greek Street. A revista seria lançada em abril, basicamente às custas de dinheiro dos contribuintes — o Concílio das Artes, não o Voto Secreto. Já tinha havido certas reclamações na imprensa quanto ao preço proposto de setenta e cinco *pence*, por "uma coisa que nós já pagamos", como disse um jornal. O editor queria algumas pequenas mudanças no conto do macaco falante, que finalmente tinha um título — "O segundo romance da escritora". Tom achava que ele podia se interessar pelo ensaio sobre Spenser e lhe oferecer algumas resenhas. Os artigos não seriam pagos, mas Tom estava convencido de que essa ia ser a publicação de mais prestígio para ele aparecer. A combinação era que eu ia chegar uma hora depois dele e aí nós íamos comer o que me foi descrito como "um almoço de *pub*, direcionado às batatinhas".

Na manhã de sábado arrumei o meu quarto, fui até a lavanderia, passei as roupas da semana seguinte e lavei e sequei o cabelo. Estava impaciente para ver Tom e saí de casa cedo e estava subindo as escadas da estação de metrô da Leicester Square quase uma hora adiantada. Pensei em dar uma olhada nos livros usados da Charing Cross Road. Mas estava inquieta demais. Eu ficava parada na frente das estantes, sem perceber nada, e aí seguia para outra loja e fazia a mesma coisa. Entrei na Foyles com a vaga ideia de achar um presente para Tom entre os livros novos e baratos, mas não conseguia me concentrar. Estava desesperada para vê-lo. Cortei caminho pela Manette Street, que passa ao norte da Foyles e por baixo de um prédio, tendo o bar do Pillars of Hercules à sua esquerda. Esse pequeno túnel, provavelmente o que restou de um antigo pátio de carruagens, emerge na Greek Street. Bem na esquina fica uma janela com uma esquadria pesada de madeira. Por essa janela eu conseguia entrever Tom de um ângulo oblíquo, sentado bem junto da janela, distorcido pelo vidro antigo, inclinado para a frente para conversar com alguém que ficava fora do meu campo de visão. Eu podia ter ido bater no vidro. Mas claro que não queria atrapalhar a importante reunião dele. Era uma bobagem ter chegado tão cedo. Eu devia ter ficado andando à toa um tempo. Na pior das hipóteses, eu devia ter entrado pela porta principal, na Greek Street. Aí ele teria me visto e eu não teria presenciado nada. Mas saí dali e entrei no *pub* por uma entrada lateral que ficava na passagem coberta.

Atravessei o cheiro de pinho que emanava do banheiro dos homens e abri mais uma porta. Havia um homem sozinho de pé na extremidade do bar que ficava mais perto de mim, com um cigarro numa das mãos e um uísque na outra. Ele se virou para me olhar e eu soube imediatamente que era Ian Hamilton. Eu tinha visto a foto dele nos artigos diários hostis. Mas não era para ele estar com o Tom? Hamilton estava me olhando de uma maneira neutra, quase amistosa, e com um meio sorriso que não lhe abria os lábios. Bem como Tom havia descrito, ele tinha a aparência queixuda de um astro de cinema das antigas, o vilão com coração de ouro de um folhetim em preto e branco. Parecia estar esperando que eu me aproximasse. Olhei pela luz enfumaçada e meio azul na direção do cantinho próximo da janela. Tom estava sentado com uma mulher que estava de costas para mim. Ela pareceu familiar. Ele estava segurando a mão dela em cima da mesa e tinha a cabeça inclinada, quase tocando a dela enquanto ouvia. Impossível. Fiquei olhando fixamente, tentando fazer aquela cena ter algum sentido, ser algo inocente. Mas lá estava ele, o improvável clichê de Max, *conquistador*. Aquilo tinha ficado me coçando como um parasita na pele e soltando as suas neurotoxinas no meu sangue. Tinha alterado o meu comportamento e me feito vir aqui cedo, para ver por mim mesma.

Hamilton veio e ficou ao meu lado, seguindo a linha do meu olhar.

"Ela também é escritora. Literatura barata. Mas nem é tão ruim. Nem ele. Ela acabou de perder o pai."

Ele disse isso com leveza, sabendo muito bem que eu não ia acreditar. Era tribal, um homem dando cobertura ao outro.

Eu disse, "Eles parecem ser velhos amigos".

"Você vai beber o quê?"

Quando eu disse que ia tomar um copo de limonada, ele pareceu se espantar. Foi até o bar e eu passei para trás de um dos biombos baixos que eram uma das marcas do *pub*, permitindo que as pessoas bebessem de pé e com privacidade para conversar. Me sentia tentada a sair de fininho pela porta lateral, ficar sem falar com Tom o fim de semana inteiro, deixar ele suar enquanto eu lidava com os meus transtornos. Será que podia ser assim tão cruel, esse tapa na cara? Dei uma olhada pelo canto do biombo e o quadro de traição estava inalterado, ela ainda estava falando, ele ainda estava segurando a mão dela e ouvindo ternamente enquanto inclinava a cabeça na direção dela. Era tão monstruoso que era quase engraçado. Eu ainda não estava conseguindo sentir nada, nem raiva nem pânico nem dor, e nem me sentia em choque. Uma horrenda clareza era tudo que eu podia reclamar.

Ian Hamilton trouxe a minha bebida, um copo enorme de um vinho branco amarelo-palha. Exatamente o que eu precisava beber.

"Vire isso aí."

Ele ficou me olhando de esguelha, com preocupação, enquanto eu bebia, e aí me perguntou o que eu fazia. Expliquei que trabalhava para uma fundação cultural. Imediatamente as pálpebras dele ficaram parecendo pesadas de tédio. Mas me ouviu até o fim e aí teve uma ideia.

"Vocês precisam injetar dinheiro numa revista nova. Imagino que seja por isso que você está aqui, para me trazer a grana."

Eu disse que nós só lidávamos com artistas individuais.

"Mas assim eu dou um jeito de vocês apoiarem cinquenta artistas individuais."

Eu disse, "Talvez eu possa dar uma olhada no planejamento orçamentário de vocês".

"Planejamento *orçamentário?*"

Era uma expressão que eu tinha ouvido e imaginado, acertadamente, que ia encerrar a conversa.

Hamilton acenou com a cabeça na direção do Tom. "Olha o seu amigo ali."

Saí de trás da proteção do biombo. Lá no canto Tom já estava de pé e a mulher pegava o casaco que estava na cadeira ao lado dela. Ela levantou também e se virou. Estava vinte quilos mais magra, com o cabelo alisado e quase chegando aos ombros, com um jeans preto bem justo enfiado numas botinhas que iam até o tornozelo, o rosto mais alongado e afinado, linda, na verdade, mas instantaneamente reconhecível. Shirley Shilling, a minha velha amiga. No momento em que eu a vi, ela me viu. No breve segundo em que os nossos olhares se cruzaram, ela como que ergueu a mão para me cumprimentar de longe e depois a deixou cair inerte, como quem reconhece que há coisas demais a explicar e não se dispõe a tanto. Ela saiu rapidamente pela porta da frente. Tom estava vindo na minha direção, sorrindo como um bobo e eu, idiota, me forcei a sorrir de volta, ciente de que Hamilton ao meu lado, agora acendendo mais um cigarro, estava nos observando. Havia algo no comportamento dele que impunha contenção. Ele estava tranquilo, então nós também teríamos que ficar. Fui obrigada a fingir que não ligava.

Aí nós três ficamos um tempão bebendo de pé no bar. Os dois falaram de livros e fofocaram sobre escritores, especialmente o poeta Robert Lowell, um amigo de Hamilton que estava possivelmente enlouquecendo; e falaram de futebol, um assunto em que Tom era fraco mas sabia empregar bem as duas ou três informações que tinha. Ninguém pensou em sentar. Tom pediu tortas de carne de porco com uma rodada de drinques, mas Hamilton nem encostou na comida, e acabou usando o prato e depois a própria torta como cinzeiro. Presumi que Tom, como eu, estava com medo de encerrar a conversa, porque aí nós teríamos que brigar. Depois do meu segundo copo eu dava um ou outro palpite, mas basicamente fingia ouvir enquanto pensava na Shirley. Quanta mudança! Ela tinha conseguido virar escritora, então não era uma grande coincidência ela ter encontrado o Tom no Pillars of Hercules — ele me disse que o *pub* já era uma extensão oficial do escritório da *New Review*, servindo de antessala e refeitório, e às vésperas do lançamento dúzias de escritores passavam por ali. Ela tinha perdido a decência junto com o peso. Não havia demonstrado nenhuma surpresa ao me ver ali, então devia saber da minha ligação com Tom. Quando chegasse a hora de eu ficar brava, ela ia receber até mais do que merecia. Ela ia se ferrar comigo.

Mas agora eu não sentia nada. O *pub* fechou e nós seguimos Hamilton sob a melancolia daquela tarde até o Muriel's, um clubezinho minúsculo onde homens de uma certa idade com uns rostos queixudos e destruídos se empoleiravam nuns bancos altos do bar, perorando em altos brados sobre política internacional.

Quando nós entramos um deles disse alto, "China? Vá se foder. A China!".

Nós formamos um grupinho em três poltronas de veludo num canto. Tom e Ian tinham chegado àquele momento de bebedeira em que a conversa ronda incessantemente o terreno reduzidíssimo de um detalhe insignificante. Eles estavam falando de Larkin, de alguns versos no fim de "The Whitsun Weddings", um dos poemas que Tom tinha me feito ler. Estavam discordando, ainda que sem muita ênfase, sobre um "jato de setas/ Soltas tão longe, além virando chuva". Hamilton achava que os versos eram perfeitamente claros. A viagem de trem tinha chegado ao fim, os casais recém-casados estavam livres para seguir seus caminhos, até Londres, até os seus destinos individuais. Tom disse menos laconicamente que os versos eram tristes, tocados por um augúrio, os elementos eram negativos — uma sensação de queda, úmida, perdida, além. Ele usou a palavra "liquescência" e Hamilton disse seco, "Liquescência, hein?". Aí eles continuaram rodando, achando jeitos inteligentes de dizer as mesmas coisas, apesar de eu perceber que o sujeito mais velho pudesse somente estar testando as opiniões ou a agilidade discursiva de Tom. Não acho que Hamilton estivesse dando muita bola para aquilo tudo.

Eu não estava prestando atenção o tempo todo. Os dois me ignoravam e eu estava começando a me sentir meio tiete de escritor, além de boba. Fiz uma lista mental das minhas coisas no apartamento de Brighton — podia bem ser que eu não voltasse mais lá. Um secador de cabelo, roupa de baixo, uns vestidos de verão e um maiô, nada que eu fosse lamentar muito. Estava me convencendo de que deixar Tom ia tirar das minhas costas o fardo da honestidade. Podia continuar mantendo intacto o meu segredo. Nós estávamos bebendo *brandy* com café a essa altura. Eu não me incomodava com a ideia de me separar de Tom. Ia esquecer dele rapidinho e achar outro, alguém melhor. Estava tudo perfeito, eu sabia me cuidar, ia empregar bem o meu tempo, ia me dedicar ao trabalho, ler a trilogia dos Bálcãs de Olivia Manning, que estava alinhadinha ao lado da minha cama, ia usar a nota de vinte libras do Bispo para tirar um fim de semana de férias na primavera e ser uma solteira interessante num hotelzinho do Mediterrâneo.

Nós paramos de beber às seis e saímos para a rua e caminhamos sob uma chuva gelada até a Soho Square. Hamilton tinha que fazer uma leitura na Poetry Society em Earl's Court naquela noite. Ele apertou a mão de Tom, me deu um abraço, e aí nós ficamos olhando ele sair apressado, sem dar a menor pista do tipo de tarde que tinha tido. E aí Tom e eu ficamos sozinhos, sem saber direito em que direção andar. Começa agora, pensei, e naquele momento, reanimada pela chuva fria no rosto, e compreendendo a verdadeira extensão da minha perda e da traição de Tom, eu fui tomada por uma súbita desolação e não consegui me mexer. Um grande peso negro caiu sobre mim e os meus pés ficaram pesados e amortecidos. Fiquei parada olhando a Oxford Street, do outro lado da sala. Uns Hare Krishnas cantantes, uns bocós carecas com pandeiros, estavam seguindo para o seu quartel-general. Fugindo da chuva que o deus deles mandava. Detestei cada um daqueles indivíduos.

"Serena, meu amor, o que é que você tem?"

Ele ficou cambaleando um pouco na minha frente, torto, mas ainda assim um bom ator, rosto franzido com uma preocupação teatral.

Eu podia nos ver nitidamente, como se estivesse olhando de uma janela de segundo andar, com a visão distorcida por gotas de chuva de contornos negros. Um casal de bêbados do Soho a ponto de começar uma briga na calçada imunda e escorregadia. Teria preferido me afastar, pois o resultado era óbvio. Mas ainda não conseguia me mexer.

Em vez disso, comecei a cena, e falei num suspiro exausto. "Você está tendo um caso com a minha amiga."

Eu soei tão lamuriosa e tão infantil, e estúpida, que fazia parecer que ter um caso com uma estranha não causaria problema. Ele estava me olhando estupefato, e ostentando muito competentemente certa desorientação. Me deu vontade de bater nele.

"O que é que você está...?" Aí uma imitação vagabunda de um homem que tem uma brilhante ideia.

"A Shirley Shilling! Meu Deus, Serena. Você acha mesmo isso? Eu devia ter explicado. Conheci a Shirley na leitura em Cambridge. Ela estava com o Martin Amis. Eu não sabia até hoje que vocês tinham trabalhado juntas no mesmo escritório em algum lugar. Aí eu e você começamos a conversar com Ian e esqueci essa história toda. O pai dela acabou de morrer e ela está um trapo. Ela até queria vir com a gente, mas estava muito abatida..."

Ele pôs a mão no meu ombro mas eu não deixei. Eu não gostava de piedade. E achava que estava vendo traços de diversão em volta da boca dele.

Eu disse, "Era óbvio, Tom. Como é que você fez uma coisa dessas comigo!".

"Ela escreveu um romance meloso de amor. Mas eu gosto dela. É só isso. O pai dela tinha uma loja de móveis e ela era bem próxima dele, trabalhava com ele. Eu lamento muito por ela. Sério, amor."

De início eu fiquei simplesmente confusa, suspensa entre acreditar nele e odiá-lo. Aí, quando comecei a duvidar de mim mesma, senti uma deliciosa obstinação tristonha, uma perversa recusa de abandonar a ideia dominante de que ele tinha feito amor com Shirley.

"Eu não suporto essa ideia, amor. Você passou a tarde toda sofrendo. Foi por isso que você ficou tão quieta. E, é claro! Você deve ter me visto segurando a mão dela. Ah, meu anjo, desculpa mesmo. Eu te amo, só você, e sinto muito mesmo..."

Fiquei de cara fechada enquanto ele seguia com a sua defesa, e seguia me consolando. Acreditar nele não me deixava menos brava com ele. Eu tinha raiva de ele estar me fazendo sentir boba, de que ele pudesse estar rindo de mim em segredo, de que fosse incluir tudo isso num continho engraçado. Eu estava determinada a fazer ele ter que se esforçar muito mais para me reconquistar. Estava chegando ao ponto em que sabia muito bem que só estava fingindo que duvidava dele. Talvez isso fosse melhor que parecer tão otária, e além disso eu não sabia como sair daquela situação, como abandonar a minha trincheira e fazer isso parecer plausível. Então fiquei calada, mas quando ele pegou a minha mão, eu não recusei, e quando ele me puxou para perto eu aquiesci relutantemente e deixei ele beijar o topo da minha cabeça.

"Você está encharcada, está tremendo", ele murmurou no meu ouvido. "A gente precisa te tirar da rua."

Concordei com a cabeça, marcando o fim da minha truculência, o fim da minha descrença. Mesmo que o Pillars of Hercules estivesse a apenas cem metros dali, subindo a Greek Street, eu sabia que sair da rua significava ir para o meu quarto.

Ele me puxou para mais perto. "Olha", ele disse. "Nós dissemos na praia. Nós nos amamos. Era pra isso ser uma coisa simples."

Concordei de novo. Agora só conseguia pensar em como eu estava gelada, e bêbada. Ouvi o motor de um táxi atrás de nós e senti Tom se virar e se esticar para fazer sinal. Quando nós estávamos instalados e seguindo rumo ao norte, Tom ligou o aquecedor. Ele produziu um troar e um leve sopro fresco. Na tela que nos separava do taxista havia uma propaganda de um táxi igual àquele, e como as letras ficavam se mexendo para cima e para os lados, fiquei com medo de vomitar. Na minha casa foi um alívio ver que as minhas colegas não estavam. Tom encheu a banheira para mim. A água escaldante soltava nuvens de vapor que se condensavam nas paredes gélidas e escorriam formando poças no linóleo florido. Nós entramos juntos na banheira, cada um para um lado, e fizemos massagem um nos pés do outro e cantamos músicas antigas dos Beatles. Ele saiu bem antes de mim, se secou e foi procurar mais toalhas. Ele também estava bêbado, mas foi delicado e me ajudou a sair da banheira, e me secou como a uma criança, e me levou para a cama. Ele desceu e voltou com canecas de chá e entrou na cama comigo. Aí ele cuidou muito bem de mim.

Meses, e depois anos mais tarde, depois de tudo que aconteceu, sempre que eu acordava no meio da noite e precisava de algum consolo, eu evocava aquela noite de começo de inverno quando estava nos braços dele e ele beijava o meu rosto, e me dizia sem parar o quanto eu tinha sido bobinha, o quanto ele lamentava, e o quanto me amava.

20.

No fim de fevereiro, não muito antes do dia da eleição, os juízes do prêmio Austen anunciaram a lista dos finalistas e lá, metido entre os gigantes de sempre — Burgess, Murdoch, Farrell, Spark e Drabble —, estava um completo desconhecido, um certo T.H. Haley. Mas ninguém prestou muita atenção. O anúncio na imprensa veio na hora errada, porque naquele dia todo mundo só falava do ataque de Enoch Powell ao primeiro-ministro, líder do seu próprio partido. Coitado do gordinho do Ted! As pessoas tinham parado de se preocupar com os mineiros e com a questão de "quem governa" e tinham começado a se preocupar com uma inflação de vinte por cento e um colapso econômico e em saber se devíamos dar ouvidos a Powell, votar nos trabalhistas e cair fora da Europa. Não era um bom momento para pedir que o país contemplasse a ficção contemporânea. Como a semana de três dias tinha conseguido evitar os blecautes, a coisa toda agora estava sendo tratada como uma fraude. As reservas de carvão não estavam tão baixas assim afinal, a produção industrial não tinha sido muito afetada e havia a impressão generalizada de que o susto tinha sido à toa, ou motivado politicamente, e de que nada daquilo devia ter acontecido.

E então, contra todas as previsões, Edward Heath, o seu piano, partituras e marinhas foram retirados de Downing Street e Harold e Mary Wilson se instalaram para um segundo mandato. Numa TV no trabalho eu vi o novo primeiro-ministro na frente do Número Dez no começo de março, parecendo encurvado e frágil, quase tão exausto quanto Heath. Estavam todos exaustos, e na Leconfield House estavam todos deprimidos além de exaustos, porque o país tinha escolhido o homem errado.

Eu tinha votado em Wilson pela segunda vez, naquele ardiloso sobrevivente da esquerda, e devia estar mais animada que a maioria, mas estava acabada de insônia. Não conseguia parar de pensar naquela lista. Claro que eu queria que Tom ganhasse, queria mais do que ele mesmo. Mas Peter Nutting tinha me dito que ele e outros tinham lido *Das planícies de Somerset* numa cópia das provas e tinham considerado o livro "fraco e patético", além de achar que ele "cedia a um modismo negativista e tedioso" — Nutting me disse isso quando me parou um dia na hora do almoço, na Curzon Street. Ele seguiu em frente, batendo o guarda-chuva enrolado na calçada, me deixando com a suspeita de que, se a minha escolha era suspeita, eu também era.

Aos poucos o interesse da imprensa pelo prêmio Austen foi aumentando e a atenção foi convergindo para o único nome novo da lista. Jamais um romancista estreante tinha embolsado o Austen. O romance mais curto a receber o prêmio nos seus cem anos de história tinha o dobro do tamanho das *Planícies*. Boa parte da cobertura parecia sugerir que havia algo de pouco viril ou de desonesto num romance curto. O *Sunday Times* fez um perfil de Tom, fotografado diante do Palace Pier com uma aparência visivelmente satisfeita, vulnerável, nua. Alguns artigos mencionavam que ele tinha uma bolsa da Fundação. Eles nos lembravam que o livro de Tom tinha sido editado às pressas para poder se inscrever no prêmio. Os jornalistas ainda não tinham lido o romance porque Tom Maschler estava taticamente segurando as cópias da imprensa. Um texto destoantemente bondoso no *Daily Telegraph* dizia que a opinião geral era que Tom Haley era um homem de boa aparência e que as moças ficavam "tontinhas" quando ele sorria, o que me causou um vertiginoso momento de ciúme e possessividade. Que moças? Tom agora tinha um telefone no apartamento e eu consegui falar com ele de uma cabine telefônica fedorenta na Camden Road.

"Não tem moça nenhuma", ele disse alegre. "Elas devem estar na redação do jornal, ficando tontinhas na frente da minha fotografia."

Estava espantado por estar na lista, mas Maschler tinha ligado para dizer que teria ficado furioso se Tom não tivesse entrado. "É mais do que óbvio", parece que ele disse. "Você é um gênio e o livro é uma obra-prima. Eles não iam ter a coragem de ignorar."

Mas o escritor recém-descoberto conseguiu se manter intocado pelo falatório em torno do Austen, mesmo que a imprensa o divertisse. *Das planícies* já era coisa do passado para ele, aquilo era um "exercício para os cinco dedos". Eu o avisei para não dizer isso para algum jornalista enquanto os juízes ainda estavam se decidindo. Ele disse que não ligava, que estava com um romance no forno, que estava crescendo num ritmo que só a obsessão e uma nova máquina de escrever elétrica podiam garantir. A produtividade dele era a única coisa que eu sabia a respeito do livro. Três ou quatro mil palavras na maioria dos dias, às vezes seis, e uma vez, num surto que cobriu uma tarde e uma noite inteira, dez. Os números significavam pouca coisa para mim, embora eu entendesse o que devia entender graças ao tom roufenho no telefone.

"Dez mil palavras, Serena. Se fizer isso todo dia por um mês eu escrevo *Anna Kariênina*!"

Até eu sabia que ele não ia fazer isso. Eu me sentia responsável por protegê-lo e ficava com medo de que as resenhas, quando saíssem, se virassem contra ele e de que ele fosse ficar surpreso com a sua própria decepção. Por enquanto sua única angústia era que uma viagem que ele acabava de fazer à Escócia havia interrompido a sua concentração.

"Você precisa dar uma descansada", eu disse lá de Camden Road. "Deixa eu ir aí no fim de semana."

"Tudo bem. Mas eu não vou poder parar de escrever."

"Tom, por favor, me conte só um pouquinho da história."

"Você vai ver antes de qualquer um, eu juro."

No dia seguinte à divulgação da lista dos finalistas, em vez da convocação normal, recebi uma visita do Max. Ele foi primeiro até a mesa de Chas Mount para conversar. Por acaso nós estávamos ocupadíssimos aquela manhã. Mount tinha escrito a primeira versão de um relatório interno, uma retrospectiva em que o RUC e o exército também tinham o seu papel. A questão em tela era o que Mount chamava contritamente de "uma ferida aberta", expressão que ele usava para se referir às detenções sem julgamento. Em 1971, dúzias das pessoas erradas tinham sido presas por causa do fato de que as listas de suspeitos do Ramo Especial do RUC estavam desatualizadas e não serviam para nada. E nenhum assassino da facção lealista tinha sido preso, nenhum membro da Força Voluntária do Ulster. Os detentos eram mantidos em acomodações inadequadas sem serem separados apropriadamente. E todos os devidos procedimentos, todo o estado de direito era abandonado — um presente de bandeja para os nossos inimigos. Chas Mount tinha servido em Aden e sempre tinha sido cético quanto às técnicas de interrogação que o exército e o RUC usavam durante a detenção — capuzes pretos, isolamento, restrições dietéticas, ruído branco, horas em pé. Ele se esforçava para demonstrar que as mãos do Serviço estavam relativamente limpas. Nós, as meninas do escritório, acreditávamos nisso. Toda essa questão lamentável estava para cair no colo do Tribunal Europeu de Direitos Humanos. O RUC, ao menos na versão deles, queria nos arrastar para o buraco, e o exército estava com eles. Eles não ficaram nada contentes com a versão dos eventos oferecida por Mount. Alguém lá no alto, que estava do nosso lado, tinha devolvido o relatório e dito que ele reescrevesse para deixar todos os envolvidos felizes. Afinal era "apenas" um relatório interno, que logo seria arquivado e esquecido.

Então ele estava pedindo mais documentos, e nós não parávamos de entrar e sair do Registro, e estávamos ocupadas datilografando alterações. Max escolheu um mau momento para ficar rodeando Chas Mount e tentando puxar conversa fiada com ele. Em termos estritos de segurança, com aqueles dossiês abertos ele não devia nem ter entrado no nosso escritório. Mas Chas era educado e simpático demais para dizer isso. Ainda assim, as respostas dele eram curtas e logo Max veio falar comigo. Trazia um pequeno envelope de papel pardo que pôs ostensivamente na minha mesa dizendo numa voz alta o suficiente para que todos ouvissem, "Dê uma olhada assim que puder". Então saiu.

Por um bom tempo, talvez até uma hora, decidi que ainda não era o momento. O que eu mais temia era uma declaração sentida, escrita em papel timbrado. O que acabei lendo foi um memorando devidamente datilografado encabeçado pelas palavras "Sigiloso", "Tentação" e "De MG para SF" e uma lista de circulação que incluía as iniciais de Nutting, Tapp e duas outras que eu não reconheci. A nota, obviamente escrita por Max para manter as aparências, começava dizendo, "Cara srta. Frome". Era um conselho a respeito de algo que eu "provavelmente já havia considerado". Um dos envolvidos com a *Tentação* estava

322

recebendo alguma publicidade e podia vir a receber ainda mais. "Espera-se que os membros de nossa equipe evitem ser fotografados ou se tornar assunto de textos de imprensa. A senhorita pode até considerar que é seu dever comparecer à entrega do prêmio Austen, mas é muito mais adequado evitar estar lá."

Muito sensato, por mais que eu não gostasse. Eu realmente tinha planos de estar lá com Tom. Ganhando ou perdendo, ele precisava de mim. Mas por que esse ofício em vez de uma palavra ao pé do ouvido? Será que falar a sós comigo era doloroso demais para Max? Comecei a suspeitar que alguma espécie de armadilha burocrática estava sendo preparada para mim. A questão então era saber se eu devia desafiar Max ou ficar longe daquilo tudo. Esta última possibilidade parecia mais segura, já que era protocolarmente correta, mas eu estava irritada com aquilo e na ida para casa, naquela noite, eu me sentia indignada e brava com Max e os seus esquemas — fossem eles quais fossem. Estava chateada por ter que inventar uma boa explicação para dar a Tom sobre a minha ausência. Doença na família, uma gripe minha, uma emergência no trabalho? Decidi por um lanche morbidamente embolorado — ataque rápido, incapacidade total, pronta recuperação — e esse ardil naturalmente me levou de volta ao velho problema. O momento certo de contar tudo a ele nunca aparecia. Talvez se eu tivesse recusado o nome dele para a operação e daí tivesse tido o caso, ou começado o caso e abandonado o Serviço, ou contado tudo na nossa primeira reunião... mas não, nada daquilo fazia sentido. Eu não tinha como saber o nosso destino já no começo, e assim que soube, ele já era precioso demais para eu querer ameaçá-lo. Podia contar e pedir demissão, ou pedir demissão e contar, mas ainda ia correr o risco de perdê-lo. A única coisa em que eu conseguia pensar era em não contar. Nunca. Eu ia conseguir me olhar no espelho? Bom, já estava me olhando.

Ao contrário do seu priminho barulhento, o Booker, o prêmio Austen não gostava de banquetes, ou de ter figurões entre os juízes. Pelo que Tom me disse, seria um coquetel discreto no Dorchester, com um discurso curto de uma figura literária eminente. Os juízes eram em geral gente da área literária, acadêmicos, críticos, com um ou outro filósofo ou historiador de vez em quando. O dinheiro do prêmio um dia tinha sido considerável — em 1875 duas mil libras compravam muita coisa. Agora ele não estava à altura do Booker. O Austen só valia pelo prestígio. Chegaram a falar em transmitir a cerimônia pela televisão, mas parece que os membros mais antigos da comissão não gostaram muito da ideia e, segundo Tom, o Booker tinha mais chance de um dia chegar às telas.

A recepção foi às seis da tarde do dia seguinte. Às cinco eu mandei um telegrama para Tom da agência de Mayfair dos correios, aos cuidados do Dorchester. *Doente. Sanduíche estragado. Pensando em você. Venha a Camden depois. Te amo. S.* Voltei me arrastando ao escritório, me odiando e odiando a situação em que me encontrava. Em outros tempos eu teria me perguntado o que Tony faria. Agora não adiantava. Era muito fácil dizer que o meu estado negro de espírito era uma doença e o Mount me deixou sair mais cedo. Cheguei em casa às seis, exatamente quando deveria estar passando pela entrada do Dorchester de braço dado com Tom. Lá pelas oito comecei a achar que era melhor entrar no personagem caso ele aparecesse mais cedo. Era fácil me convencer de que eu não estava bem. De pijama e roupão, fiquei deitada num torpor amuado e contrafeito, aí li um pouco, depois apaguei por uma hora ou duas e não ouvi a campainha.

Uma das meninas deve ter aberto para Tom, porque quando abri os olhos ele estava ao lado da minha cama, segurando por um canto o seu cheque e tendo na outra mão um exemplar pronto do romance. Ele sorria como um bobo. Esquecendo o meu sanduíche estragado, saltei da cama para lhe dar um abraço, nós gritamos e cantamos e fizemos uma bagunça tão grande que Tricia bateu na porta para perguntar se precisávamos de ajuda. Nós a tranquilizamos, depois fizemos amor (ele parecia estar com tanta sede de mim), e imediatamente depois pegamos um táxi para o White Tower.

Nós não tínhamos mais ido lá desde o nosso primeiro encontro, então era um tipo de celebração de aniversário. Eu tinha insistido em trazer comigo *Das planícies de Somerset* e nós ficamos passando o livro um para o outro na mesa, folheando as suas cento e quarenta páginas para admirar a tipografia, e ficamos felizes com a foto do autor e com a capa, que mostrava num preto e branco granuloso uma cidade destruída que podia ser Berlim ou Dresden em 1945. Evitando pensar nas implicações de segurança, eu soltei um gritinho ao ver a dedicatória, "Para Serena", levantei da minha cadeira para dar um beijo nele, e ouvi ele me contar como foi a noite, o discurso engraçado de William Golding e a fala incompreensível do presidente do júri, um professor de Cardiff. Quando o seu nome foi anunciado, Tom, nervoso, tinha tropeçado na borda de um tapete enquanto ia para a frente do salão e havia machucado o pulso no encosto de uma cadeira. Amorosamente, beijei aquele pulso. Depois da cerimônia do prêmio ele deu quatro entrevistas curtas, mas ninguém tinha lido o livro, o que ele dizia não importava e isso fazia ele se sentir uma fraude. Pedi duas taças de champanhe e nós brindamos ao único romancista estreante a ganhar o prêmio Austen. Era uma ocasião tão maravilhosa que nós nem nos demos o trabalho de ficar bêbados. Lembrei de comer com cuidado, como a inválida que a princípio era.

Tom Maschler tinha planejado a publicação com a precisão

de um pouso lunar. Ou como se o Austen tivesse sido decisão sua. A lista de finalistas, os perfis na imprensa e o anúncio ajudaram a criar uma expectativa impaciente, que foi satisfeita mais para o fim da semana, quando o livro chegou às livrarias bem no momento em que apareceram as primeiras notas. Os nossos planos para o fim de semana eram simples. Tom ia continuar escrevendo, eu ia ler a imprensa no trem. Fui a Brighton na noite de sexta com sete resenhas no colo. O mundo basicamente aprovava o meu namorado. No *Telegraph*: "O único fiapo de esperança é o que liga pai e filha (um amor exposto com uma delicadeza rara na ficção moderna), mas o leitor logo sabe que essa obra-prima de melancolia não pode tolerar nem mesmo esse fiapo. O doloroso final é quase insuportável". No *Times Literary Supplement*: "Um brilho estranho, uma macabra luz subterrânea inunda a prosa do sr. Haley e o efeito alucinógeno que ela tem na mente do leitor é capaz de transformar um mundo catastrófico do fim dos tempos num reino de uma beleza ríspida e irresistível". No *Listener*: "A prosa dele não poupa nada. Ele tem o olhar oco e fixo do psicopata e os seus personagens, moralmente decentes, fisicamente lindos, devem dividir o seu destino com os piores, num mundo sem Deus". No *Times*: "Quando o sr. Haley solta os seus cachorros para rasgar as vísceras de um mendigo faminto, nós sabemos que estamos sendo lançados na fornalha de uma estética moderna e que estamos sendo desafiados a objetar, ou ao menos a piscar. Nas mãos da maioria dos escritores a cena seria um exemplo leviano de crueldade, e seria imperdoável, mas o espírito de Haley é simultaneamente duro e transcendente. Desde o primeiro parágrafo você está nas mãos dele, você sabe que ele sabe o que está fazendo, e que pode confiar nele. Esse pequeno romance traz a promessa e o ônus do gênio".

Nós já tínhamos passado por Hayward's Heath. Tirei o livro, o *meu* livro, da bolsa e li ao acaso e, claro, comecei a vê-lo com outros olhos. O poder desse consenso garantido era tão grande que *Das planícies* realmente me pareceu um livro diferente, mais seguro dos seus termos, do seu destino, e ritmicamente hipnótico. E tão sábio. Parecia um poema majestoso, tão preciso e tão suspenso no ar quanto "Adlestrop". Por sobre o estrondo iâmbico do trem (e quem foi que me ensinou *aquela* palavrinha?) eu conseguia ouvir Tom entoar o seu texto. Quem era eu, uma funcionariazinha humilde que pouco tempo atrás, dois ou três anos, tinha defendido Jacqueline Susann em comparação com Jane Austen? Mas será que eu podia confiar num consenso? Peguei o *New Statesman*. O seu "segundo caderno", como o Tom me explicou, era importante no mundo literário. Como o índice anunciava, a própria editora de artes apresentava um veredito na resenha principal do caderno: "É certo que há momentos de firmeza, um cínico poder de descrição capaz de provocar ondas ocasionais de nojo da humanidade, mas a impressão geral é de algo forçado, levemente esquemático, emocionalmente manipulador e de modo geral fraco. Ele se engana (mas não engana o leitor) ao pensar que está dizendo algo profundo sobre o nosso sofrimento. O que lhe falta é escala, ambição e pura e simplesmente inteligência. Contudo, ele ainda pode nos surpreender". E aí um textinho minúsculo no *Diário de Londres* do *Evening Standard*: "Uma das piores decisões que um júri já tomou [...] os juízes do prêmio Austen deste ano, talvez coletivamente de olho em um emprego no Tesouro, decidiram desvalorizar a moeda da premiação. Eles escolheram uma distopia adolescente, uma celebração púbere da desordem e da animalidade, felizmente não muito mais longa que um conto".

Tom disse que não queria ver as resenhas, então de noite, no apartamento, eu li as melhores partes das boas e resumi as negativas nos termos mais neutros. Ele ficou feliz com os elogios, evidentemente, mas estava claro que já pensava em outras coisas. Já estava olhando de canto de olho para uma das páginas datilografadas enquanto eu ainda lia o trecho que incluía a palavra "obra-prima". Estava datilografando de novo assim que terminei, e queria passar a noite toda trabalhando. Encomendei peixe com batatas fritas e ele comeu sentado na frente da máquina, sem talheres, o peixe enrolado na página da véspera do *Evening Argus*, que tinha um dos textos mais favoráveis a ele.

Eu li e nós mal nos falamos até eu ir para a cama. Ainda estava acordada uma hora depois, quando ele deitou comigo e, de novo, nós fizemos amor daquele seu jeito novo, sedento, como se tivesse passado um ano sem sexo. Ele fez muito mais barulho do que eu tinha feito em todo o nosso tempo juntos. Provocando, chamei aquilo de seu estado porco-no-cocho.

Na manhã seguinte acordei ao som abafado da sua nova máquina de escrever. Dei um beijo no alto da sua cabeça ao passar por ele quando saía para a feira de sábado. Fiz as compras, peguei os jornais e os levei para o meu café de sempre. Uma mesa junto à janela, um *cappuccino*, um *croissant* de amêndoas. Perfeito. E lá estava uma resenha genial no *Financial Times*. "Ler T.H. Haley é como estar de carona num carro que segue rápido demais por curvas muito fechadas. Mas pode ficar tranquilo, este veículo bem regulado nunca escapa da estrada." Eu ia gostar de ler aquilo para ele. O próximo da pilha era o *Guardian*, com o nome do Tom e uma fotografia dele no Dorchester na primeira página. Bom. Um artigo inteiro sobre ele. Fui até a página, vi a manchete — e gelei. "Vencedor do prêmio Austen financiado pelo MI5."

Quase passei mal bem ali na mesa. A minha primeira ideia estúpida foi de que talvez ele nunca visse aquilo. Uma "fonte de confiança" tinha confirmado para o jornal que a Fundação Liberdade Internacional, talvez sem saber disso, "tinha recebido dinheiro de outra organização que era parcialmente financiada por uma empresa indiretamente bancada pelo Serviço de Segurança". Corri os olhos pelo texto com a velocidade do pânico. Nenhuma menção à *Tentação* ou a outros escritores. Havia um resumo preciso dos pagamentos mensais, de como Tom tinha desistido do seu emprego na universidade ao receber a primeira entrada de dinheiro e aí, de forma menos preocupante, uma menção ao Congresso pela Liberdade Cultural e sua ligação com a CIA. A velha história da *Encounter* também foi requentada, e então eles voltavam ao seu furo jornalístico. Eles registravam que T.H. Haley tinha escrito —

candentes artigos anticomunistas sobre o Levante da Alemanha Oriental, sobre o silêncio dos escritores da Alemanha Ocidental a respeito do Muro de Berlim e, mais recentemente, sobre a perseguição estatal a alguns poetas romenos. Esse talvez seja exatamente o tipo de espírito alinhado que os nossos serviços de Inteligência gostariam de ver florescer nessas plagas, um autor de direita que é eloquentemente cético sobre as tendências esquerdizantes generalizadas entre os seus colegas. Mas, com esse nível de intromissão secreta na cultura, certamente surgirão questões sobre franqueza e liberdade artística no nosso ambiente de Guerra Fria. Ninguém duvida ainda da integridade dos juízes do prêmio Austen, mas a comissão responsável pode estar pensando que vencedor é esse que o seu erudito júri escolheu, e se por acaso não espocaram rolhas de champanhe em certos escritórios secretos de Londres quando o nome de Haley foi anunciado.

Reli o texto e fiquei sentada imóvel por vinte minutos, enquanto o café esfriava. Agora parecia óbvio. Tinha que acontecer: mesmo que eu não contasse, alguém ia acabar contando. O meu castigo por ser covarde. Como eu ia parecer detestável e ridícula agora, desmascarada à força, tentando soar honesta, tentando me explicar. Eu não te contei, meu bem, porque te amo. Eu estava com medo de te perder. Ah, sim, uma combinação perfeita. O meu silêncio e a desgraça dele. Pensei em ir direto para a estação e pegar o primeiro trem para Londres, sumindo da vida dele. Isso, ele que encare sozinho a tempestade. Mais covardia. Mas ele nem ia me querer por perto. E assim tudo voltava à estaca zero, mesmo sabendo que não havia escapatória, eu ia ter que enfrentar, ia ter que ir até o apartamento e lhe mostrar o artigo.

Peguei o frango, as verduras e os jornais, paguei o café da manhã que ficou na mesa e subi lentamente a colina até a rua da casa dele. Ouvi o barulho da máquina enquanto eu subia a escada. Bom, isso ia parar logo, logo. Abri a porta, entrei, e esperei ele levantar os olhos.

Ele sabia que eu estava ali e me deu um sorrisinho de cumprimento, e estava prestes a continuar com o trabalho quando eu disse, "É melhor você dar uma olhada nisso aqui. Não é uma resenha".

O *Guardian* estava aberto na página. Ele pegou o jornal e me deu as costas para ler. Eu estava pensando meio em ponto morto se, quando tudo acabasse, eu devia fazer as malas ou simplesmente ir embora. Eu tinha uma malinha pequena embaixo da cama. Eu ia ter que lembrar de pegar o secador. Mas podia ser que não desse tempo. Ele podia simplesmente me botar para fora.

Finalmente ele olhou para mim e disse num tom neutro, "Que coisa horrorosa".

"É verdade."

"O que é que eu posso dizer?"

"Tom, eu não..."

"Sabe, sobre essas ligações financeiras. Olha só. Fundação blá-blá-blá, 'tinha recebido dinheiro de outra organização que era parcialmente financiada por uma empresa indiretamente bancada pelo Serviço de Segurança."

"Desculpa, Tom."

"Parcialmente? Indiretamente? A três níveis de distância? Como é que a gente podia saber disso?"

"Não sei." Eu ouvi o "a gente", mas não assimilei totalmente.

Ele disse, "Eu fui até o escritório deles, eu vi as coisas todas lá deles. É completamente legítimo".

"Claro que é."

"Então acho que eu devia ter pedido pra auditar os livros. Como se eu fosse a porra de um contador!"

Ele agora estava indignado. "Eu não consigo entender. Se o governo quer veicular certas opiniões, por que fazer isso em segredo?"

"Exatamente."

"Eles têm amigos jornalistas, o Concílio das Artes, bolsas, a BBC, departamentos de informação, instituições da monarquia. Eu não sei que merda eles têm. Eles controlam um sistema educacional inteiro! Por que usar o MI5?"

"É uma loucura, Tom."

"É doido. É assim que essas burocracias secretas se perpetuam. Um fulaninho qualquer sonha lá com um plano pra agradar os chefinhos. Mas ninguém sabe pra que aquilo serve, que sentido a coisa tem. Ninguém nem chega a perguntar. Parece que saiu direto de um livro do Kafka."

Ele levantou de repente e veio até mim.

"Olha. Serena. Ninguém me disse o que eu devia escrever. Defender um poeta romeno preso não me transforma num direitista. Chamar o Muro de Berlim de monte de merda não me transforma num fantoche do MI5. Nem chamar os escritores da Alemanha Ocidental de covardes por ignorarem a porra do Muro."

"Claro que não."

"Mas é isso que eles estão insinuando. Espírito alinhado o cacete! É o que todo mundo vai pensar."

Será que era tão simples assim? Que ele me amava tanto, se sentia tão amado por mim que nem podia começar a suspeitar de mim? Será que *ele* era tão simples? Fiquei olhando enquanto ele começou a andar de um lado para outro pelo quartinho do sótão. O chão rangia alto, a lâmpada pendurada nas vigas balançava um pouco. Certamente era agora a hora, quando nós estávamos a meio caminho, de lhe dizer a verdade. Mas eu sabia que não conseguiria me negar esse adiamento.

Ele estava novamente louco de indignação. Por que ele? Era injusto. Era desforra. Bem quando a carreira dele tinha começado a decolar.

Aí ele parou e disse, "Segunda-feira eu vou ao banco e vou dizer pra eles recusarem novos pagamentos".

"Boa ideia."

"Eu posso viver um tempo com o dinheiro do prêmio."

"Isso."

"Mas, Serena..." Ele veio de novo até onde eu estava e segurou a minha mão. Nós ficamos nos olhando nos olhos, e depois nos beijamos.

"Serena, o que é que eu vou fazer?"

A minha voz, quando eu a encontrei, estava seca e inexpressiva. "Acho que você vai ter que fazer uma declaração. Escreva alguma coisa e passe por telefone para a Associação de Imprensa."

"Eu preciso que você me ajude a fazer um esboço."

"Claro. Você tem que dizer que não sabia de nada, que está chocado e que vai parar de receber o dinheiro."

"Você é brilhante. Eu te amo."

Ele largou as páginas soltas do livro novo numa gaveta e a trancou. Aí eu sentei diante da máquina de escrever e coloquei uma folha em branco e nós trabalhamos num texto. Levei alguns minutos para me acostumar com as teclas sensíveis da máquina elétrica. Quando ficou pronto eu li para ele e ele disse, "Você também pode pôr, 'Eu gostaria de deixar claro que em nenhum momento tive qualquer contato ou me comuniquei com qualquer membro do MI5'".

Os meus joelhos amoleceram. "Não precisa disso. Já ficou claro pelo que você disse. Fica parecendo que você está sendo enfático demais."

"Não sei se você está certa. Não é bom deixar tudo em pratos limpos?"

"Está bem claro, Tom. Sério. Não precisa disso."

Os nossos olhares se encontraram de novo. Os olhos dele estavam cercados de um traço vermelho, de cansaço. Fora isso, eu só via confiança.

"Tudo bem então", ele disse. "Esquece."

Eu lhe passei a folha e fui para o quarto deitar um pouco enquanto ele pegava o número da AP com a telefonista e passava por telefone a sua declaração. Para meu espanto, ouvi ele ditar a frase, ou uma versão dela, que nós tínhamos acabado de concordar em deixar de fora.

"E me permitam deixar uma coisa bem clara. Eu nunca, em toda a minha vida, tive contato com qualquer membro do MI5."

Sentei na cama, e quase o chamei, mas não havia o que fazer e eu me deixei cair de novo nos travesseiros. Estava me sentindo cansada de tanto pensar na mesma coisa o tempo todo. *Conte. Acabe com isso de uma vez. Não! Não seja louca.* As coisas estavam escapando ao meu controle e eu não tinha ideia do que deveria estar fazendo. Ouvi Tom desligar o telefone e ir para a sua mesa. Em questão de minutos ele estava datilografando de novo. Que coisa mais extraordinária, que coisa mais incrível, ter esse poder de concentração, conseguir se enfiar num mundo imaginado. Continuei deitada ali na cama que nem tinha sido feita, desmotivada, oprimida pela certeza de que a semana que viria seria um desastre. Eu ia me ferrar no trabalho, mesmo que a história do *Guardian* morresse por ali. Mas não tinha escapatória. Só tinha por onde piorar. Eu devia ter dado ouvidos a Max. Era possível que o jornalista que escreveu o artigo soubesse mais do que o que tinha escrito. Mas se havia mais, e acabasse aparecendo, aí... aí eu devia contar para Tom antes de os jornais contarem. De novo *isso*. Não me mexi. Não consegui.

Depois de quarenta minutos a máquina parou. Em cinco minutos eu ouvi o ranger das tábuas, e Tom entrou de paletó e sentou ao meu lado e me beijou. Ele estava inquieto, ele disse. Fazia três dias que não saía do apartamento. Eu não queria ir até a praia com ele, e será que eu não queria que ele me convidasse para almoçar no Wheeler's? Foi um bálsamo, oblívio instantâneo. Eu mal vesti o casaco e nós estávamos na rua, andando de braço dado morro abaixo na direção do canal da Mancha como se fosse apenas mais um fim de semana tranquilo. Enquanto pudesse me perder com ele no presente, eu me sentia protegida. O que me ajudou foi o humor animado do Tom. Ele parecia pensar que aquela declaração à imprensa tinha resolvido o problema. Chegando à beira-mar nós andamos para leste, tendo à nossa direita um mar espumoso, verde-cinza e agitado, sacudido por um vento fresco que vinha do norte. Nós passamos por Kemp Town, e depois por um magote de manifestantes com placas, protestando contra os planos de construir uma marina ali. Nós concordamos que para nós não fazia a menor diferença. Quando passamos pelo mesmo lugar na volta, vinte minutos depois, a manifestação tinha se desfeito.

Foi aí que o Tom disse, "Acho que nós estamos sendo seguidos".

Se eu senti um súbito vazio horrorizado no estômago foi

porque achei que ele estava dizendo, com isso, que sabia de tudo e estava rindo de mim. Mas ele estava sério. Olhei para trás. O dia de vento frio tinha segurado os caminhantes em casa. Havia apenas uma figura à vista, talvez a duzentos metros de nós, ou até mais longe.

"Aquele ali?"

"Ele está com uma jaqueta de couro. Tenho certeza que vi aquele sujeito quando a gente saiu do apartamento."

Então nós paramos e ficamos esperando aquele homem nos alcançar, mas dali a um minuto ele estava atravessando a rua e entrando numa ruela lateral que se afastava da beira-mar. E naquele momento nós ficamos mais preocupados com a ideia de chegar ao restaurante antes de eles pararem de servir o almoço, e então voltamos correndo até as Lanes, e à nossa mesa, com o nosso "de sempre", e aí Chablis com as nossas asas de arraia grelhadas e, finalmente, um syllabub de sobremesa doce demais.

Quando nós estávamos saindo do Wheeler's, Tom disse, "Olha ele ali", e apontou, mas eu só vi uma esquina vazia. Ele saiu correndo e quando chegou lá, ficou claro, pelo seu jeito de ficar ali parado com as mãos na cintura, que não estava vendo ninguém.

Dessa vez a nossa prioridade, ainda mais urgente, era voltar para o apartamento e fazer amor. Ele estava mais enlouquecido, ou extático, do que nunca, tanto que eu nem ousei brincar com ele a respeito. E eu nem ia querer brincar, também. Já estava sentindo o arrepio da semana que viria. Amanhã eu ia pegar o trem da tarde para voltar para casa, lavar o cabelo, preparar as roupas, e na segunda ia ter que responder pelos meus atos diante dos meus superiores, encarar os jornais matutinos e, mais cedo ou mais tarde, encarar Tom. Não sabia quem de nós dois estava condenado, ou mais condenado, se é que isso fazia sentido. Quem de nós cairia em desgraça? Que por favor seja eu, e não nós dois, eu pensava enquanto olhava Tom sair da cama, pegar as roupas numa cadeira e ir nu até o banheiro, do outro lado da sala. Ele não sabia o que o esperava e não merecia nada do que estava por vir. Puro azar, ele ter me conhecido. Com essa ideia eu adormeci, como tantas vezes antes, ao som das teclas. Apagar me parecia ser a única opção razoável. Eu dormi profundamente, sem sonhos. Num dado momento da noite ele voltou silenciosamente para o quarto, deitou do meu lado e fez amor comigo de novo. Ele era incrível.

21.

Já de volta à St. Augustine's Road no domingo eu passei outra noite sem dormir. Estava agitada demais para ler. Por entre os galhos do castanheiro e por uma fresta nas cortinas um poste lançava um risco torto de luz no teto, e eu fiquei de costas, encarando aquela luz. Apesar da confusão em que tinha me metido, eu não sabia como poderia ter agido diferente. Se não tivesse entrado para o MI5, não teria conhecido Tom. Se tivesse dito quem me empregava já na nossa primeira reunião — e por que eu iria contar uma coisa dessas a um desconhecido? — ele ia ter me escorraçado dali. Em cada ponto daquela trajetória, quanto mais eu gostava dele, e depois passava a amá-lo, ia ficando mais difícil, mais arriscado lhe dizer a verdade na mesma medida em que ficava mais importante fazê-lo. Eu estava encurralada desde o começo. Eu ficava um tempão imaginando como seria, ter dinheiro suficiente, e convicção suficiente, para ir embora de repente sem me explicar, ir para algum lugar simples e limpo, longe daqui, como a ilha de Kumlinge no Báltico. Eu me via sob a luz marinha do sol, despida de todas as obrigações e conexões, caminhando sem bagagem por uma trilha estreita ao longo de uma baía arenosa, com cravos-do-mar e tojo e um pinheiro solitário, uma trilha que se erguia num promontório com uma igrejinha toda branca em cujo cemitério minúsculo havia uma lápide recente, e um vidro de geleia com um buquê de campânulas que a caseira deixou. Eu ia ficar sentada no morro formado por aquela sepultura, pensando em Tony, lembrando como nós nos amamos durante um verão inteiro, e ia perdoá-lo por ter traído o país. Foi um momento passageiro de estupidez, nascido de boas intenções, e não deixou grandes marcas negativas. Eu podia perdoá-lo porque tudo podia se resolver em Kumlinge, onde o ar e a luz eram puros. Será que a minha vida algum dia tinha sido melhor e mais simples que naquelas semanas num chalé de lenhador perto de Bury St. Edmunds, onde um homem mais velho me adorava, cozinhava para mim e me guiava?

Naquele exato momento, às quatro e meia, por todo o país, fardos de jornais com o retrato de Tom estavam sendo arremessados de trens e furgões sobre plataformas e calçadas. Todos eles conteriam a sua réplica à Associação de Imprensa. Aí ele estaria à mercê do que fosse publicado na terça. Eu acendi a luz, vesti o roupão e sentei na poltrona. T.H. Haley, lacaio do Serviço de Segurança, com a integridade demolida ainda antes de começar na vida, e fui eu, não, fomos nós, Serena Frome e os seus empregadores, que causamos a queda dele. Quem é que podia confiar num sujeito que escrevia sobre a censura na Romênia quando as palavras dele eram pagas com o Voto Secreto? O nosso queridinho desvirtuado pela *Tentação*. Havia mais nove escritores, talvez mais importantes, mais úteis, e não desmascarados. Eu já podia ouvir o quarto andar dizendo — *o projeto vai sobreviver.* Pensei no que Ian Hamilton ia dizer. A minha insônia febril estava fazendo as minhas ideias fixas ficarem ativas na minha retina. Vi no escuro um sorriso fantasmático e dei de ombros quando ele se virou. *Bom, nós vamos ter que achar outro. Pena. O rapaz era bom.* Talvez eu estivesse exagerando. Spender sobreviveu ao escândalo da *Encounter,* assim como a própria *Encounter.* Mas Spender não era tão vulnerável. Tom seria tomado por mentiroso.

Dormi uma hora antes de o alarme tocar. Eu me lavei e me vesti meio entorpecida, exausta demais para pensar no dia que viria. Mas já estava sentindo um pavor atordoante. A casa, naquela hora da manhã, era não só fria como úmida, mas a cozinha estava animada. Bridget tinha uma prova importante às nove, e Tricia e Pauline estavam fazendo um café da manhã especial para ela. Uma das meninas me passou uma caneca de chá e eu sentei num canto, esquentando as mãos na porcelana, ouvindo o falatório e querendo que eu também estivesse prestes a ser aprovada como advogada especializada em transferências imobiliárias. Quando Pauline me perguntou por que a cara triste, eu respondi honestamente que não tinha conseguido dormir. Isso me rendeu um tapinha no ombro e um sanduíche de ovo frito com bacon. Essa delicadeza quase me fez chorar. Me dispus a lavar a louça enquanto as outras se arrumavam, e foi um consolo, aquela ordem doméstica de água, espuma e pratos limpos fumegantes.

Fui a última a sair de casa. Quando estava me aproximando da porta da frente, vi em meio à correspondência publicitária espalhada sobre o linóleo um cartão-postal endereçado a mim. A imagem era de uma praia em Antígua, com uma mulher equilibrando um cesto de flores na cabeça. Era de Jeremy Mott.

· Oi, Serena. Fugindo do longo inverno de Edimburgo. Que alegria escapar finalmente de dentro daquele casaco. Na semana passada, um belo encontro misterioso em que você foi o grande assunto! Venha me ver uma hora dessas. Beijos. Jeremy.

Encontro? Eu não estava em clima de brincadeirinhas. Pus o cartão na bolsa e saí. Estava me sentindo um pouco melhor assim que comecei a caminhar na direção da estação de metrô de Camden. Tentava ser corajosa e fatalista. Era uma tempestade local, uma história de financiamentos, e eu não podia fazer mais nada. Eu podia perder o namorado e o emprego, mas ninguém ia morrer por causa daquilo.

Já tinha decidido dar uma olhada nos jornais em Camden porque não queria que alguém do trabalho me visse com uma pilha. Então fiquei parada no vento gelado que varria o saguão das bilheterias, que tinha duas entradas, procurando me virar com as folhas esvoaçantes de vários jornais. A história de Tom não estava em nenhuma primeira página, mas aparecia dentro de todos os jornais mais sérios, o *Daily Mail* e o *Express*, com fotografias diferentes. Todas as versões eram repetições do texto original, com o acréscimo de partes da declaração à Associação de Imprensa. Todos traziam a afirmação peremptória de que ele nunca havia conhecido ninguém do MI5. Nada bom. Mas podia ter sido pior. Sem novas informações a história ia acabar morrendo. Então vinte minutos mais tarde eu estava quase animada enquanto descia a Curzon Street. Cinco minutos depois, quando cheguei ao escritório, o meu pulso se alterou quando peguei um envelope do correio interno na minha mesa. Como eu já esperava, era uma convocação para uma reunião no escritório de Tapp às nove da manhã. Pendurei o casaco e tomei o elevador.

Eles estavam esperando por mim — Tapp, Nutting, o cavalheiro grisalho e mirrado do quinto andar e Max. Tive a impressão de que estava caminhando sobre uma camada de silêncio. Eles bebiam café, mas ninguém se ofereceu para me servir quando Tapp me indicou com uma mão aberta a única cadeira desocupada. Numa mesa baixa diante de nós estava uma pilha de recortes de jornais. Ao lado dela repousava uma cópia do romance de Tom. Tapp pegou o romance, virou uma página e leu, "Para Serena". Ele jogou o livro em cima dos recortes.

"Pois então, senhorita Frome. Por que nós todos estamos na imprensa?"

"Não veio de mim, isso."

Um pigarrear leve e incrédulo preencheu uma ligeira pausa antes de Tapp dizer sem convicção, "Certo". E aí, "A senhorita está... se encontrando com esse homem?".

Ele conseguiu fazer aquilo soar obsceno. Eu fiz que sim, e quando olhei em torno dei com o olhar de Max. Ele não estava me evitando dessa vez e eu me forcei a devolver o olhar, e só desviei os olhos quando Tapp falou de novo.

"Desde quando?"

"Desde outubro."

"A senhorita se encontra com ele em Londres?"

"Quase sempre em Brighton. Nos fins de semana. Olha, ele não sabe de nada. Ele não suspeita de mim."

"Certo." No mesmo tom choco.

"E mesmo que suspeitasse, não ia ser ele que ia querer contar à imprensa."

Eles estavam me encarando, esperando que eu falasse mais. Eu estava começando a me sentir tão imbecil quanto eu sabia que eles me achavam.

Tapp disse, "A senhorita percebe que a sua situação é extremamente delicada?".

Era uma pergunta de verdade. Eu balancei a cabeça.

"Diga por quê."

"Porque vocês acham que eu não consigo ficar de bico fechado."

Tapp disse, "Digamos que nós temos reservas quanto ao seu profissionalismo".

Peter Nutting abriu uma pasta que estava no colo dele. "A

senhorita escreveu um relatório para o Max, recomendando que nós fechássemos com ele."

"Escrevi."

"A senhorita já era amante de Haley quando escreveu esse relatório."

"Claro que não."

"Mas gostava dele."

"Não. Isso veio depois."

Nutting virou a cabeça para me mostrar o seu perfil enquanto pensava em algum outro jeito de me fazer parecer interesseira. Finalmente ele disse, "Nós incorporamos esse homem à *Tentação* graças à senhorita".

Pelo que eu lembrava eles tinham me apresentado o caso Haley e me enviado um dossiê. Eu disse, "Antes mesmo de eu me encontrar com Haley, Max me disse para ir a Brighton e fechar com ele. Acho que nós estávamos ficando atrasados". Eu também podia ter dito que Tapp e Nutting tinham sido a causa do atraso. Aí acrescentei depois de uma pausa, "Mas eu certamente teria escolhido fechar com ele se dependesse de mim".

Max se mexeu na cadeira. "Foi de fato isso. Eu achei que ele era bom em teoria e nitidamente eu estava errado. Nós precisávamos fazer a coisa do romancista andar. Mas a minha impressão foi que ela se fixou nele desde o começo."

Era irritante, ele ficar falando de mim na terceira pessoa. Mas eu tinha acabado de fazer a mesma coisa com ele.

"Não mesmo", eu disse. "Eu adorei os contos e quando eu o conheci ficou mais fácil gostar dele por causa disso."

Nutting disse, "Não parece haver muita discordância, então".

Tentei não soar como quem está desesperada. "Ele é um escritor brilhante. Não vejo motivo para nós não termos orgulho de lhe dar apoio. Até em público."

"É óbvio que nós vamos nos livrar dele", Tapp disse. "Não há escolha. A lista toda pode correr perigo. Quanto a esse romance, o sei lá o quê da Cornualha —"

"Um lixo total", Peter Nutting disse, balançando a cabeça pasmado. "A civilização destruída pelas contradições internas do capitalismo. Bom pra cacete."

"Eu tenho que dizer que detestei." Max disse com a ânsia do menino que é o dedo-duro da classe. "Eu não acredito que ele ganhou aquele prêmio."

"Ele está escrevendo outro", eu disse. "Parece bem promissor."

"Não, obrigado", Tapp disse. "Ele está fora."

O sujeito mirrado levantou repentinamente e com um suspiro de impaciência foi na direção da porta. "Eu não quero ver mais nada na imprensa. Hoje à tarde vou me encontrar com o diretor do *Guardian*. Vocês cuidam do resto. E eu quero um relatório na minha mesa na hora do almoço."

Assim que ele saiu, Nutting disse, "Essa é pra você, Max. Não deixe de mandar cópias para nós. É melhor você começar. Harry, nós dividimos os editores como sempre".

"Nota oficial?"

"Tarde demais e a gente vai ficar com cara de tacho. Agora..."

Agora era comigo, mas primeiro nós ficamos esperando Max sair da sala. Ele fez questão de olhar para mim quando virou bem no último momento para sair de costas pela porta. Na expressão apagada dele eu li uma espécie de vitória, mas pode ser que eu estivesse errada.

Nós estávamos ouvindo os passos dele sumirem no corredor e Nutting disse, "Dizem as más-línguas, e talvez a senhorita possa corrigir as informações, que a senhorita foi o motivo do fracasso do noivado dele, e que de maneira geral, sendo uma moça de boa apresentação, a senhorita pode ser um problema em potencial".

Não consegui pensar no que dizer. Tapp, que tinha passado a reunião toda fumando um cigarro atrás do outro, acendeu mais um. Ele disse, "Nós cedemos a muita pressão e a muitos argumentos moderninhos para deixar as mulheres entrarem no Serviço. Os resultados são mais ou menos o que nós tínhamos previsto".

Àquela altura eu estava pensando que eles pretendiam me demitir e que eu não tinha mais nada a perder. Eu disse, "Por que vocês me contrataram?".

"Eu não paro de me fazer essa pergunta", Tapp disse simpaticamente.

"Foi por causa de Tony Canning?"

"Ah, é. Coitado do Tony. Nós ficamos com ele numa casa segura uns dias antes de ele sumir naquela ilha. Nós sabíamos que ele não ia mais voltar e queríamos garantir que não havia pontos sem nó. Coisa mais triste. Foi numa onda de calor. Ele passou o tempo todo com o nariz sangrando. Nós decidimos que ele era inofensivo."

Nutting acrescentou, "Só por curiosidade, nós apertamos até ele revelar os seus motivos. Ele veio com um monte de baboseiras sobre equilíbrio de poder, mas nós já sabíamos pela nossa fonte de Buenos Aires. Ele foi chantageado. Mil novecentos e cinquenta, só três meses depois de ter casado pela primeira vez. O Centro de Moscou colocou alguém irresistível na frente dele".

"Ele gostava de menininhas", Tapp disse. "Aliás, ele queria que nós lhe entregássemos isso."

Ele segurava um envelope aberto. "Nós já teríamos lhe entregado há meses, mas o pessoal técnico do porão achou que havia alguma chance de ser um código."

Tentei não dar bandeira quando peguei o envelope e enfiei na bolsa. Mas eu tinha reconhecido a letra e estava trêmula.

Tapp percebeu e acrescentou, "Max diz que você andou toda cismada por causa de um pedacinho de papel. Provavelmente fui eu. Eu anotei o nome da ilha dele. Tony tinha mencionado que a pesca de truta por lá é uma maravilha".

Houve uma pausa enquanto esse fato irrelevante se dissipava.

Aí Nutting continuou. "Mas você tem razão. Nós contrata-
mos você só para garantir, caso estivéssemos errados sobre ele.
Para ficar de olho na senhorita. No apagar das velas, o perigo
que você representava era de um tipo mais banal."

"Então vocês vão se livrar de mim."

Nutting olhou para Tapp, que lhe passou a cigarreira. Quando Nutting estava fumando, ele disse, "Não, na verdade não. A
senhorita está em observação. Se conseguir não se meter em
mais problemas, não nos meter em mais problemas, pode ser
que tudo dê certo. A senhorita vai a Brighton amanhã para contar ao Haley que ele não está mais na lista. A senhorita vai manter a cobertura da Fundação, claro. Como, é problema seu. No
que nos diz respeito, a senhorita pode até lhe dizer a verdade
sobre esse romance pavoroso. E a senhorita também vai cortar
suas relações com ele. Mais uma vez, como quiser. No que se
refere a ele, a senhorita deve desaparecer numa nuvem. Se ele
vier procurá-la, é seu dever afastá-lo com firmeza. Diga que encontrou outra pessoa. Que acabou. Entendido?".

Eles ficaram esperando. Mais uma vez, tive a sensação que
às vezes tinha quando o Bispo me chamava ao seu escritório para
uma conversa sobre os meus progressos durante a adolescência.
A sensação de ser malvada e pequena.

Eu fiz que sim.

"Eu quero ouvir."

"Eu entendi o que vocês querem que eu faça."

"Sim. E daí?"

"Eu vou fazer."

"De novo. Mais alto."

"Sim, eu vou fazer tudo isso."

Nutting continuou sentado enquanto Tapp levantou e com
uma mão amarelada educadamente indicou a porta.

Desci um lance de escadas e segui o corredor até um patamar onde havia uma vista da Curzon Street. Olhei por cima do ombro antes de tirar o envelope da bolsa. A folha de papel estava encardida de tanto ser manuseada.

28 de setembro de 1972
Minha menina querida,

Fiquei sabendo hoje que você foi aceita semana passada. Parabéns. Isso me deixa muito feliz. O trabalho vai deixar você se sentindo muito realizada e vai lhe dar muito prazer e eu sei que você vai ser uma boa funcionária.

O Nutting me prometeu fazer essa cartinha chegar às suas mãos, mas sabendo como essas coisas funcionam, receio que vai passar algum tempo antes de eles cumprirem a promessa. E aí você já vai ter ficado sabendo de tudo. Você vai saber por que eu tive que ir embora, por que eu tinha que ficar sozinho, e por que tinha que fazer tudo que estivesse ao meu alcance para afastar você. Eu não fiz nada mais baixo na minha vida inteira do que te deixar ali ilhada naquele recuo de beira de estrada. Mas se eu tivesse dito a verdade, nunca ia conseguir dissuadir você de me acompanhar a Kumlinge. Você é uma moça decidida. Não ia aceitar "não" como resposta. Como eu teria odiado, você me ver desmontar. Você ia ter sido tragada por um poço de dor. Essa doença é impiedosa. Você é jovem demais para isso. Eu não estou morrendo de vontade de ser um mártir nobre e altruísta. Só que sei que posso fazer isso melhor sozinho.

Estou te escrevendo de uma casa em Londres, onde passei umas noites conversando com uns amigos antigos. É meia-noite. Amanhã eu viajo. Quero deixar você não com dor, mas com a gratidão que sinto por toda a alegria que você trouxe para a minha vida num momento em que eu sabia que não havia volta.

Foi fraco e egoísta da minha parte, me envolver com você — foi até cruel. Espero que você me perdoe. Gosto de pensar que você também encontrou um pouco de felicidade. Boa sorte em tudo que você for fazer na vida. Por favor, guarde um cantinho das nossas lembranças para aquelas semanas de verão, aqueles piqueniques maravilhosos na floresta, quando você deu tanta bondade e tanto amor ao coração de um moribundo.

Obrigado, obrigado, meu amor.

Tony.

Fiquei no corredor, fingindo que olhava pela janela, e chorei um pouco. Felizmente não apareceu ninguém. Lavei o rosto no banheiro quando desci e tentei me afundar no trabalho. A nossa parte da seção irlandesa estava num estado de caos calado. Assim que entrei Chas Mount me mandou cotejar e datilografar três memorandos meio sobrepostos que ele tinha escrito de manhã. Eles tinham que virar um só. A questão era que Helium tinha desaparecido. Havia um boato não confirmado de que ele tinha sido descoberto e assassinado, mas desde a noite da véspera nós sabíamos que isso não era verdade. Um relatório de um dos oficiais que estavam lotados em Belfast descrevia a chegada de Helium a uma reunião pré-combinada, mas onde ele ficou apenas dois minutos, tempo bastante para dizer ao seu controlador que estava saindo, indo embora, que estava cansado dos dois lados. Antes que o nosso homem pudesse aplicar alguma pressão ou oferecer vantagens, Helium se afastou. Chas tinha certeza de que sabia o motivo. Os seus memorandos eram versões de um protesto vigoroso contra o quinto andar.

Quando se descobria que um agente secreto não era mais considerado útil, ele podia se ver brutalmente abandonado. Em vez de cuidar dele como tinham prometido, de lhe dar uma nova identidade e uma nova localização para ele e para a sua família, e em vez de lhe dar dinheiro, às vezes os serviços de Segurança achavam mais adequado deixar o homem ser morto pelo inimigo. Ou pelo menos fazer com que parecesse ter sido assim. Mais seguro, mais limpo, mais barato e, acima de tudo, mais garantido. Pelo menos era isso que corria à boca pequena e a situação só piorou depois do caso do agente infiltrado Kenneth Lennon, que tinha feito uma declaração diante do Concílio Nacional pelas Liberdades Civis. Ele ficou entre o Ramo Especial, seu patrão, e o IRA, de quem fornecia informações. Ele tinha descoberto, disse, que o Ramo Especial não queria mais saber dele e tinha dado todas as dicas para o outro lado, que estava atrás dele na Inglaterra. Se o IRA não o pegasse, o Ramo Especial ia cuidar daquilo. Ele disse ao CNLC que não ia viver muito tempo. Dois dias depois foi encontrado morto numa vala em Surrey, com três tiros na cabeça.

"Isso acaba comigo", Chas disse quando entreguei o texto para ele ler. "Esses sujeitos arriscam tudo, nós cortamos contato com eles, e a notícia corre. Aí a gente fica imaginando por que não consegue mais ninguém."

Na hora do almoço fui a uma cabine telefônica na Park Lane e liguei para Tom. Queria avisar que ia chegar no dia seguinte. Ninguém atendeu, mas naquela hora isso não me incomodou muito. Nós tínhamos marcado de conversar de noite, às sete, para discutir os textos da imprensa. Aí eu podia dizer. Eu não estava com vontade de comer e não queria voltar para o trabalho, então fui dar um passeio melancólico pelo Hyde Park. Era março, mas ainda parecia inverno, sem nenhum sinal ainda dos narcisos. A arquitetura nua das árvores parecia marcada contra um céu branco. Pensei nas vezes em que vinha aqui com Max e em como tinha feito ele me beijar, bem ali debaixo daquela árvore. Talvez Nutting tivesse razão e eu não valesse a pena. Parei na cobertura de uma porta, peguei a carta de Tony e li de novo, tentei pensar nela, mas comecei a chorar de novo. Aí voltei ao escritório.

Passei a tarde inteira com uma nova versão do memorando de Chas. Ele tinha decidido, durante o almoço, dar uma suavizada no ataque. Deve ter se dado conta de que o quinto andar não ia gostar de receber críticas de baixo e podia querer se vingar. A nova versão continha frases como "de uma certa perspectiva" e "pode-se dizer que [...] embora devamos reconhecer que o sistema nos rendeu bons frutos". A versão final excluía toda e qualquer referência a Helium — ou a quaisquer outras mortes de agentes infiltrados — e simplesmente defendia que eles deviam ser bem tratados, receber boas identidades falsas quando acabasse o seu tempo útil, para facilitar o recrutamento. Foi só lá pelas seis que eu fui embora, pegando o elevadorzinho vagabundo, dizendo boa-noite para os homens taciturnos que ficavam na porta, que finalmente tinham deixado de fechar a cara para mim quando eu passava por eles.

Precisava entrar em contato com Tom, precisava ler a carta de Tony de novo. Era impossível pensar, tamanho era o caos na minha cabeça. Saí da Leconfield House e estava prestes a seguir para o metrô de Green Park quando vi uma figura do outro lado da rua, à porta de um *nightclub*, com um casaco de gola erguida e um chapéu de aba larga. Soube exatamente quem era. Esperei no meio-fio até os carros passarem, e depois gritei para o outro lado da rua, "Shirley, você está me esperando?".

Ela veio correndo. "Faz meia hora que estou aqui. O que é que você estava fazendo lá dentro? Não, não, não precisa me contar."

Ela me deu dois beijinhos no rosto — o seu novo estilo boêmio. Seu chapéu era de um feltro marrom macio e o casaco estava bem apertado por um cinto que lhe cingia a cintura agora fina. Seu rosto era comprido, com sardas esparsas e estreito, levemente encovado abaixo da maçã do rosto. Era uma transformação enorme. Olhar para ela agora me fazia lembrar o meu ataque de ciúme, e embora Tom tivesse me convencido da sua inocência, eu não conseguia evitar um certo receio.

Ela me segurou pelo braço e foi me levando. "Pelo menos agora está às claras. Anda. Eu tenho tanta coisa pra te dizer."

Nós saímos da Curzon Street e entramos numa ruela onde havia um *pub* pequenininho cujo interior aconchegante de veludo e latão ela antes teria chamado de "metido".

Quando estávamos instaladas atrás dos nossos meios canecos, ela disse, "A primeira coisa é um pedido de desculpas. Não consegui falar com você aquela vez no Pillars. Eu tinha que sair dali. Não estava encarando ficar com muita gente".

"Eu lamento muito pelo seu pai."

Vi uma minúscula ondulação na garganta dela, que continha a emoção liberada pela minha empatia.

"Foi uma coisa horrível para a família. Acabou com a gente."

"O que foi que aconteceu?"

"Ele pisou na rua, por alguma razão olhou para o lado errado e foi atropelado por uma moto. Bem na frente da loja. A única coisa boa que eles conseguiram dizer pra gente foi que ele morreu na hora, nem se deu conta."

Eu dei os meus pêsames, e ela falou um tempo de como a mãe tinha ficado catatônica, de como a família, muito unida, quase tinha se desfeito durante os preparativos do enterro, da falta de um testamento e do que ia acontecer com a loja. O irmão dela, que era jogador de futebol, queria vender o negócio para um amigo. Mas agora a loja, tocada por Shirley, já tinha reaberto, a mãe dela já não estava de cama e já falava. Shirley foi até o bar pegar mais uma rodada e quando voltou o seu tom estava ríspido. Aquele tema estava encerrado.

"Eu vi os textos sobre Tom Haley. Que merda. Imaginei que tinha alguma coisa a ver com você."

Eu nem concordei com a cabeça.

"Que bom se eu tivesse ficado sabendo dessa. Podia ter te avisado que não era boa ideia."

Dei de ombros e bebi a minha cerveja, vagamente me escondendo atrás do copo, imagino, até poder pensar em algo a dizer.

"Tudo bem. Eu não vou ficar sondando. Só queria dizer isso, pôr uma ideiazinha na tua cabeça, e você não precisa me responder já. Você vai achar que estou pondo o carro na frente dos bois, mas pelo que li hoje de manhã, você deve estar correndo um belo risco de ser demitida. Se eu estiver errada, maravilha. E se eu estiver certa, e você estiver sem saída, venha trabalhar para mim. Ou *comigo*. Venha conhecer a ensolarada cidade de Ilford. A gente podia se divertir. Eu posso te pagar mais do dobro do que você está ganhando agora. Aprenda tudo sobre o ramo de camas. Não é a melhor época pras vendas, mas as pessoas sempre precisam ter onde se esticar."

Pus a mão sobre a dela. "É muita bondade sua, Shirley. Se eu precisar, vou pensar bem no assunto."

"Não é caridade. Se você aprendesse como aquilo funciona, eu podia passar mais tempo escrevendo. Olha. Os direitos do meu romance foram leiloados. Eles pagaram uma porra de uma fortuna. E agora alguém comprou os direitos pro cinema. A Julie Christie quer aparecer no filme."

"Shirley! Parabéns! Como é que se chama?"

"A *cadeira das bruxas*."

Ah, é. Uma bruxa, inocente se se afogasse, culpada se sobrevivesse, e aí condenada à morte na fogueira. Uma metáfora para a vida de alguma garota. Eu disse que seria a leitora ideal. Nós falamos sobre o livro dela, e depois sobre o próximo, um caso de amor no século XVIII entre um aristocrata inglês e uma atriz que mora nos cortiços e lhe parte o coração.

Aí Shirley disse, "Então você está com Tom. Genial. Sortuda, você. Quer dizer, ele também. Eu sou só literatura barata, mas ele é dos melhores. Gostei de ele ter recebido o prêmio, mas não sei bem se gosto daquele romancinho esquisito, e não é mole isso que ele está encarando agora. Mas, Serena, acho que ninguém acredita que ele sabia de onde vinha esse dinheiro da bolsa".

"Que bom que você pensa assim", eu disse. Eu estava de olho no relógio que ficava na parede em cima do bar, atrás da cabeça de Shirley. Tinha marcado às sete com Tom. Tinha cinco minutos para me livrar e arranjar uma cabine telefônica tranquila, mas não tinha energia para fazer isso delicadamente. Falar em camas tinha despertado o meu cansaço.

"Preciso ir", eu resmunguei dentro do copo.

"Primeiro você tem que ouvir a minha teoria de como isso vazou para a imprensa."

Eu levantei e peguei o casaco. "Depois você me conta."

"E você não quer saber por que eles me despediram? Achei que você ia estar cheia de perguntas." Ela ficou de pé ao meu lado, me impedindo de sair de trás da mesa.

"Agora não, Shirley. Eu tenho que achar um telefone."

"Quem sabe um dia você me conta por que eles colocaram os Vigilantes em cima de você. Eu é que não ia começar a dedurar a minha amiga. Fiquei com muita vergonha de ter aceitado aquilo. Mas não foi por isso que eles me deram um pé na bunda. Eles têm um jeitinho de te informar as coisas. E não me chame de paranoica. Não é a minha escola, nem a minha universidade, nem o meu sotaque, nem a minha atitude. Em outras palavras, incompetência generalizada."

Ela me puxou e me deu um abraço e dois beijinhos de novo. Aí pôs um cartão pessoal na minha mão.

"Eu vou deixar as camas bem quentinhas pra você. E pense

no assunto. Seja gerente, inaugure uma cadeia de lojas, funde um império! Mas anda, querida. Dobre à esquerda ali e tem uma cabine telefônica logo na frente. Diga que eu mando um beijo."

Cheguei cinco minutos atrasada ao telefone. Ninguém atendeu. Larguei o fone, contei até trinta e tentei de novo. Liguei para ele da estação Green Park e de novo de Camden. Em casa eu fiquei sentada na cama, ainda de casaco, e li a carta de Tony mais uma vez. Se não estivesse preocupada com o Tom, poderia ter visto os primeiros sinais de consolo bem ali. O leve alívio de uma dor antiga. Fiquei esperando os minutos passarem até que me parecesse decente ir até a cabine da Camden Road. Fiz o trajeto quatro vezes naquela noite. A última foi às onze e quarenta e cinco, quando pedi para a telefonista verificar se a linha estava com problemas. Quando voltei para a St. Augustine's Road e já estava pronta para deitar, quase me vesti e saí pela última vez. Em vez disso, fiquei deitada no escuro e invoquei todas as explicações inofensivas em que consegui pensar, na esperança de me distrair das que não tinha coragem de formular. Pensei em ir a Brighton imediatamente. Não havia uma coisa chamada trem do leite? Será que não era a chegada a Londres que se dava nesse horário, em vez da partida? Aí eu mantive a minha cabeça afastada das piores possibilidades concebendo uma distribuição de Poisson. Quanto mais vezes ele não atendia o telefone, menos provável era que ele atendesse na próxima vez. Mas certamente o fator humano bagunçava isso tudo, pois ele uma hora tinha que voltar para casa — e foi então que o meu cansaço da noite anterior me derrubou e eu não me dei conta de mais nada até o despertador tocar às seis e quarenta e cinco.

Eu já tinha chegado ao metrô de Camden na manhã seguinte quando percebi que tinha saído de casa sem a chave do apartamento do Tom. Então tentei ligar de novo da estação, deixando o telefone tocar por mais de um minuto para o caso de ele estar dormindo, e aí voltei macambúzia para a St. Augustine's Road. Pelo menos eu não estava carregando malas. Mas qual era o sentido da minha missão em Brighton se ele não estava? Eu sabia que não tinha escolha. Tinha que ver com os meus próprios olhos. Se ele não estava lá, a minha procura por ele começaria no apartamento. Encontrei a chave numa bolsa e saí de novo.

Meia hora depois eu estava atravessando o pátio da Victoria Station contra a maré de passageiros que jorrava dos trens suburbanos que vinham do sul. Por acaso dei uma olhada para a esquerda, bem quando a multidão se abriu, e vi uma coisa das mais absurdas. Vi num relance o meu próprio rosto, e aí a fresta se fechou e a visão desapareceu. Virei rapidamente para a direita, abri caminho à força, me livrei da multidão e corri os últimos metros que me separavam da fachada da banca de jornais Smith. Lá estava eu, desmascarada. Era o *Daily Express*. Eu estava de braço dado com Tom, nós dois com a cabeça carinhosamente inclinada, caminhando na direção da câmera, com o restaurante Wheeler fora de foco atrás de nós. Acima da fotografia, a manchete numa caixa-alta horrenda exclamava, A ESPIÃ SENSUAL DE HALEY. Eu peguei um exemplar, dobrei no meio e entrei na fila para pagar. Não queria ser vista perto de uma imagem de mim mesma, então levei o jornal para um banheiro público, me tranquei num cubículo e fiquei ali sentada tanto tempo que até perdi o meu trem. Nas páginas internas havia mais duas fotos. Uma mostrava Tom e eu saindo da casa dele, o nosso "ninho de amor", e outra era de nós dois nos beijando à beira-mar.

Apesar do tom esbaforido de excitação e ultraje, praticamente todas as palavras do artigo tinham certo elemento de verdade. Eu era descrita como uma "agente disfarçada", que trabalhava para o MI5, educada em Cambridge, "especialista" em matemática, estabelecida em Londres, que tinha a responsabilidade de ser o contato entre o Serviço e Tom Haley para o pagamento de uma bolsa generosa. O rastro do dinheiro era descrito vaga mas adequadamente, com referências à Fundação Liberdade Internacional assim como à Escrita sem Penas. A declaração de Tom, de que nunca tinha tido qualquer ligação com um membro dos serviços de Inteligência, estava destacada em negrito. Um porta-voz do secretário do Interior, Roy Jenkins, disse ao jornal que se tratava de uma questão de "grande importância" e que os funcionários relevantes tinham sido convocados para uma reunião ainda hoje. Falando pela oposição, o próprio Edward Heath disse que, se fosse verdadeira, aquela história mostrava que o governo "já tinha perdido o rumo". Mas, o que era mais significativo, Tom tinha dito a um repórter que não tinha "nada a declarar".

Isso teria sido ontem. Então ele deve ter desaparecido. Senão, como explicar aquele silêncio? Saí do cubículo, joguei o jornal no lixo e consegui por pouco pegar o próximo trem. Ultimamente todas as minhas viagens a Brighton tinham sido nas sextas à noite, no escuro. Desde a primeira vez, quando fui até a universidade com a minha melhor roupa para entrevistar Tom, nunca mais tinha atravessado o Sussex Weald em plena luz do dia. Olhando agora para a paisagem, para o charme das suas sebes e árvores nuas que estavam só começando a ganhar corpo naquele princípio de primavera, senti de novo aquele desejo e aquela vaga frustração que vinham com a ideia de que estava vivendo a vida errada. Eu não tinha escolhido sozinha aquela vida. Dependia tudo do acaso. Se não tivesse conhecido Jeremy, e portanto Tony, não estaria nessa confusão, viajando em alta velocidade rumo a um certo tipo de catástrofe que eu não ousava contemplar. O meu único consolo era o adeus de Tony. Apesar de toda a dor que existia ali, a questão estava fechada e eu pelo menos tinha aquela lembrança. Aquelas semanas de verão não eram uma fantasia particular minha, elas foram vividas por duas pessoas. Aquilo tinha sido tão importante para ele quanto para mim. Mais até, já que eram os seus últimos dias. Eu tinha provas do que tinha se passado entre nós, eu tinha sido algum consolo.

Nunca tive a intenção de obedecer à ordem de Nutting e Tapp de romper tudo com Tom. O privilégio de encerrar o nosso caso pertencia a ele. As manchetes de hoje significavam que o meu tempo com o Serviço tinha chegado ao fim. Eu nem precisava ser desobediente. As manchetes também significavam que Tom não tinha escolha; tinha que se livrar de mim. Eu estava quase torcendo para não encontrá-lo no apartamento, para ser poupada do confronto final. Mas aí eu ficaria em agonia, seria intolerável. E então fiquei remexendo no meu problema e no meu fiapo de alívio e fiquei entorpecida até o trem parar com um baque no axadrezado da caverna de aço do terminal de Brighton.

Enquanto subia o morro atrás da estação, eu achava que o grasnar sofrido das gaivotas tinha uma nota enfaticamente descendente, uma cadência terminal muito mais forte que o normal, como as previsíveis notas finais de um hino. O ar, com o seu gosto de sal, fumaça de escapamento e fritura, me deixava com saudade dos fins de semana tão leves. Era provável que eu nunca mais fosse voltar. Diminuí o passo quando virei para a Clifton Street, esperando ver jornalistas diante do prédio onde Tom morava. Mas as calçadas estavam vazias. Abri a porta e comecei a subir as escadas até o apartamento do sótão. Passei pelo som de música *pop* e pelo cheiro de um café da manhã sendo preparado no segundo andar. Hesitei na frente da porta dele, bati firme e inocentemente para espantar os demônios, esperei, e aí me atrapalhei com a chave, girei primeiro para o lado errado, xinguei baixinho, e abri a porta de um golpe.

A primeira coisa que vi foram os sapatos dele, aqueles sapatos marrons gastos, com o bico apontando levemente para dentro, uma folha grudada do lado de dentro de um dos saltos, cadarços no chão. Eles estavam embaixo da mesa da cozinha. Fora isso, a sala estava incomumente organizada. Todas as panelas e toda a louça estavam guardadas, os livros arrumados em pilhas organizadas. Eu segui até o banheiro, ouvi o rangido conhecido das tábuas, como uma música antiga de outro tempo. O meu pequeno repertório de cenas de suicídio no cinema incluía um corpo pudicamente dobrado dentro da banheira com uma toalha ensanguentada no pescoço. Felizmente, a porta estava aberta e eu não precisei entrar para ver que ele não estava lá. Restava o quarto.

A porta estava fechada. Mais uma vez, estúpida, eu bati e fiquei esperando porque achei ter ouvido uma voz. Aí prestei atenção de novo. Vinha da rua, ou de um rádio num dos apartamentos de baixo. Ouvi também o tambor do meu coração. Virei a maçaneta e abri a porta, mas fiquei onde estava, amedrontada demais para entrar. Eu podia ver a cama, toda, e ela estava arrumada, e a colcha com estampa indiana estava bem ajeitadinha. Ela normalmente ficava embolada no chão. O quarto era pequeno demais para que houvesse mais algum esconderijo.

Sentindo enjoo e sede, voltei para a cozinha para tomar água. Foi só quando estava me afastando da pia que vi o que estava na mesa da cozinha. Os sapatos devem ter me distraído. Havia um pacote embrulhado com papel pardo e amarrado com barbante e, em cima dele, um envelope branco com o meu nome escrito com a letra dele. Primeiro eu tomei a água, depois sentei à mesa, abri o envelope e comecei a ler a minha segunda carta do dia.

22.

Cara Serena,

você pode estar lendo esta carta no trem, voltando para Londres, mas o meu palpite é que você está sentada à mesa da cozinha. Se for isso mesmo, desculpa o estado da casa toda. Quando comecei a tirar tudo daí e esfregar o chão me convenci de que estava fazendo essas coisas para você — desde a semana passada o seu nome está no registro do prédio e o apartamento pode vir a ser útil. Mas agora que acabei, eu fico olhando em volta e pensando se você vai achar o apartamentinho esterilizado, ou pelo menos estranho, despido assim da vida que nós tivemos aqui, com todos os bons momentos apagados. Você não vai sentir falta das caixas de papelão cheias de garrafas vazias de Chablis e daquelas pilhas de jornais que a gente lia junto, na cama. No fim acho que eu estava mesmo limpando para mim. Estou encerrando essa história, e a arrumação sempre comporta um grau de esquecimento. Considere isso tudo uma forma de isolamento. Além disso, eu tinha que limpar o caminho antes de conseguir te escrever esta carta, e talvez (será que eu consigo te dizer uma coisa dessas?) com toda essa faxina eu estivesse apagando você, você como você foi.

Desculpa por não atender ao telefone. Andei evitando jornalistas, e andei evitando você porque não parecia ser uma hora boa para a gente conversar. Acho que a esta altura eu te conheço suficientemente bem e aposto que você vai aparecer aqui amanhã. As suas roupas estão todas arrumadas, na parte de baixo do guarda-roupa. Não vou te contar como fiquei enquanto ia dobrando as suas coisas, mas me arrastei para cumprir essa tarefa, como quem está olhando um velho álbum de fotografias. Lembrei de você vestida com as mais variadas roupas. Achei no fundo do guarda-roupa, toda embolada, a jaqueta de veludo preto que você estava usando no Wheeler na noite em que tentou me explicar o problema de Monty Hall. Antes de dobrar a jaqueta, eu fechei todos os botões com a sensação de quem está trancando uma gaveta, ou trancando algo na gaveta. Eu ainda não entendo a probabilidade. Ao mesmo tempo, embaixo da cama, a sainha curta laranja de pregas que você estava usando naquele encontro na National Portrait Gallery, a saia que ajudou a começar tudo isso, do meu ponto de vista. Eu nunca tinha dobrado uma saia na vida. Aquela não foi fácil.

Datilografar 'dobrado' me faz lembrar que a qualquer momento, antes de eu terminar, você pode meter esta carta de volta no envelope, magoada ou brava ou sentindo culpa. Por favor, não faça isso. Isso não é uma longa acusação, e eu te prometo que vai acabar bem, pelo menos em certas áreas. Não desista. Deixei o aquecimento ligado para tentar você a permanecer bem aí. Se você ficar cansada, a cama é sua, os lençóis estão limpos, todos os vestígios dos nossos eus do passado perdidos na lavanderia que fica na frente da estação. Tinha uma funcionária lá, e essa senhora concordou em passar a roupa, por uma libra a mais. Lençóis passados, o privilégio subestimado dos tempos de infância. Mas eles também me lembram uma página em branco. A página em branco em grande escala, e sensual. E essa página certamente estava bem grande na minha cabeça antes do Natal, quando eu estava convencido de que nunca mais escreveria ficção. Eu te falei do meu bloqueio depois que a gente foi entregar *Das planícies* a Tom Maschler. Você delicadamente (e em vão) me encorajou, embora agora eu saiba que você tinha bons motivos profissionais. Passei quase o mês de dezembro inteiro encarando aquela página em branco. Achava que estava ficando apaixonado, mas não conseguia ter uma ideia que prestasse. E aí ocorreu uma coisa extraordinária. Alguém veio conversar comigo.

Aconteceu depois do Natal, quando eu tinha levado a minha irmã de volta para o albergue dela em Bristol. Eu me sentia vazio depois de todas aquelas cenas com a Laura e não estava com grandes vontades de voltar de carro para Sevenoaks. Acho que devia estar um pouco mais passivo do que normalmente sou. Quando um desconhecido me abordou no que eu estava entrando no carro, eu estava com a guarda baixa. Não pensei automaticamente que fosse um mendigo ou um vigarista. Ele sabia o meu nome e me disse que precisava me contar uma coisa importante sobre você. Como ele parecia inofensivo e eu estava curioso, deixei ele me pagar um café. Você já deve ter adivinhado que era Max Greatorex. Ele deve ter me seguido desde Kent, e talvez até antes disso, desde Brighton. Eu nem perguntei. Confesso que menti para você sobre os meus deslocamentos. Não fiquei em Bristol para passar um tempo com Laura. Fiquei ouvindo o seu colega por umas horas naquela tarde, e passei duas noites num hotel.

Aí nós fomos sentar numa relíquia escura e fedorenta dos anos 1950, coberta de azulejos como um banheiro público, e tomamos o pior café que eu já pus na boca. Tenho certeza de que Greatorex só me contou um pedacinho da história. Primeiro, ele me disse para quem vocês dois trabalhavam. Quando eu pedi provas, ele me mostrou vários documentos internos, alguns referentes a você, e outros eram notas escritas com a sua letra em papel timbrado, e dois deles incluíam fotos suas. Ele disse que tinha tirado aqueles documentos do escritório e que isso o colocava numa posição muito arriscada. Aí ele me apresentou a *Operação Tentação*, apesar de não me dizer o nome dos outros escritores. Ter um romancista nos quadros, ele disse, foi uma ideia exótica que apareceu só no final do processo. Ele me disse que adorava literatura, conhecia e gostava dos meus contos e dos meus artigos e que a oposição que ele já tinha ao projeto ficou mais forte quando soube que eu estava na lista. Ele disse que tinha medo de que se um dia vazasse a informação de que eu era financiado por uma agência de Inteligência, eu jamais sobrevivesse à desgraça. Eu não tinha como saber na ocasião, mas ele não estava sendo exatamente sincero quanto aos seus motivos.

Aí ele começou a falar de você. Como você era linda além de inteligente — na verdade, a palavra foi "astuta" —, você foi considerada a pessoa ideal para o trabalho de ir até Brighton e fechar comigo. Não era o estilo dele usar uma expressão vulgar como chamariz, mas era isso que eu estava ouvindo. Eu fiquei irritado e tive um momento mate-o-mensageiro e quase dei uma porrada no nariz dele. Mas tenho que reconhecer que ele se esforçou para não deixar transparecer que estava adorando me contar aquilo. O tom dele era lamurioso. Ele me informou com delicadeza que certamente preferiria estar aproveitando a sua curta folga para as festas e não ter vindo discutir essa minha questão sórdida. Ele estava arriscando a sua carreira, o seu emprego, e até a sua liberdade com essa quebra de protocolos de segurança. Mas, para ele, sinceridade, literatura e decência eram coisas importantes. Pelo menos foi o que ele disse.

Ele descreveu a sua "fachada", a Fundação, as somas precisas e todo o resto — em parte, imagino, como corroboração da sua história. E àquela altura eu não tinha mais dúvidas. Eu estava tão acelerado, tão quente e agitado que tive que dar uma saída. Fiquei um tempo subindo e descendo a rua. Eu estava mais do que puto. Aquilo era um novo estágio de ódio — de você, de mim, de Greatorex, do Bombardeio de Bristol e dos horrores baratos e assombrosos que os construtores do pós-guerra tinham metido no lugar dos prédios antigos. Fiquei pensando se havia um único dia em que você não tivesse me contado uma mentira direta ou implícita. Foi aí que eu me escondi no recuo da porta de uma loja abandonada e tentei e não consegui vomitar. Para tirar o seu gosto das minhas entranhas. Então voltei para o Kwik-Snax, para ouvir mais.

Eu estava me sentindo mais calmo quando sentei, e consegui dar uma examinada no meu informante. Embora ele fosse da minha idade, tinha modos seguros, aristocráticos, a assinatura do funcionário público bem-educado. Pode ser que ele estivesse me tratando com condescendência. Não fazia diferença para mim. Ele parecia meio extraterrestre, com aquelas orelhas montadas em montes de carne ou de osso. Como ele é um sujeito mirrado, com um pescoço fino e um colarinho grande demais para o tamanho dele, fiquei surpreso ao saber que você um dia se apaixonou por ele, a ponto de ficar obcecada, a ponto de levar a noiva dele a abandoná-lo. Não teria imaginado que ele pudesse ser seu tipo, nem de longe. Eu lhe perguntei se o motivo de ele falar comigo era ressentimento. Ele negou. O casamento teria sido um desastre, e de certa forma ele te agradecia.

Nós repassamos mais uma vez a história da *Tentação*. Ele me disse que não era nada incomum que as agências de Inteligência promovessem a cultura e cultivassem o tipo certo de intelectuais. Os russos faziam, por que nós não faríamos? Era a Guerra Fria de ideias. Eu disse a ele o que te disse sábado. Por que não dar o dinheiro abertamente, através de algum outro departamento do governo? Por que usar uma operação secreta? Greatorex suspirou e ficou me olhando, balançando a cabeça, piedoso. Ele disse que eu tinha que entender que qualquer instituição, qualquer organização acaba se tornando um domínio fechado, competitivo, movido pela sua própria lógica e dedicado a sobreviver assim como a ampliar o seu território. Era inexorável e cego como um processo químico. O MI6 tinha ganhado o controle de uma seção secreta do Escritório do Exterior e o MI5 queria um projeto também. Os dois queriam impressionar os americanos, a CIA — que nos últimos anos tinha bancado uma parcela maior da cultura da Europa do que as pessoas jamais se dariam conta.

Ele voltou comigo até o carro e àquela altura estava chovendo pesado. Nós não gastamos muito tempo com as despedidas. Antes de apertar a minha mão ele me deu o telefone da casa dele. Disse que lamentava ser o portador de uma notícia dessas. A traição era uma coisa feia e ninguém deveria ser obrigado a lidar com ela. Esperava que eu conseguisse dar um jeito nisso tudo. Quando ele foi embora, fiquei sentado no carro com a chave balançando na mão. A chuva estava caindo como se fosse o fim do mundo. Depois do que tinha ouvido, eu não tinha como encarar a estrada ou os meus pais ou voltar à Clifton Street. Não ia passar o Ano-Novo com você. Não conseguia pensar em fazer mais nada, a não ser ficar olhando a chuva lavar a rua imunda. Depois de uma hora fui a uma agência do correio e te mandei um telegrama, aí achei um hotel, um hotel decente. Pensei que podia muito bem gastar com luxos o restinho do dinheiro suspeito. Como eu estava com pena de mim, pedi uma garrafa de *scotch* no quarto. Dois dedos daquilo com a mesma quantidade de água bastaram para me convencer de que eu não queria ficar bêbado, não às cinco da tarde. Também não queria ficar sóbrio. Eu não queria nada, nem desaparecer.

Mas além da existência e do desaparecimento há um terceiro lugar possível. Então eu fiquei deitado naquela cama de seda e pensei em você, e revi as cenas que mais me fariam mal. A nossa primeira transa toda errada, a nossa segunda, maravilhosa, toda aquela poesia, os peixes, baldes de gelo, histórias, a política, os encontros de sexta à noite, o bom humor, os banhos juntos, o sono juntos, todos os beijos e carícias e línguas que se tocam — como você era boa em dar a ver que era só o que parecia, só você mesma. Rancorosamente, sardonicamente, eu te desejei uma carreira meteórica. Aí eu quis mais. Queria te dizer que naquela hora, se a sua linda gargantinha branca tivesse aparecido deitada no meu colo e me metessem uma faca na mão, eu teria resolvido tudo sem piscar. É o motivo, é o motivo, minh'alma. Ao contrário de mim, Otelo não queria derramar sangue. Ele era um bundão.

Não vá embora agora, Serena. Continue lendo. Este momento não dura muito. É verdade que eu te odiei, e me detestei por ter sido enganado, por ter sido o bobo cheio de si que se convenceu tão facilmente de que a fonte de ouro era mérito seu, assim como a linda mulher nos seus braços, quando a gente passeava pela beira-mar de Brighton. Assim como o prêmio Austen, que eu aceitei sem muita surpresa como algo que era meu de direito.

É verdade, eu fiquei espalhado na minha cama gigante com dossel, sobre uma colcha de seda com motivos medievais de caça, e fui atrás de toda a dor e de todas as ofensas que a memória conseguia espantar dos arbustos. Aqueles longos jantares no Wheeler, as taças erguidas em brinde, a literatura, a infância, a probabilidade — tudo isso se coagulou numa única carcaça carnuda, girando lentamente como um bom assado no espeto. Eu estava pensando no tempo antes do Natal. Pois a gente não estava deixando escapar nas nossas conversas as primeiras insinuações de um futuro comum? Mas que futuro nós poderíamos ter tido se você não estava me dizendo quem você era? Onde é que você achava que aquilo ia acabar? Claro que você não pretendia guardar esse segredo pelo resto da nossa vida. O *scotch* que eu tomei às oito daquela noite foi mais gostoso que o das cinco. Bebi mais um sem água e pedi uma garrafa de Bordeaux e um sanduíche de presunto. Nos quarenta minutos que o serviço de quarto levou para chegar, eu continuei com o *scotch*. Mas não fiquei torto de bêbado, não quebrei o quarto nem fiquei fazendo ruídos animalescos ou rogando pragas contra você. Em vez disso, eu te escrevi uma carta enlouquecida no papel timbrado do hotel, achei um selo, enderecei o envelope e meti no bolso do casaco. Tomei mais um copo de vinho, pedi um segundo sanduíche, não tive mais ideias coerentes e estava manso, adormecido, às dez.

Acordei algumas horas depois na total escuridão — as cortinas do quarto eram grossas — e entrei num daqueles momentos de amnésia tranquila mas total. Podia sentir uma cama confortável embaixo do meu corpo, mas quem eu era e onde estava eu não conseguia entender. Durou só alguns segundos, esse episódio de existência pura, o equivalente mental de uma página em branco. Inevitavelmente, a narrativa foi retomando corpo, com os detalhes mais próximos chegando primeiro — o quarto, o hotel, a cidade, Greatorex, você; depois, os fatos maiores da minha vida — o meu nome, as minhas circunstâncias gerais. Foi aí, quando eu sentei e tateei para achar o interruptor ao lado da cama, que eu vi toda essa questão da *Tentação* em termos completamente diferentes. Aquela breve amnésia purificadora tinha me levado ao mundo do bom senso. Aquilo não era, ou não era só, uma traição desgraçada ou um desastre pessoal. Eu tinha ficado preso demais à ofensa que tinha sofrido e não tinha visto aquilo de verdade — como uma oportunidade, uma dádiva. Eu era um romancista sem romance, e agora o acaso tinha jogado um belo de um osso na minha direção, o esboço de uma história útil. Uma espiã estava na minha cama, a cabeça dela estava no meu travesseiro, os lábios dela estavam grudados na minha orelha. Ela escondia os seus motivos reais e, o que era crucial, não sabia que eu sabia. E eu não ia contar. Então eu não ia confrontar você, não haveria acusações ou uma briga final e uma separação, ainda não. Em vez disso, silêncio, discrição, uma espera paciente, e literatura. Os eventos decidiriam a trama. Os personagens já estavam prontos. Eu não ia inventar nada, só registrar. Ia ficar olhando você trabalhar. Eu também podia ser espião.

Eu estava sentado na cama, com a boca aberta, encarando a parede do outro lado, como alguém que olha o fantasma do pai atravessar a parede. Tinha vislumbrado o romance que ia escrever. Também tinha visto os perigos. Eu ia continuar a receber o dinheiro sabendo muito bem de onde ele vinha. Greatorex sabia que eu sabia. Isso me deixava vulnerável, e lhe dava poder sobre mim. Será que aquele romance foi concebido num espírito de vingança? Bom, não, mas você me libertou, isso sim. Você não me perguntou se eu queria participar da *Tentação*, eu não ia perguntar se você queria estar na minha história. Ian Hamilton me contou uma vez de outro escritor que tinha colocado detalhes íntimos do casamento dele num romance. A mulher ficou ofendida ao ver a vida sexual deles e as suas conversas íntimas reproduzidas nos mínimos detalhes. Ela pediu o divórcio e ele se arrependeu pelo resto da vida, inclusive porque ela era muito rica. No nosso caso isso não era problema. Eu podia fazer o que quisesse. Mas não podia ficar aqui muito tempo de queixo caído. Eu me vesti às pressas, peguei o meu caderno e enchi todas as páginas em duas horas. Eu só tinha que contar a história como a via, do momento em que você entrou no meu gabinete na universidade até o meu encontro com Greatorex — e além.

Na manhã seguinte, com a cabeça zumbindo de tanto entusiasmo, saí antes do café da manhã e comprei três cadernos grandes de um jornaleiro boa-praça. Decidi que afinal Bristol era um lugar bem bacana. Já no quarto de novo eu pedi o café e comecei a trabalhar, tomando notas, determinando as sequências, compondo um ou outro parágrafo para testar. Escrevi quase metade de um capítulo de abertura. No meio da tarde eu estava me sentindo incomodado. Duas horas depois, quando eu li tudo, joguei a caneta com um grito e levantei de repente, derrubando a cadeira atrás de mim. Merda! Aquilo estava chato, aquilo não tinha vida. Eu tinha coberto quarenta páginas, sem nem pensar. Nenhuma dificuldade ou resistência ou ânimo, nenhuma surpresa, nada de rico ou de estranho. Sem som, sem torque. Em vez disso, tudo que eu vi e ouvi e disse e fiz estava alinhado como uma fileira de feijõezinhos. Não era mera incompetência desajeitada, superficial. Enterrado bem no fundo do conceito havia um defeito, e até essa palavra parecia boa demais para o que eu estava tentando descrever. Aquilo simplesmente não era interessante.

Eu estava estragando uma dádiva preciosa e estava com nojo. Dei uma volta pela cidade na escuridão do começo da noite e fiquei pensando se afinal não devia postar aquela carta. O problema, eu decidi, era eu. Sem pensar, estava me apresentando como o típico herói de um romance cômico inglês — inepto e quase inteligente, passivo, sincero, esmiuçadíssimo, tensamente sem graça. *Lá estava eu, cuidando da minha vidinha, pensando na poesia do século XVI, quando, ora vejam, entra no meu gabinete uma moça linda que me oferece uma bolsa.* O que será que eu estava protegendo, com essa camada de farsa? Toda a mágoa, eu supunha, em que ainda não tinha tocado.

Caminhei até a ponte suspensa Clifton, onde, dizem, às vezes você podia ver um futuro suicida avaliando o cenário, calculando a queda. Atravessei a rua e parei no meio do caminho para encarar o negror do desfiladeiro. Estava pensando de novo na nossa segunda vez. No seu quarto, na manhã depois do White Tower. Lembra? Eu fiquei deitado nos travesseiros — que delícia — e você balançava em cima de mim. Uma dança de êxtase. Na minha leitura, naquele tempo, o seu rosto olhando para mim mostrava apenas prazer e os princípios de uma afeição verdadeira. Agora que eu sabia o que você sabia, o que você tinha que esconder, eu estava tentando imaginar ser você, estar em dois lugares ao mesmo tempo, amando e... *relatando*. Como é que eu podia entrar naquilo e relatar o que vi? E foi isso. Eu entendi. Mais do que simples. Não era eu quem tinha que contar aquela história. Era você. O seu trabalho era relatar por mim. Eu precisava sair do meu corpo e entrar no seu. Eu precisava ser traduzido, ser travestido, me enfiar nas suas saias e saltos altos, nas suas calcinhas, e levar a sua bolsinha branca e brilhante pela alça. No meu ombro. E aí começar a falar, como você. Será que eu te conhecia assim tão bem? Obviamente não. Será que eu era assim tão bom como ventríloquo? Só havia um jeito de descobrir. Eu precisava começar. Tirei do bolso a carta que tinha escrito para você e rasguei, e soltei os pedacinhos na escuridão da garganta do Avon. Aí voltei correndo, acabei parando um táxi e passei aquela virada de ano e um tanto do dia seguinte no meu quarto de hotel enchendo outro caderno, testando a sua voz. Então saí depois do horário do *checkout* e devolvi o carro aos meus angustiados pais.

Você se lembra do nosso primeiro encontro depois do Natal? Devia ser dia 3 ou 4 de janeiro, mais uma das nossas noites de sexta. Você deve ter percebido que fiz questão de ir te encontrar na estação. Talvez tenha passado pela sua cabeça que isso não era normal. Eu sou um ator horrível e estava com medo de que fosse impossível agir com naturalidade diante de você, com medo de que você sacasse tudo. Você ia saber que eu sabia. Mais fácil te receber numa plataforma cheia de gente que no silêncio do apartamento. Mas quando o seu trem chegou e eu vi encostar o vagão em que você vinha, com você tão linda se esticando para pegar a bolsa em cima do maleiro e, segundos depois, com aquele abraço tão poderoso, eu senti um desejo tão grande por você que não precisei fingir nada. Nós nos beijamos e eu soube que ia ser fácil. Eu podia querer você e te observar. As duas coisas não eram mutuamente excludentes. Na verdade, elas se alimentavam. Quando nós fizemos amor uma hora depois, você estava tão doce e tão inventivamente possessiva, embora continuasse com o seu fingimento de sempre — vou dizer do jeito mais simples: aquilo me excitou. Eu quase desmaiei. E foi assim que começou o que você bondosamente chamava de meu "estado porco-no-cocho". E multiplicou os meus prazeres, saber que eu podia me recolher à máquina de escrever para descrever o momento, do seu ponto de vista. O nosso ambíguo ponto de vista, que teria que incluir a sua compreensão, a sua visão de mim, amante e nome da lista da *Tentação*. A minha tarefa era me reconstruir pelo prisma da sua consciência. Se eu me pintei com belas cores, foi por causa das coisas boas que você dizia de mim. Com esse refinamento recursivo, a minha missão era ainda mais interessante que a sua. Os seus chefes não exigiam que você investigasse como você mesma parecia aos meus olhos. Eu estava aprendendo a fazer o que você faz, e aí aprimorar esse procedimento com mais uma dobra no tecido da ilusão. E como eu me apliquei bem a essa tarefa.

Aí, umas horas depois, Brighton Beach — precisamente Hove, que não tem ressonâncias muito românticas, apesar de quase rimar com *love*. Pelo que era apenas a segunda vez no nosso caso eu estava deitado de costas, agora com seixos úmidos gelando o meu cóccix. Um policial que estivesse passando pelo passeio teria botado nós dois na cadeia por atentado ao pudor. Como é que nós teríamos conseguido explicar para ele aqueles mundos paralelos que estávamos tecendo à nossa volta? Numa única órbita, o nosso mútuo engodo, novidade no meu caso, normal no seu, pos-

sivelmente viciante, provavelmente fatal. Na outra, a nossa afeição explodindo em êxtase para virar amor. Nós finalmente chegamos ao glorioso ápice e trocamos os nossos "eu-te-amo" ainda
que mantivéssemos cada um o seu segredo. Eu vi como nós poderíamos fazer, viver com esses compartimentos lacrados lado a
lado, sem nunca deixar que o fedor de um invadisse a doçura do
outro. Se eu mencionar de novo como foi precioso o nosso sexo
depois do meu encontro com Greatorex, eu sei que você vai estar pensando em "Penhornografia". (Como me arrependo desse
trocadilho no título.) O marido palerma com tesão pela mulher
que roubava as coisas dele, com o seu prazer potencializado pelo
fato de secretamente saber da traição dela. Tudo bem, ela foi um
ensaio de você antes de eu saber que você existia. E eu não nego
que a raiz comum sou eu. Mas estou pensando em outro conto,
aquele do irmão do vigário que acaba amando a mulher que vai
destruí-lo. Você sempre gostou desse. E que tal a escritora levada
a escrever o seu segundo romance graças ao espectro das maca-
quices do amante? Ou o bobo que acredita que a sua amada é
real quando na verdade ele a criou num sonho e ela é apenas
uma imitação, uma cópia, uma falsidade?

Mas não saia da cozinha. Não desista de mim. Me dê uma
chance de exorcizar esse rancor. E vamos falar de pesquisa. Quando você chegou a Brighton naquela sexta, eu tinha me encontrado de novo com Max Greatorex, na casa dele em Egham,
Surrey. Já na época me surpreendeu o quanto ele era franco, me
informando sobre reuniões da *Tentação*, sobre os vários encontros de vocês no parque e no escritório dele, sobre a visita que
ele fez tarde da noite à St. Augustine's Road e, de modo geral,
sobre o trabalho de vocês. Quanto mais eu ficava sabendo, mais
ficava imaginando se ele estava desejando, de alguma maneira
autodestrutiva, tornar-se o Quarto Homem, ou se estava competindo sexualmente com o seu querido Tony Canning. Max me

garantiu que a *Tentação* era uma coisa tão baixa na hierarquia que mal tinha importância. Eu também fiquei com a impressão de que ele já tinha decidido abandonar o Serviço de Segurança e ir fazer outra coisa da vida. Agora sei, graças a Shirley Shilling, que o objetivo dele ao ir me ver em Bristol era acabar com a nossa história. Ele foi indiscreto porque só queria destruir você. Quando pedi para me encontrar de novo com ele, ele achou que o que me levava a isso era uma obsessão enfurecida, que ele gostou de alimentar. Depois, ficou surpreso ao descobrir que eu ainda estava com você. Ficou furioso quando soube que você pretendia ir ao evento do prêmio Austen no Dorchester. Então ligou para os seus contatos na imprensa e nos jogou para os cães. No total, eu me encontrei três vezes com ele este ano. Ele me deu tanta coisa, foi tão prestativo. Pena que eu deteste o sujeito. Ele me contou a história de Canning, como ele foi entrevistado pela última vez numa casa segura antes de seguir para morrer no Báltico, como ele estava com o nariz sangrando, que acabou com um colchão e criou umas fantasias horrendas na sua cabeça. Greatorex achava isso tudo muito divertido.

Na nossa última reunião ele me deu o endereço da sua velha amiga Shirley Shilling. Eu tinha ouvido falar dela nos jornais, sobre como uma agente inteligente tinha conseguido ofertas de cinco editoras pelo primeiro romance que ela escreveu, sobre como estavam fazendo fila para comprar os direitos de adaptação para o cinema em LA. Ela estava de braço dado com Martin Amis quando nós lemos juntos em Cambridge. Gostei dela, e ela te adora. Ela me falou das noites de vocês ouvindo *pub-rock* em Londres. Quando falei que sabia do seu trabalho, ela me contou da ocasião em que vocês foram faxineiras juntas e de como pediram para ela espionar você. Também mencionou o seu antigo amigo Jeremy, então enquanto eu estava em Cambridge fui até a faculdade em que ele se formou e peguei seu endereço postal em Edimburgo. Também visitei a sra. Canning. Disse que tinha sido aluno do marido dela. Ela foi bem-educada, mas não descobri muita coisa. Você vai gostar de saber que ela não sabe de nada a respeito de você. Shirley tinha se oferecido para me dar uma carona até o chalé dos Canning em Suffolk. (Ela dirige que nem uma doida.) Nós demos uma olhada no jardim e fomos passear entre as árvores. Quando fomos embora, eu estava achando que já tinha material para reconstruir a cena do seu caso secreto, do seu aprendizado das artes do segredo.

De Cambridge, lembre, eu fui falar com a sua irmã e Luke, o namorado dela. Como você sabe, eu não gosto de ficar chapado. É uma restrição mental tão grande. Aquela autoconsciência arrepiada, elétrica, simplesmente não me agrada, nem me agrada aquela tentação de comer doces, totalmente desprovida de prazer. Mas foi o único jeito de eu conseguir me dar com Lucy e conversar com ela. Ficamos nós três sentados com uma luz baixa numas almofadas no chão do apartamento deles, com incenso se evolando de uns potinhos de argila feitos em casa, um raga de cítara penetrando as nossas cabeças, vindo de alto-falantes escondidos. Nós tomamos um chá purificante. Ela te reverencia e morre de medo de você, a coitada, desesperada pela aprovação da irmã mais velha, o que acho que ela quase nunca recebe. Num dado momento ela disse magoada que não era justo você ser a mais inteligente *e* a mais bonita. Eu consegui o que tinha ido buscar — os seus anos de infância e adolescência, embora possa ter esquecido quase tudo por causa da névoa da erva. Mas lembro que comemos couve-flor gratinada e arroz integral no jantar.

Passei a noite com eles para no domingo ouvir o seu pai na catedral. Estava curioso, porque você tinha descrito para mim numa carta o seu colapso nos braços dele na porta de casa. E lá estava ele, em distante esplendor, sem abrir a boca naquele dia em particular. Uns subordinados, eles mesmos bem solenes, sem se deixar desencorajar por uma plateia minguada, conduziram o serviço com todo o brio de uma fé inabalada. Um camarada com uma voz nasal fez o sermão, uma exegese bem-comportada da parábola do Bom Samaritano. Apertei a mão do seu pai na saída. Ele me olhou interessado e perguntou amistosamente se eu ia voltar. Como é que eu poderia lhe contar a verdade?

Escrevi a Jeremy me apresentando como um bom amigo seu que estava passando por Edimburgo. Eu lhe disse que você tinha sugerido que eu entrasse em contato. Sabia que você não ia ligar para uma mentirinha. E também sabia que estava me arriscando. Se ele falasse de mim para você o meu plano caía por terra. Dessa vez eu tive que ficar bêbado para conseguir algum progresso significativo. Se não, como é que eu ia conseguir arrancar a história de como você passou a escrever para *?Quis??* Foi você quem me contou dos orgasmos dele, que nunca vinham, do osso púbico diferente e da toalhinha dobrada. Jeremy e eu também tínhamos em comum o século XVI, sua história e literatura, e eu pude atualizá-lo quanto à história de Canning como traidor, e depois quanto ao caso que vocês tiveram, o que o deixou chocado. Então a nossa noite correu maravilhosamente e eu achei que tinha sido um bom investimento quando paguei a conta no Old Waverley Hotel.

Mas por que ficar te dando esses detalhes da minha pesquisa? Primeiro, para você poder ver que eu levei isso a sério. Segundo, para deixar claro que acima de tudo foi você a minha fonte principal. Havia, é claro, tudo que vi por conta própria. E aí o pequeno elenco que percorri em janeiro. Isso deixa de fora toda uma ilha de experiências, uma importante parte do todo, que era você sozinha, você com a sua cabeça, e às vezes você invisível a você mesma. Nesse terreno, fui obrigado a extrapolar ou inventar.

Por exemplo. Nenhum de nós dois vai esquecer o nosso primeiro encontro no meu gabinete. De onde eu estava sentado, quando você entrou pela porta e eu percebi o seu visual antiquado e certinho e os seus olhos azuis como o verão, eu pensei que era bem possível que a minha vida estivesse prestes a mudar. Eu imaginei você minutos antes daquele momento, saindo da estação Falmer, se aproximando do *campus* de Sussex cheia daquela repulsa esnobe, que depois você manifestou para mim, pela ideia de uma universidade nova. Longilínea e bela, você atravessou as multidões de garotos descalços e cabeludos. O desdém mal tinha começado a sumir do seu rosto quando você se apresentou e começou a me contar as suas inverdades. Você reclamou para mim do seu tempo em Cambridge, me disse que lá era intelectualmente anestesiante, mas você defendeu a sua universidade sem arredar pé e desprezou a minha. Bom, se é que vale a pena, pense duas vezes. Não se deixe enganar pela música alta. Na minha avaliação a minha universidade era mais ambiciosa, mais séria, mais agradável que a sua. Eu falo como produto, como um explorador do novo mapa do ensino de Asa Briggs. As aulas eram puxadas. Dois ensaios por semana durante três anos, sem folga. Todo o estudo literário de sempre, mas, além disso, historiografia obrigatória para todos os novatos e aí, para mim, por escolha própria, cosmologia, belas-artes, relações internacionais, Virgílio, Dante, Darwin, Ortega y Gasset... Sussex nunca teria deixado você estagnar desse jeito, nunca teria deixado você só fazer matemática. Por que eu estou te incomodando com isso? Eu posso ouvir você dizer a si mesma, Ele tem inveja, ele fica todo animadinho falando daquela escola gigante de vidro laminado, de não ter estado na minha universidade com as mesas de sinuca a céu aberto e o calcário cor de mel. Mas você está errada. Eu só quero te lembrar por que eu pintei uma ruga na sua boca enquanto você passava ao som de Jethro Tull, um sorriso cínico que eu não pude ver. Foi um chute bem informado, uma extrapolação.

Chega de pesquisa. Eu tinha o meu material, a hóstia dourada, e a motivação para lidar com aquilo. Trabalhei num ritmo frenético, mais de cem mil palavras em pouco mais de três meses. O prêmio Austen, apesar de todo o barulho e de todo o reconhecimento, me desconcentrou brutalmente. Eu me estabeleci uma meta de mil e quinhentas palavras por dia, sete dias por semana. Às vezes, quando a minha imaginação secava, era quase impossível, e em outras era mole, porque eu podia transcrever as nossas conversas minutos depois de elas terem acontecido. Às vezes os fatos escreviam trechos inteiros para mim.

Um exemplo recente foi o sábado passado, quando você voltou das compras e me mostrou a notícia do *Guardian*. Soube na hora que Greatorex tinha decidido ir mais longe e que as coisas iam se acelerar. Eu tinha uma cadeira na primeira fila para assistir a essa farsa, os seus artifícios e os meus. Eu pude ver que você achava que estava prestes a ser desmascarada e acusada. Fingi que te amava demais para suspeitar de você — foi fácil fazer isso. Quando você sugeriu fazer uma declaração à Associação de Imprensa, eu soube que era em vão, mas por que não? A história estava se escrevendo sozinha. Além disso, era hora de desistir do dinheiro da Fundação. Fiquei tocado quando você tentou me dissuadir de afirmar não conhecer ninguém do Serviço de Inteligência. Você sabia o quanto eu estava vulnerável, o quanto você tinha me tornado vulnerável, e estava sofrendo horrores enquanto tentava me proteger. Então por que eu disse aquilo mesmo assim? Mais história! Eu não consegui resistir. E queria parecer inocente na sua frente. Eu sabia que estava me arranjando grandes problemas. Mas não ligava, estava me sentindo descuidado e obcecado, e queria ver o que acontecia. Achava, e com razão, afinal, que aquilo era o fim de jogo. Quando você foi deitar na cama para pensar sobre o seu dilema, eu fiquei descrevendo você lendo o jornal no seu café perto do mercado, e aí, enquanto ainda estava fresca, toda a nossa conversa. Depois do nosso almoço no Wheeler nós fizemos amor. Você caiu no sono e eu fui trabalhando, datilografando e revisando as horas mais recentes. Quando entrei no quarto no começo da noite para te acordar e fazer amor de novo com você, você sussurrou enquanto pegava o meu pau com a mão e me levava para dentro de você, "Você é incrível". Espero que você não ligue. Eu incluí essa parte.

Encare, Serena, o sol está se pondo em nosso caso decadente, e a lua e as estrelas também. Hoje à tarde — ontem, imagino, para você — a campainha tocou. Fui até a porta e encontrei, sorridente na calçada, uma mulher do *Daily Express*. Ela foi simpática e direta ao me contar o que estaria no jornal do dia seguinte, como eu seria apresentado como uma fraude mentirosa e gananciosa. Ela até leu trechos que tinha escrito. E também descreveu as fotografias e me perguntou educadamente se eu me incomodava de lhe dar uma frase para a matéria. Eu não tinha o que dizer. Assim que ela se foi eu tomei notas. Não poderia comprar um exemplar do *Express* amanhã mas não faria diferença porque à tarde eu ia incorporar o que ela me contou, e descrever você lendo a notícia no trem. Sim, acabou. A repórter me contou que o jornal já tinha falado com Edward Heath e Roy Jenkins. Eu estou destinado à infâmia. Nós todos estamos. Eu vou ser acusado, e com razão, de ter mentido na minha declaração à Associação de Imprensa, de receber dinheiro de uma fonte imprópria, de vender a minha independência de pensamento. Os seus empregadores se meteram estupidamente onde não deviam e geraram vergonha para os seus próprios chefes políticos. Não vai demorar para vazar toda a lista dos beneficiários da *Tentação*. Vai ter gente rindo, gente enrubescendo, e uma ou duas pessoas sendo demitidas. Quanto a você, você não tem chance de sobreviver às notícias de amanhã. Me disseram que você está deslumbrante nas fotos. Mas você vai ficar desempregada.

Logo eu vou te pedir para tomar uma decisão importante, mas, antes disso, vou te contar a minha história favorita de espionagem. O MI5 fez parte dela, assim como o 6. Mil novecentos e quarenta e três. A luta era mais dura e mais relevante do que é hoje. Em abril daquele ano o corpo em decomposição de um oficial dos Fuzileiros Reais apareceu no litoral da Andaluzia. Presa ao pulso do falecido por uma corrente havia uma pasta com documentos referentes aos planos de uma invasão do Sul da Europa, através da Grécia e da Sardenha. As autoridades locais entraram em contato com o adido inglês, que de início pareceu se interessar muito pouco pelo cadáver ou pela bagagem. Aí ele aparentemente mudou de opinião e trabalhou loucamente para conseguir que ambos fossem devolvidos. Tarde demais. Os espanhóis eram neutros na guerra, mas em geral mais favoráveis à causa nazista. A comunidade da Inteligência alemã assumiu o caso, os documentos da pasta foram parar em Berlim. O alto-comando alemão estudou o que havia na pasta, ficou sabendo das intenções dos aliados e alterou as suas defesas de acordo com as novas pistas. Mas como você provavelmente sabe graças a O homem que nunca existiu, o corpo e os planos eram falsos, uma armadilha elaborada pela Inteligência britânica. O oficial na verdade era um vagabundo galês, retirado de uma morgue e, com toda a atenção aos detalhes, vestido com uma identidade ficcional, completa, com cartas de amor e ingressos para um concerto em Londres. A invasão dos Aliados à Europa veio pela rota mais óbvia, a Sicília, que estava mal defendida. Ao menos parte das divisões de Hitler estava protegendo os portais errados.

A Operação Mincemeat foi um dos pontos altos dos exercícios de fraude da guerra, mas a minha teoria é que o que gerou todo esse brilhantismo e esse sucesso foi a forma como tudo começou. A ideia original veio de um romance publicado em 1937, chamado *The Milliner's Hat Mystery*. O jovem comandante naval que prestou atenção nesse episódio um dia seria também um romancista famoso. Ele se chamava Ian Fleming, e incluiu a ideia, junto com outras sugestões de engodo, num memorando que foi cair nas mãos de um comitê secreto cujo presidente era um catedrático de Oxford que escrevia romances de detetive. Dar uma identidade, um contexto e uma vida plausível para um cadáver foi algo que eles fizeram com o talento de um romancista. O adido naval que orquestrou a recepção do oficial afogado na Espanha também era romancista. Quem é que diz que a poesia não gera nada? *Mincemeat* deu certo porque a invenção, a imaginação, conduziu a inteligência. Numa comparação miserável, a *Tentação*, essa precursora da decadência, inverteu o processo e fracassou porque a inteligência tentou interferir na invenção. A nossa hora foi há trinta anos. No nosso declínio, nós vivemos à sombra de gigantes. Você e os seus colegas devem ter percebido que o projeto era podre e estava condenado desde o começo, mas os motivos de vocês eram burocráticos, vocês seguiram em frente porque a ordem vinha de cima. Esse Peter Nutting devia ter dado ouvidos a Angus Wilson, outro romancista ligado à Inteligência do tempo da guerra, Angus Wilson, o presidente do Concílio das Artes.

Eu te disse que não foi a raiva que me levou a escrever as páginas que estão no pacote diante de você. Mas sempre houve um elemento de olho por olho. Nós dois relatávamos. Você mentia para mim, eu espionava você. Foi delicioso, e eu achava que você merecia. Eu realmente achava que podia fechar essa questão toda entre as capas de um livro e me livrar de você escrevendo, e dizer adeus. Mas estava desconsiderando a lógica de todo o processo. Eu tive que ir a Cambridge para receber o seu diplominha terrível, fazer amor num chalé de Suffolk com um sapo velho e bonzinho, morar no seu quartinho de Camden, sofrer uma desilusão, lavar o seu cabelo e passar as suas saias para o trabalho e aguentar a jornada matutina no metrô, viver a sua vontade premente de independência assim como os laços que te prendiam aos seus pais e te fizeram chorar no peito do seu pai. Eu tive que provar a sua solidão, morar na sua insegurança, no seu desejo de receber elogios dos superiores, na sua falta de amor fraterno, nos seus impulsos mais mesquinhos de esnobismo, ignorância e vaidade, na sua consciência social mínima, nos seus momentos de sentir pena de você mesma e na sua ortodoxia em quase tudo. E fazer tudo isso sem ignorar a sua astúcia, beleza e doçura, o seu amor pelo sexo e pela diversão, o seu humor cáustico e os seus instintos protetores tão queridos (isso é o que os romances exigem), e ao fazer isso, bom, o inevitável aconteceu. Quando eu me verti na sua pele eu devia ter adivinhado as consequências. Eu ainda te amo. Não, não é isso. Eu te amo mais.

Você pode pensar que nós estamos atolados demais em engano, que já contamos mentiras mais do que suficientes para toda uma vida, que a nossa fraude e a nossa humilhação dobraram os motivos para nós nos separarmos. Prefiro pensar que elas se cancelaram e que nós estamos embrulhados demais numa vigilância mútua para permitir que o outro vá embora. Eu agora me ocupo de te observar. Você não quer fazer o mesmo por mim? O que eu estou tentando aqui é fazer uma declaração de amor e um pedido de casamento. Não foi você que uma vez me confiou a sua opinião antiquada de que era assim que um romance devia terminar, com um "Case comigo"? Com a sua permissão eu queria publicar um dia esse livro que está na mesa da cozinha. Mal se pode dizer que ele seja uma apologia, mas sim uma acusação de nós dois, que certamente nos uniria ainda mais. Mas há obstáculos. Nós não íamos querer que você ou Shirley ou mesmo o sr. Greatorex tivessem que acabar atrás das grades ao bel-prazer de Sua Majestade, então vamos ter que esperar até estarmos bem adiantados no século XXI para que prescrevam as determinações do Ato de Segredos Oficiais. O período de algumas décadas é o bastante para você corrigir as minhas ideias quanto à sua solidão, me contar o resto do seu trabalho secreto e o que realmente aconteceu entre você e Max, e o bastante para inserir aquele estofo que são os olhares para trás: naqueles dias, naquele tempo, aqueles foram os anos em que... Ou que tal, "Agora que o espelho já conta uma história diferente, eu posso dizer de uma vez. Eu era bonita *mesmo*"? Cruel demais? Não precisa se preocupar, eu não vou acrescentar nada sem o seu consentimento. Nós não temos grandes pressas de publicar.

Tenho certeza de que não vou continuar sendo sempre objeto de desprezo público, mas pode demorar um pouco. Pelo menos o mundo e eu agora estamos de acordo — eu preciso de uma fonte de renda independente. Vai aparecer uma vaga no University College London. Eles querem um especialista em Spenser e me disseram que eu tenho boas chances. Agora acho possível dar aulas e escrever, uma coisa não exclui a outra. E Shirley me disse que ela pode ter alguma coisa para você em Londres, se você estiver interessada.

Hoje à noite embarco num voo para Paris, para ficar com um velho amigo de escola que diz que pode me dar um quarto por uns dias. Quando as coisas estiverem mais calmas, quando eu tiver sumido das manchetes, volto direto. Se a sua resposta for um fatal não, enfim, eu não fiz uma cópia a carbono, esse é o único exemplar e você pode jogar no fogo. Se você ainda me ama e a sua resposta é sim, então começa a nossa obra conjunta e esta carta, com a sua aprovação, vai ser o último capítulo de *Serena*.

Minha querida, depende de você.

Agradecimentos

Devo agradecer particularmente a Frances Stonor Saunders, pelo seu livro *Who Paid the Piper? The CIA and the Cultural Cold War*; e também às obras *Britain's Secret Propaganda War: 1948–1977*, de Paul Lashmar e Oliver James e *The CIA, the British Left and the Cold War: Calling the Tune?* de Hugh Wilford. Os seguintes títulos também foram extremamente úteis: *Writing Dangerously: Mary McCarthy and her World*, de Carol Brightman; *The Theory & Practice of Communism*, de R. N. Carew Hunt; *Operation Mincemeat*, de Ben MacIntyre; *Reluctant Judas*, de Geoffrey Robertson; *Open Secret: The Autobiography of the Former Director-General of* MI5, de Stella Rimington; *The Defence of the Realm: The Authorized History of* MI5, de Christopher Andrew; *Spooks: The Unofficial History of* MI5, de Thomas Hennessey and Claire Thomas; *Spy Catcher: The Candid Autobiography of a Senior Intelligence Officer*, de Peter Wright; *State of Emergency: The Way We Were: Britain, 1970–1974*, de Dominic Sandbrook; *When the Lights Went Out: Britain in the Seventies*, de Andy Beckett; *Crisis? What Crisis? Britain in the*

1970s, de Alwyn W. Turner e *Strange Days Indeed*, de Francis Wheen.

Agradeço a Tim Garton Ash por seus comentários lúcidos; a David Cornwell, pelas irresistíveis reminiscências; a Graeme Mitchison e Karl Friston, por desnudarem o problema de Monty Hall; a Alex Bowler e, sempre, a Annalena McAfee.